SOMM ... E

Jacques le Fataliste
et son maître

Diderot
et *Jacques le Fataliste*

Diderot : un touche-à-tout des sciences, des arts et des techniques

L'écrivain et philosophe Denis Diderot (1713-1784) a vécu la moitié de sa vie dans la misère et l'anonymat. La traduction, en 1745, d'un essai (*Essai sur le mérite et la vertu*) écrit par un auteur anglais déiste[1] oublié, Shaftesbury, puis la rédaction, en 1746, d'un recueil de *Pensées philosophiques* de coloration sceptique[2] le font soudain connaître ; il obtient en 1747 la codirection (avec d'Alembert) de ce qui sera le monument éditorial du siècle et fera sa gloire, au prix de vingt ans de travaux forcés qui assouviront néanmoins sa *libido sciendi* (son désir de connaissance) extraordinaire : l'*Encyclopédie, ou Dictionnaire raisonné des sciences, des arts et des métiers* (1751-1772). Il devient alors le chef de file du parti encyclopédique et l'un des penseurs les plus en vue (et les plus surveillés par la police). Cependant, il commet un délit d'imprudence en faisant paraître en 1749 une *Lettre sur les aveugles* où il affiche son athéisme[3] : une lettre de cachet l'expédie aussitôt cinq longs

---

1. *Déiste* : croyant en Dieu mais pas en l'Église.
2. *Sceptique* : qui prône le doute en matière religieuse.
3. *Athéisme* : incroyance absolue.

mois dans un cachot à Vincennes et il n'en sort qu'après s'être engagé par écrit à ne plus jamais rien publier qui déplaise aux autorités en place (la Cour, les ministères de Versailles, l'Église, l'université de la Sorbonne, les jésuites, les jansénistes...). Dès cette date, Diderot doit combattre sous le masque : en faisant imprimer sous X, en répandant ses idées par la parole (dans les salons) ou sous forme de manuscrits circulant sous le manteau. Vers la fin de sa vie, la lourde tâche de l'entreprise encyclopédique achevée (dans les années 1770), Diderot peut se consacrer entièrement à une œuvre individuelle originale, très en avance sur son temps, et en particulier au plaisir de rédiger un roman comme on n'en a jamais lu, d'un autre genre : *Jacques le Fataliste et son maître*.

Le genre

Texte inclassable, *Jacques le Fataliste* se situe à la croisée de trois genres : le dialogue, qui permet la libre circulation et la confrontation des idées, le recueil de contes, brefs récits teintés d'oralité, fourmillant de petits faits vrais et permettant, sous une légèreté trompeuse, de sonder la nature des choses et le cœur humain, et enfin le roman, genre en vogue et qui se multiplie à l'époque (romans d'aventures, exotiques, chevaleresques, sentimentaux, etc.) mais fort discrédité, les doctes l'accusant de frivolité et d'invraisemblance et lui reprochant de détourner du réel et de flatter l'imagination. C'est pourquoi Diderot ne « fai[t] point un roman » (p. 51) mais un antiroman.

L'œuvre est un salut marqué à tous les écrivains « de combat » : hommage d'abord à Sterne (p. 37, 358), le maître[1] qui a ouvert la

---

1. *Jacques le Fataliste* serait né de la lecture, vers 1765, des livres VII et VIII de *Life and Opinions of Tristram Shandy, Gentleman*, de Laurence Sterne (1713-1768), que Diderot connaissait personnellement. Diderot avoue avoir « copié de la vie de *Tristram Shandy* » (p. 358) l'épisode du massage de Denise, qui ferme son roman, mais ne dit

voie de la modernité en inventant le personnage du lecteur, mais aussi, dans l'Antiquité, à Platon (p. 294), Horace (p. 81), Juvénal (p. 288), puis au maître François Rabelais (p. 293), à Montaigne (p. 291), l'Arioste, Cervantès (p. 109), Dante (p. 261), ensuite à La Fontaine (p. 290) et Molière (p. 54), et, parmi les contemporains, avec des réserves, à Jean-Jacques Rousseau (p. 294, 336), Voltaire (p. 133), Goldoni (p. 152), entre autres. Le seul genre dont relève *Jacques le Fataliste*, c'est celui de la littérature universelle.

Une intertextualité foisonnante

Jacques le Fataliste ressemble à un ensemble de pastiches de traditions narratives : la tradition populaire (proverbes, fabliaux, farces), celles du roman picaresque [1] (remis à la mode par le *Gil Blas* de Lesage), du roman de formation (Jacques tire des leçons de ses mésaventures), du roman d'aventures (les scènes de duels sont fréquentes), du roman sentimental (en témoigne l'idylle avec Denise), du roman libertin (comme le soulignent la coucherie avec Agathe, les récits grivois des dépucelages à répétition), du drame bourgeois (que signalent l'allusion à « Sedaine », p. 80, et la scène de la courtisane au cœur pur, p. 214), etc. Et, comme *Le Neveu de Rameau*, *Jacques le Fataliste* relève simultanément du registre satirique (critique des vices sociaux) et du genre de la satire [2] : le texte associe en effet des éléments très disparates [3], le

---

rien de la scène d'ouverture (la balle, la blessure au genou), pourtant également inspirée du livre VIII du roman anglais. Voir aussi dossier, p. 367.

1. Tel un picaro (gueux sympathique), Jacques vit d'expédients et de ruses, côtoie tous les milieux avec une prédilection pour les auberges, les lieux fréquentés par les brigands (telle la troupe de Mandrin) et les geôles.

2. Depuis l'Antiquité latine, la tradition littéraire désigne par *satira* (« macédoine ») un ouvrage de forme libre, affranchi de règles strictes, mélangeant des propos relevant de modèles rhétoriques différents.

3. On peut lire les pastiches de multiples genres : l'allégorie (celle du château, p. 62), l'oraison funèbre (p. 93), la dissertation philosophique, la plaidoirie .../...

fil des discours est tortueux, et le niveau de langue est très hétérogène – grossier (« foutre »), vulgaire, familier, recherché, savant (« engastrimythe »).

La genèse et la publication

Du vivant de l'auteur, le texte, composé de 1771 à 1778, ne fut connu que par ses amis et par une élite européenne (surtout allemande) de lecteurs princiers francophones abonnés à la *Correspondance littéraire*, revue culturelle uniquement manuscrite (donc tolérée par la censure royale) qui le publia en quinze morceaux successifs livrés [1] de novembre 1778 à juin 1780 [2]. La première édition française, en deux tomes, parut en 1796.

L'antiroman :
une structure originale...

Un dispositif énonciatif complexe

Jacques le Fataliste se présente sous la forme d'un entretien entre un hypothétique lecteur et un auteur-narrateur qui lui

---

.../... (du narrateur en faveur de Mlle Duquênoi et Mme de La Pommeraye, p. 219), la critique littéraire (les considérations sur le roman, sur Molière, sur Goldoni, sur les continuateurs de Cervantès, la critique de la fable de Garo) ou picturale (le tableau à la Greuze, p. 129), le langage scientifique (termes médicaux, « raison directe », « manière de dire empruntée de la géométrie », p. 66).

1. Les dates des livraisons sont indiquées au cours du texte dans les notes de bas de page.

2. Il y eut deux séries d'additifs : en juillet 1780 (quatre ajouts assez courts) et, vingt et un mois après la mort de l'auteur, en avril 1786 (vingt « lacunes », constituant près du quart du roman). Avaient été écartés en particulier certains épisodes érotiques.

raconte une dizaine d'histoires [1] dont certaines sont très brèves ; la principale concerne le voyage sans but précis de neuf jours environ effectué quelque part dans la campagne française par les deux personnages-titre, Jacques et son maître. Le narrateur parle assez peu de ce qui leur arrive et des gens qu'ils croisent mais accorde une grande importance à leur causerie à bâtons rompus, transcrite comme des répliques de théâtre. L'essentiel de cette conversation est constitué de deux récits : celui, qui ne cesse de s'amplifier et qui « ne doit pas finir » (p. 348), que Jacques fait de ses amours (l'histoire de Denise) puis, réciproquement, celui, plus court, que le maître fait des siennes (l'histoire d'Agathe). *Jacques le Fataliste* comporte ainsi plusieurs niveaux d'énonciation (de narration) que l'on résume de la manière suivante :

Niveaux d'énonciation dans *Jacques le Fataliste*			
Niveau 1 (N1)	Niveau 2 (N2 est enchâssé dans N1)	Niveau 3 (N3 est enchâssé dans N2)	Niveau 4 (N4 est enchâssé dans N3)
Le dialogue lecteur-narrateur			
	Le récit du voyage des deux héros		
		Le dialogue entre les deux héros	
			Le récit qu'ils se font de leurs amours

1. Récits réalisés par le narrateur : histoire du voyage de Jacques et son maître, histoire du poète de Pondichéry, histoire d'Ésope, histoires du sieur Gousse, histoire des capitaines duellistes, histoire du bon mot de milord Chatham, histoire des orphelins du limonadier, histoire des trois épilogues (voir aussi dossier, p. 372).

Ce dispositif énonciatif très recherché, qui use d'effets de miroir et de symétries, est artistiquement et malicieusement compliqué par le recours à trois procédés d'écriture majeurs. D'abord, l'emboîtement à l'intérieur de N2 de deux longs récits annexes narrés par deux personnages de rencontre [1] et, à l'intérieur de N3, d'une douzaine de récits secondaires enclavés (en plus des deux principaux relatés en N4) que se racontent les deux héros pour tuer le temps. Ensuite, le deuxième procédé, qui fait l'originalité du texte, est la cassure [2], l'interruption quasi systématique des développements narratifs [3] sous divers prétextes ; il en résulte un tronçonnement des fils directeurs et une réception des contenus par bribes, ce qui à la fois suscite la curiosité du lecteur, en créant un suspens, et agace [4]. Enfin, la troisième technique est la subite digression [5] qui consiste à s'écarter sans raison d'un sujet et à laisser proliférer une parenthèse [6]. Cette multiplication des moyens favorisant la discontinuité de la lecture vise à créer un vertige et amène à la perte de tout repère : « Cela me trouble, je ne sais plus où j'en étais » (p. 158).

---

1. Récit donné par l'hôtesse de l'auberge du Grand-Cerf : histoire de Mme de La Pommeraye ; récit réalisé par le marquis des Arcis : histoire de Richard et de l'abbé Hudson.

2. Le genou brisé de Jacques métaphorise ce procédé.

3. Seul le récit du marquis des Arcis n'est pas interrompu (mais ce « diable » de Jacques est alors absent).

4. Cet agacement même est l'indice que le conteur et le conte sont de qualité (remarque significative de Jacques : « Les fréquentes interruptions des gens de sa maison m'ont impatienté plusieurs fois », p. 166).

5. Digressions sur l'art de « faire des contes » (p. 39), sur les liens entre roman et vérité (p. 51), sur les deux capitaines (p. 114), sur le bourru bienfaisant (p. 152), sur Mme de La Pommeraye (p. 219), sur le nom « Bigre » (p. 277), sur la valeur de l'ouvrage, sur le récit, etc.

6. L'histoire de Mme de La Pommeraye occupe ainsi le tiers du roman.

Une « insipide rhapsodie » ?

Si *Jacques le Fataliste* semble au lecteur-interlocuteur « une insipide rhapsodie de faits [...] distribués sans ordre » (p. 290), le texte obéit cependant à une impeccable logique paradoxale reposant sur un travail de recomposition continuelle à partir de ruptures d'apparence aléatoire. Ce principe de structuration est emprunté au *Tristram Shandy* de Sterne, qui décrivait ainsi son innovation : « Cet ingénieux dispositif donne à la machinerie de mon ouvrage une qualité unique : deux mouvements inverses s'y combinent et s'y réconcilient quand on les croit prêts à se contrarier. Bref mon ouvrage digresse mais progresse en même temps[1]. » La cohérence narrative de *Jacques le Fataliste* est assurée par des garde-fous : d'abord le texte s'apparente à un roman itinéraire (roman de la route), composé d'une succession linéaire d'étapes, de repas et de nuitées, les fils des histoires principales s'imbriquent[2] et le voyage lui-même trouve *in extremis* une justification crédible (la visite au pseudo-fils du maître) ; ensuite, le récit donne à lire un ensemble de séries formées chacune de trois histoires au moins avec réitération des personnages (cycles du capitaine, de Gousse, du pucelage de Jacques, de Desglands)[3], contient une sorte de loi des séries (parenté de caractère entre les manipulateurs : Hudson, Mme de La Pommeraye, Saint-Ouin), place symétriquement, au début et à la fin, deux histoires de bandits, deux opérations et deux chutes de cheval, et fait rencontrer à Jacques et son maître lors de leur

---

1. *Tristram Shandy*, trad. S. Soupel, GF-Flammarion, 1982, p. 82.
2. Les quatre grandes histoires sont : l'histoire des amours de Jacques, l'histoire du chevalier de Saint-Ouin et d'Agathe, l'histoire de Mme de La Pommeraye et l'histoire du secrétaire Richard et de l'abbé Hudson. Or l'amoureuse de Jacques (Denise) fut courtisée par le maître, et la victime de Mme de La Pommeraye (le marquis des Arcis) se trouve résider dans la même auberge que Jacques et son maître, et avoir à son service le secrétaire Richard. Ces histoires ont ainsi un lien entre elles.
3. Cycle du capitaine (trois histoires), cycle de Gousse (six histoires), cycle du pucelage de Jacques (trois histoires), cycle de Desglands (trois histoires).

voyage les personnages évoqués dans les récits annexes[1] ; enfin, Diderot parsème son œuvre de motifs emblématiques rappelant que l'allure du texte est préméditée : le tic-tac de la montre (et la métaphore de la gourmette ou de la chaîne), le refrain fataliste de Jacques, l'idée d'un rouleau qui se déroule peu à peu, etc. Le désordre superficiel du texte ne saurait donc voiler le dessein très conséquent de Diderot.

Une construction expérimentale

La construction répond en fait à un triple objectif. En premier lieu, Diderot expérimente, pour ainsi dire, la capacité d'un texte à se régénérer à partir d'un fragment de lui-même ou à se reproduire (en témoignent les nombreuses variantes et redites). Diderot paraît couper[2] ou dédoubler[3] le matériau romanesque simplement pour mettre à l'épreuve sa propre inventivité et observer comment ses idées parviennent à se recomposer ou à se formuler autrement. Il utilise l'écriture comme s'il s'agissait d'une matière organique vivante ; il écrit un texte-polype[4]. Le deuxième but de Diderot est d'explorer les potentialités de la fiction ; il refuse de donner au roman une forme préétablie parce qu'il considère que

---

1. Par exemple, des personnages de niveau N4 (Denise, Desglands, Saint-Ouin, Agathe) resurgissent au niveau N2.
2. Le thème de la chirurgie, des blessures et des incisions chirugicales est bien sûr constant dans le texte (en particulier l'opération à l'aide d'« instruments tranchants » décrite p. 349).
3. Voir l'histoire du camarade du capitaine (et de M. de Guerchy).
4. *Polype* : le polype, ou hydre d'eau douce, est un animal minuscule et inoffensif, d'apparence végétale, au corps en forme de poche allongée, muni d'un seul orifice entouré de fins tentacules ; le zoologue A. Trembley (1700-1784), dans son *Mémoire pour servir l'histoire d'un genre de polype d'eau douce* (1744), avait révélé les facultés de régénération et de reproduction par bourgeonnement de cet animal. Dans *Le Rêve de d'Alembert* (août 1769), Diderot se sert du polype pour donner forme à une spéculation scientifique visionnaire : le principe du clonage et de la division cellulaire.

ce genre est une forme vide, une sorte de « gourde » (p. 294), de contenant mou et malléable qui a pour unique fonction de s'adapter à un contenu. Or ce que Diderot entend faire entrer dans le roman, c'est la réalité dans toutes ses dimensions, ce qu'il appelle parfois « la vérité ». Il s'agit de s'ouvrir à ce que la vie quotidienne (et plus largement la nature) contient d'hétéroclite, de frustrant, d'absolument imprévisible, de « bizarre », mais aussi de très prosaïque, de très plat (comme les épinards un peu trop salés, p. 141). Le troisième projet de Diderot, qui fut l'un des plus brillants causeurs de son temps, est de réussir le pari de recréer littérairement le caractère fragmenté, la vivacité et le piquant de la conversation réelle de haut niveau, qui procède souvent par petites associations d'idées et sauts du coq-à-l'âne[1], et dont les « chaînons imperceptibles[2] » échappent fréquemment aux interlocuteurs, alors que, en réalité, « tout tient dans la conversation ». Ce sont toutes ces préoccupations esthétiques, philosophiques et intellectuelles qui s'expriment à travers ses choix narratifs.

... une narration nouvelle...

Un narrateur retors

La voix qui énonce l'ensemble de *Jacques le Fataliste*, qui prononce la totalité du texte (y compris les reparties du pseudolecteur), est celle d'un narrateur se permettant tout ; Diderot a forgé une voix narrative englobante d'une versatilité inouïe et qui ne recule devant aucune contradiction. Le narrateur de *Jacques le*

---

1. Voir par exemple l'habitude qu'a Jacques de rompre un silence dans la conversation « par un propos, lié dans son esprit, mais aussi décousu dans la conversation que la lecture d'un livre dont on aurait sauté quelques feuillets » (p. 102).
2. Lettre à Sophie Volland du 20 octobre 1760 (voir dossier, p. 366).

Fataliste s'affirme tantôt comme l'auteur de l'histoire de Jacques et de son maître, qu'il peut soumettre à sa guise à des variations pour « [faire] plaisir » (p. 42) à son lecteur-auditeur, tantôt comme un compilateur de « mémoires » (p. 357), voire comme le vulgaire plagiaire d'un « manuscrit » (p. 296) antérieur [1]. Son statut exact par rapport aux événements racontés demeure très flou et sa position par rapport au récit est retorse. À certains moments, il se fait complètement oublier, s'efface au profit du dialogue théâtralisé central et de la simple transcription des actions, se réduit à un rôle mineur de témoin au présent, de garant des faits, refusant catégoriquement qu'on le prenne pour un narrateur régissant tout, omniscient et omniprésent – tout se passe alors comme s'il se niait lui-même en tant que narrateur. À d'autres moments, il est le héraut de l'antiroman – « Je n'aime pas les romans », confie-t-il (p. 309). Ce narrateur-là refuse de « filer [son] roman » en utilisant des poncifs littéraires, du déjà vu (au théâtre) ou lu. Pour rénover le genre, l'illusion romanesque est mise en lambeaux, les traditions rhétoriques sont parodiées, les conventions déjouées et, surtout, le mot d'ordre est : surprendre. Contre toute attente, Diderot entend renouveler le genre en construisant une narration fondée sur le vide, autrement dit une « antinarration » ; ainsi, de nombreux récits sont seulement amorcés ou à peine esquissés, résumés ou même refusés. Le but est toujours d'abréger, de couper, de ne pas tout dire (« Tu ne m'en as jamais dit un mot », p. 38), et de ne raconter que les faits avec « laconisme » (p. 326), d'aller au plus court sans « redites » (p. 169), non seulement pour éviter

---

1. Il possède un manuscrit qu'il doit comparer à des « mémoires » douteux à relire. Il fait allusion deux fois à un manuscrit incomplet (« les descendants de Jacques ou de son maître ») qui présente une « lacune ». Il propose à la fin trois versions : une reprise des amours de Jacques au moment où il est amoureux de Denise ; une fin leste, plagiée de Sterne, et offrant un dialogue entre le narrateur et un interlocuteur non identifié sur la vertu de Denise ; un recours aux motifs du roman d'aventures (prison, brigands, attaque et retrouvailles).

d'être « long et ennuyeux » (p. 331) au point d'endormir l'auditoire, mais aussi pour donner l'illusion du vrai.

Un souci de « réalisme »

Les choix esthétiques de Diderot dans le domaine de la narration répondent à une intention philosophique qui est de faire comprendre le réel en en dressant le « procès-verbal » (p. 251). Aussi son narrateur entend-il faire œuvre d'« historien » (p. 317), c'est-à-dire de rapporteur d'histoires véridiques[1] telles qu'elles se sont déroulées dans la nature, et non de « conte[s] fait[s] à plaisir » (p. 133). Soucieux de produire une illusion réaliste et surtout pas romanesque, ce narrateur s'interdit d'inventer certaines lettres, de « garnir » des fourches patibulaires (p. 87), d'utiliser des mots inadéquats, etc. En revanche, on imagine bien Diderot prendre des notes sur ses tablettes (p. 120) en vue de restituer minutieusement des menus propos ou des sons tirés du réel. Derrière la critique un peu verbeuse du romanesque et de ses clichés, il y a un travail de construction d'une autre représentation littéraire de la réalité physique et de son fonctionnement. Diderot nous invite à circuler dans sa vision artistique de la réalité. Dans l'univers de *Jacques le Fataliste*, rien n'est univoque et continu, tout est polymorphe et polyphonique. Et si d'aventure certains indices permettent quelques déductions logiques (comme celles du maître à propos du cheval volé), le plus souvent les liens entre les épisodes sont énigmatiques, quand ils ne sont pas purement paronymiques, dus à des jeux de mots (comme le bourreau bienfaisant/le bourru bienfaisant). Le fait de dénoncer le carcan et les modèles aliénants du romanesque traditionnel n'implique pas la soumission à la vraisemblance ; la bizarrerie, l'extraordinaire font

---

1. Voir l'appel amusant au patronage des historiens de l'Antiquité (par exemple « Tite-Live », p. 317).

partie intégrante de la nature : « Il n'y a rien de si bizarre dans l'imagination d'un poète dont l'expérience et l'observation ne vous offrissent le modèle dans la nature » (p. 110). Dans l'esprit du narrateur (et de Diderot), plus une personnalité ou une situation sont singulières, étonnantes, plus elles sont criantes de vérité : « Ma foi, cela est vrai ; on n'invente pas ces choses-là » (*Les Deux Amis de Bourbonne*, postface, 1771).

La passion de pérorer

Le déni du romanesque et le souci d'être cru préoccupent tous les narrateurs qui sont des maniaques de récits. Ils ont besoin d'un auditeur qui adhère, qui réagisse à leur narration, voire la conteste, mais consente à se placer momentanément en position de subalterne pour le plaisir d'entendre la suite. Le maître du récit, de son côté, une fois son lecteur bien ferré, peut condescendre à s'adapter à ses goûts (en lui proposant des versions différentes ou des suppléments de détail), ou au contraire prendre un malin plaisir à le faire languir. Ce petit jeu de rôles caractérise toutes les situations de narration de *Jacques le Fataliste* et se retrouve à tous les niveaux (narrateur/lecteur fictif, Jacques/son maître). Cette « rage de parler » (p. 169), même sans être écouté, même sans être sûr d'intéresser, donne son énergie à l'ensemble du texte. Chaque narrateur, telle une « machine » à conter (p. 337), paraît entraîné malgré lui, et malgré toutes sortes de contrariétés (interruptions, bruits, notamment pendant le récit de l'hôtesse), à aller jusqu'au terme de son récit. Si « le plaisir délicieux de pérorer » (p. 100) apparaît comme un « vice » (p. 227) menacé par une malédiction (celle d'être interrompu à tous propos), il s'explique cependant par le sentiment de mainmise sur les êtres évoqués (« Il est donc mort ou vivant, comme il me plaira », p. 309) et les situations décrites, ainsi que par l'emprise concrète que l'art de conter et le jeu sur les ressorts narratifs exercent sur le narrataire.

Diderot, dans *Jacques le Fataliste*, ne fait pas seulement le procès de l'illusion romanesque au profit de l'illusion réaliste, il montre comment procède l'illusion littéraire.

... l'action en question

Un roman sur rien ?

Jacques le Fataliste paraît être un roman sans action. Jacques et son maître sont des antihéros, passifs, oisifs, voyageant sans but prédéfini et s'en remettant aux caprices du hasard. Leur voyage (N2) est plutôt routinier, sans grands imprévus pour l'époque, et les objets perdus sont tous retrouvés (montre, bourse, cheval). Ils se livrent surtout à des actions par la bouche : boire, manger, siffler et bavarder. Le couple fonctionne selon une base simple : à la suite d'une enfance où il a été bâillonné (« c'est à ce maudit bâillon que je dois la rage de parler », p. 169), l'un passe son temps à « causer » (p. 146), ce qui a pour effet immanquable de faire bâiller l'autre. L'action ne repose que sur les jacasseries d'un valet qui parle souvent dans le vide et sur les velléités d'autorité d'un maître falot qui se contente de « se laisse[r] exister » (p. 65). Cette impression de calme n'est pourtant que superficielle.

L'égarement dans l'action

Le texte foisonne de scènes de violence ou d'allusions à la violence. Il y a d'abord les références explicites à la guerre (« le coup de feu » au genou, p. 38), à la tyrannie (l'emprisonnement sur lettre de cachet, p. 142), et à la criminalité organisée (les contrebandiers déguisés, p. 98). Ensuite, on rencontre des foules hargneuses et prêtes à lyncher ou à tuer (les paysans menés par le porteballe, p. 68 ; la troupe armée qui rôde, p. 50 ; les gendarmes qui menacent de tirer, p. 98) et des êtres qui se battent à mort (les capitaines, le maître et Saint-Ouin) ; les brutalités sont courantes (coups de fouet, coup de botte au porteballe et à la chienne Nicole, poignard planté dans une main, cheval frappé, etc.) ; le corps de Jacques est fréquemment blessé (le genou, le choc à la tête, p. 116 ; son tabassage par des voleurs, p. 130). Enfin, sur le plan moral, c'est la loi de l'instinct qui règne : Mme de La Pommeraye, Hudson, Saint-Ouin manœuvrent pour satisfaire leurs désirs et anéantir leurs ennemis ; Jacques et le maître se disputent continuellement le pouvoir et en arrivent aux mains (p. 230) ; les querelles de toute sorte sont innombrables. Diderot veut du bruit et de la fureur, de l'emportement, de l'égarement en mettant la notion même d'action à distance.

L'égarement de l'action

Jacques le Fataliste mène une réflexion sur l'action, sur les plans psychologique, physique et philosophique. Psychologiquement, elle présuppose une intention qui peut être celle de maîtriser sa vie (comme la détermination admirable de Jacques face aux brigands, p. 46), mais, plus souvent, de maîtriser autrui par la subordination pure et simple (au nom de la soumission au destin, ou de la hiérarchie, ou de l'art de conter), par la négociation serrée ; tout cela n'est pourtant qu'illusion : il y a toujours un « maître du maître » (p. 93). L'action a surtout une dimension physique. Elle résulte du corps, le corps fait l'action, l'esprit est second. On peut dire que c'est le genou de Jacques qui génère tout le roman. Enfin, l'action a une dimension philosophique : à la question l'action est-elle possible ? autrement dit, est-on libre de faire ? Jacques répond « non » (« on passe les trois quarts de sa vie à [...] faire sans vouloir », p. 338), mais, en pratique, il agit comme s'il était un individu libre. Le maître répond « oui » en théorie, mais il agit comme un pantin (p. 65). Le narrateur, quant à lui, dit que les personnages n'ont aucune liberté d'action mais leur en accorde pourtant, tout en laissant son auditeur libre de les faire agir à sa guise (mais dans certaines limites).

L'imposture fataliste

Denis le Fataliste

Diderot était un philosophe matérialiste athée. Sa vision du monde, exposée dans *Le Rêve de d'Alembert* (1769), peut se résumer ainsi : la matière constitue le fondement biologique de nos actions, et les mouvements organiques sont seuls à l'origine de notre vie psychique (pensées, sentiments, personnalité, et même valeurs morales). Tout dans la nature est en perpétuel changement mais obéit à des lois causales explicables rationnellement par la physique, la biologie ou la chimie. Dans la mesure où Diderot admet une nécessité universelle (une logique du vivant), il peut être dit fataliste, à condition de vider le mot de toute dimension religieuse, de toute croyance en un destin ou une quelconque providence. Le mot moderne *déterministe* [1] conviendrait mieux pour qualifier sa thèse. Dans la perspective de ce déterminisme radical, le cours de l'existence dépend de chaînes de nécessités inconnaissables [2] à l'intérieur d'un monde mobile qui n'est en permanence qu'un « ordre momentané » (*Lettre sur les aveugles*). Autant dire, dans ces conditions, que l'idée de liberté humaine individuelle n'a

---

1. Le mot « déterminisme », très en vogue au XIXᵉ siècle, n'apparaît qu'en 1793, neuf ans après la mort de Diderot.
2. On note la ridiculisation de la prétention humaine à vouloir « démontrer » (p. 40), en particulier lors de l'épisode burlesque des chirurgiens (p. 53).

aucun sens ; le paradoxe est qu'on a pourtant l'impression (l'illusion) d'avoir une prise sur les événements et la responsabilité de ce qui nous arrive. Telle est la théorie du penseur ; voyons ce que le romancier nous offre.

Jacques, un fataliste ?

Comme le suggère le titre, le Fataliste est d'abord un type d'individu [1], héritier des grands systèmes métaphysiques de Malebranche, de Leibniz et de Spinoza – selon lesquels tout dans la nature découle de Dieu avec une inévitable nécessité –, représenté dans le texte par le maître spirituel de Jacques : son capitaine ; celui-ci « lui avait fourré dans la tête toutes ces opinions qu'il avait puisées, lui, dans son Spinoza qu'il savait par cœur » (p. 240). Donc, aucune réflexion : l'un s'est contenté d'« ingurgiter », l'autre ne fait que répéter mécaniquement la leçon : « Jacques disait que son capitaine disait [...] » (p. 37). Ce que Jacques a retenu, c'est qu'il n'y a pas de hasard, que les événements « se tiennent ni plus ni moins que les chaînons d'une gourmette » (p. 38) parce que chaque vie est d'avance « écrit[e] là-haut » (p. 37) sur « un grand rouleau » [2] (p. 45). À partir de ce noyau doctrinal simpliste, Diderot va s'amuser. Il fait de Jacques une machine pensante, un « subtil raisonneur » (p. 355) apte à prouver ou réfuter une idée, en utilisant l'induction fondée sur l'expérimentation et l'observation (comme dans l'épisode du cheval retrouvé, p. 339), aussi bien que la déduction (« posez une cause, un effet s'ensuit », p. 337). Mais Jacques est ridiculisé lorsqu'il est forcé de reconnaître que, alors qu'il y voyait des causes surnaturelles, les emballements de

---

1. On rapprochera le titre de l'œuvre de Diderot des titres des deux contes de Voltaire qui examinent la même question du sens de la vie, de l'existence ou non d'une transcendance : *Zadig, ou la Destinée* (1748) et *Candide, ou l'Optimisme* (1761).
2. Rappelons que si Diderot rejette en bloc l'idée de causalité transcendante, il adhère à celle de déterminisme matérialiste.

son cheval s'expliquent le plus naturellement du monde par un comportement machinal (p. 122). Malgré son prétendu «tour de tête fataliste» (p. 238) qui le place du côté des «petits imbéciles» (p. 181) antiphilosophes, Jacques va bafouer le principe de divinité : sa foi est plus ou moins teintée de superstition[1], la prière[2] qu'il adresse à l'au-delà est hétérodoxe sinon bouffonne, et son lien avec Dieu n'est pas étroit : «Je ne crois ni ne décrois» (p. 47). On peut même avancer que le personnage «sent le fagot en diable» (p. 131) lorsqu'il affirme «que l'Esprit saint [est] descendu sur les apôtres dans une gourde» (p. 293). Au total, à travers le discours de Jacques (niveaux N3 du dialogue et N4 du récit de ses amours), Diderot ruine le fatalisme sur le plan philosophique, théologique et intellectuel – mais il le réhabilite en partie sur le plan esthétique.

Qui est le maître du grand rouleau ?

En effet, aux niveaux N2 (histoire du voyage) et N1 (dialogue avec le lecteur), le narrateur s'affiche comme l'auteur effectif du «Grand rouleau» qu'est le texte, le maître absolu de destinées qu'il connaît d'avance («Je sais très bien comment Jacques sera tiré de sa détresse», p. 133) ; ses interventions imprévisibles arrêtent net le cours des vies racontées (et des récits en cours), et entraînent la suspension des actes. À la manière d'un dieu capricieux, il peut faire que les personnages errent «en leur faisant courir à chacun tous les hasards qu'il [lui] pla[ît]» (p. 39), se

---

1. Comme la croyance populaire en la démangeaison de l'oreille (p. 58) et aux signes du ciel lors des deux incidents des fourches (p. 87) ; cependant, il est aussi celui qui raconte l'histoire de l'anneau brisé qui montre la vanité des pressentiments (p. 124).
2. «Toi qui as fait le grand rouleau, quel que tu sois, et dont le doigt a tracé toute l'écriture qui est là-haut, tu as su de tous les temps ce qu'il me fallait ; que ta volonté soit faite. Amen» (p. 226).

sentent contraints comme des automates ou aient l'illusion d'être libres. En même temps, au nom de la liberté de créer, ce même narrateur refuse que tout se déroule comme prévu par le lecteur car, sur le plan de la fiction, le fatalisme entraîne l'académisme. C'est pourquoi ce maître-narrateur travaille à briser, malgré l'adversité du pseudo-lecteur, les deux fondements du fatalisme : la nécessité irrévocable et la signification qui va de soi. Il instaure au contraire un règne du doute généralisé en cultivant la possibilité (l'éventualité, l'alternative) et la vacuité (le non-sens, les lacunes, les vides). Le fatalisme est ainsi contredit sur le plan de la forme romanesque comme il l'était sur les autres plans. Le narrateur, comme Jacques (et Diderot), est un briseur de systèmes.

CHRONOLOGIE

1713 1784

1713 1784

■ Repères historiques et culturels

■ Vie et œuvre de l'auteur

Repères historiques et culturels

1677	Spinoza, *Éthique*.
1694	Naissance de Voltaire.
1713	Challe, *Les Illustres Françaises*.
1715	Mort de Louis XIV. Régence de Philippe d'Orléans. Lesage, *Gil Blas de Santillane* (livres I-VI).
1721	Montesquieu, *Lettres persanes*.
1723	Mort de Philippe d'Orléans. Début du règne personnel de Louis XV.
1731	Marivaux, *La Vie de Marianne*.
1733	Voltaire, *Lettres philosophiques*.
1735	Lesage, *Gil Blas de Santillane* (dernière partie).
1736	Crébillon fils, *Les Égarements du cœur et de l'esprit*.
1740– 1748	Guerre de Succession d'Autriche.

Vie et œuvre de l'auteur

1713   Le 5 octobre, naissance à Langres, en Haute-Marne, de Denis, fils de Didier Diderot (petit industriel coutelier d'une haute moralité) et d'Angélique Vigneron. Il aura quatre sœurs, dont l'une, atteinte de folie, passera la fin de sa vie dans un couvent, et un frère qui deviendra un prêtre superstitieux et antiphilosophe.

1723–
1728   Il effectue de brillantes études au collège des jésuites de Langres. Destiné par sa famille à l'état ecclésiastique, il est tonsuré en 1726 mais ne peut hériter du canonicat[1] de son oncle.

1728–
1742   Il poursuit ses études à Paris, au lycée Louis-le-Grand. Il est reçu maître ès art en septembre 1732. Il commence une carrière juridique mais y renonce, mène une vie de bohème, fréquentant les cafés et les théâtres; il vit de petits métiers (précepteur de mathématiques, de musique, clerc de notaire, etc.), son père lui ayant coupé les vivres.

1742   Il apprend l'anglais, traduit un ouvrage historique de Temple Stanyan et entreprend de vivre de sa plume, sans aucune pension ni protecteur. Il se lie d'amitié avec Rousseau.

1743   Contre l'avis de son père, il épouse Antoinette Champion, une jeune lingère.
Rousseau lui présente Condillac.

1744   Diderot traduit un dictionnaire de médecine de James. Il suit des cours de chirurgie.

---

1. *Canonicat* : dignité de chanoine.

Repères historiques et culturels

1745   Victoire des troupes françaises à Fontenoy.
La marquise de Pompadour (favorable à l'*Encyclopédie*)
devient la maîtresse «officielle» de Louis XV.

1746   Condillac, *Essai sur l'origine des connaissances humaines*.

1748   Voltaire, *Zadig ou la Destinée*.
La Mettrie, *L'Homme-machine*.

1749   Buffon, *Histoire naturelle* (t. I à III).

1750   Rousseau, *Discours sur les sciences et les arts*.

1751   Voltaire, *Le Siècle de Louis XIV*. *Micromégas*.

1753   Buffon, *Histoire naturelle* (t. IV).
Grimm prend la tête de la *Correspondance littéraire*, cahiers
privés envoyés tous les quinze jours aux princes européens.

1754   Naissance du futur Louis XVI.

Vie et œuvre de l'auteur

1745 Il publie sa traduction de l'*Essai sur le mérite et la vertu* de Shaftesbury.

1746 Sous l'anonymat, il fait paraître ses *Pensées philosophiques*, qui sont jugées «contraires à la religion et aux bonnes mœurs» et sont condamnées au feu par le parlement de Paris.

1747 Il se voit confier, avec d'Alembert, la direction de l'*Encyclopédie*. C'est le début d'une aventure qui durera vingt ans et réunira cinquante-cinq collaborateurs, parmi lesquels Buffon, Rousseau, Dumarsais, d'Holbach, Montesquieu, Voltaire.

1748 Publication anonyme des *Bijoux indiscrets*, roman érotique qui fait scandale.

1749 À la suite de la publication de sa *Lettre sur les aveugles à l'usage de ceux qui voient*, Diderot est arrêté et emprisonné au donjon de Vincennes de juillet à novembre. Il y reçoit la visite de Rousseau. Son élargissement a lieu en échange d'une lettre de soumission.

1750 Diderot rencontre Grimm qui lui présente le baron d'Holbach.

1751 Il publie sa *Lettre sur les sourds et muets* et le premier volume de l'*Encyclopédie*.

1752 Le deuxième volume de l'*Encyclopédie* paraît. Le Conseil d'État du roi ordonne la suppression de l'ouvrage jugé dangereux pour les mœurs, la religion et le gouvernement. Perquisition de la police chez Diderot.

1753 Naissance de la seule des quatre enfants de Diderot qui survivra, Angélique, la future Mme de Vandeul, qui écrira la vie de son père; il s'oppose à ce qu'elle aille au couvent. Annulation de l'interdiction de l'*Encyclopédie*. De 1753 à 1757 paraîtront ainsi cinq volumes, au rythme de un par an.

Repères historiques et culturels

1755   Tremblement de terre de Lisbonne.
Rousseau, *Discours sur l'origine et les fondements de l'inégalité parmi les hommes.*

1757   Palissot, *Petites Lettres sur de grands philosophes.*

1758   Helvétius, De l'esprit.
Rousseau, *Lettre à d'Alembert sur les spectacles.*

1759   Voltaire, *Candide ou l'Optimisme.*

1760   Palissot, *Les Philosophes.*
Sterne, *Vie et opinions de Tristram Shandy* (premiers volumes).

1761– Choiseul, secrétaire d'État à la Guerre et à la Marine.
1766

1761   Rousseau, *Julie ou la Nouvelle Héloïse.*
Le Fils d'Arlequin perdu et retrouvé, d'après Goldoni.
Greuze, *L'Accordée de village.*

1762   Arrêt du parlement de Paris supprimant l'ordre des Jésuites.
Rousseau, *Du contrat social.*
Début du règne de Catherine II.

1763   Voltaire, *Traité sur la tolérance.*
Traité de Paris : la France perd l'Inde.

1764   Voltaire, *Dictionnaire philosophique.*
Mort de Mme de Pompadour.

Vie et œuvre de l'auteur

1755 Rencontre de Sophie Volland (1717-1784) ; jusqu'à sa mort, elle sera l'amie, l'amante et la correspondante privilégiée de Diderot.

1756 Début de sa collaboration à la Correspondance littéraire.

1757 Diderot fait paraître *Le Fils naturel*, drame bourgeois novateur, suivi de trois *Entretiens sur Le Fils naturel*, où il expose ses théories dramatiques.

1758 En novembre, il fait paraître *Le Père de famille* (représenté en 1761), et en décembre son *Discours sur la poésie dramatique*. L'article « Genève » de l'*Encyclopédie* suscite les protestations du parti dévot français et provoque la brouille définitive de Diderot avec Rousseau.

1759 L'*Encyclopédie* est jugée subversive par le Parlement. Le roi révoque les privilèges pour son impression et ordonne la destruction par le feu des sept premiers volumes. Diderot s'exerce à la critique d'art en écrivant, à l'occasion de l'exposition de l'Académie royale de peinture et de sculpture, son premier *Salon* pour le journal de son ami Grimm.

1760 Il rédige *La Religieuse*, une satire des couvents qui ne sera publiée qu'en 1796 (avec *Jacques le Fataliste*). Diderot est présenté comme un être odieux et ridicule dans la pièce de Palissot qui obtient un vif succès.

1761 Il révise les derniers volumes de l'*Encyclopédie*.

1762 Il travaille sur *Le Neveu de Rameau*, roman-conversation (remanié en 1773-1774, 1777-1778 et 1782).

Repères historiques et culturels

1765 Voltaire obtient la réhabilitation de Jean Calas.
Lecture des volumes 7 et 8 de *Life and Opinions of Tristram Shandy, Gentleman*, de Sterne.

1766 Abbé Dulaurens, *Le Compère Mathieu*.

1770 Baron d'Holbach, *Système de la nature*.

1771 Bougainville, *Voyage autour du monde*.

Vie et œuvre de l'auteur

1765   L'impératrice Catherine II de Russie lui achète sa bibliothèque, tout en lui en laissant la jouissance.

1766   Les dix derniers volumes de l'*Encyclopédie* (t. VIII à XVII) sont imprimés secrètement, sans privilège.

1769   Achèvement de l'*Encyclopédie*. Diderot se lance dans une écriture personnelle, mais uniquement pour ses amis (qui le surnomment «le philosophe» ou «le roi Denis») et pour la postérité car, depuis 1749, il reste menacé s'il publie sur l'athéisme, le matérialisme, l'horreur des couvents, le pouvoir en place, etc. Son bureau se couvre d'esquisses plus ou moins avancées de romans, de dialogues… dont il est conscient de l'originalité mais qu'il ne prend pas le risque d'imprimer.

1770   Il séjourne au château de Granval, chez le baron d'Holbach. Rédaction des *Deux Amis de Bourbonne*, bref récit s'achevant sur une distinction théorique entre trois sortes de contes, le merveilleux, le plaisant et l'historique.

1771   Diderot entreprend la rédaction de *Jacques le Fataliste*. En septembre, Il lit pendant «deux heures» à des amis une première version (courte) de l'œuvre.

1772   Rédaction du *Supplément au Voyage de Bougainville*.

1773   Rédaction du *Paradoxe sur le comédien*, méditation sur le jeu de l'acteur qui sera publiée en 1830.
Séjour de cinq mois à Saint-Pétersbourg[1], pour remercier Catherine II de sa bienveillance; il élabore à son attention des plans de réformes sociales (*Mémoires pour Catherine II*), mais rentre en France en ayant perdu toute illusion sur le «despotisme éclairé».
Publication dans la *Correspondance littéraire* de *Ceci n'est pas un conte*. Diderot y mime les conditions de production du conte oral (interruptions, lecteur-questionneur, etc.).

---

1. Baptisée Petrograd de 1914 à 1924, Saint-Pétersbourg devint Leningrad à la mort de Lénine, en 1924, jusqu'en 1991, puis retrouva son nom initial.

Repères historiques et culturels

1774 Mort de Louis XV. Début du règne de Louis XVI.

1775 Beaumarchais, *Le Barbier de Séville.*

1778 Mort de Voltaire et de Rousseau.

1782 Laclos, *Les Liaisons dangereuses.*

1783 Mort de d'Alembert.

1784 Beaumarchais, *Le Mariage de Figaro.*

1789 Réunion des états généraux. Prise de la Bastille.

Vie et œuvre de l'auteur

1776 Esquisse du dialogue intitulé *L'Entretien d'un philosophe avec la maréchale de ****.

1778– Publication dans la *Correspondance littéraire* en quinze
1780 livraisons (plus ou moins régulières) de *Jacques le Fataliste*. En juillet 1780, parution dans la *Correspondance littéraire* d'«Additions à *Jacques le Fataliste*». Jusqu'à sa mort, Diderot ne cessera de corriger et d'amplifier son texte.

1779 *Essai sur les règnes de Claude et de Néron*, dans lequel il dénonce fermement le despotisme.

1783 La santé de Diderot s'affaiblit.

1784 Mort de Sophie Volland le 22 février. Diderot, inconsolable, meurt le 31 juillet.

1785 Sa fille expédie ses livres et tous ses manuscrits (dont la dernière copie soigneusement revue de *Jacques*, dite de Leningrad) à Saint-Pétersbourg.

1786 En avril, parution post mortem dans la *Correspondance littéraire* des «Lacunes de *Jacques le Fataliste*», c'est-à-dire des vingt passages qui avaient été coupés, censurés lors de la première publication du texte dans la revue.

1787 Première édition en Allemagne d'un extrait de *Jacques le Fataliste*, traduit par le poète et dramaturge Schiller (ami de Goethe).

1793 Édition en France de l'histoire de Mme de La Pommeraye, sous le titre *Exemple singulier de la vengeance d'une femme* (retraduction en français de la version allemande).

1796 Première édition en France de l'ensemble de *Jacques le Fataliste* (à partir d'exemplaires de la *Correspondance littéraire* trouvés chez Grimm, qui avait émigré en 1792).

NOTE SUR LA PRÉSENTE ÉDITION : cette édition suit la copie dite de Leningrad qui est la dernière version relue par l'auteur. Le texte ayant été prépublié par morceaux dans quinze numéros de la *Correspondance littéraire*, nous précisons dans les notes de bas de page l'endroit où s'arrêtait chaque livraison. Sont aussi indiqués discrètement, comme l'a fait M. Pierre Chartier (président de la Société Diderot) dans son édition (*Jacques le Fataliste et son maître*, Le Livre de poche, 2000), par des crochets obliques (< >) les additions postérieures de Diderot, publiées dans la *Correspondance* en juillet 1780, et par des crochets droits ([ ]) les passages que les responsables de la revue ne prirent pas le risque de publier du vivant de Diderot. Enfin, ce volume reproduit les gravures des éditions Le Prieur/Barba, Bertin et Gueffier/Knapen (1797), ainsi que de l'édition Maradan (1798) ; voir la table des illustrations insérée p. 377.

Jacques le Fataliste
et son maître

Comment s'étaient-ils rencontrés ? Par hasard, comme tout le monde. Comment s'appelaient-ils ? Que vous importe ? D'où venaient-ils ? Du lieu le plus prochain. Où allaient-ils ? Est-ce que l'on sait où l'on va ? Que disaient-ils ? Le maître ne disait rien, et
5 Jacques disait que son capitaine disait que tout ce qui nous arrive de bien et de mal ici-bas était écrit là-haut.

LE MAÎTRE. – C'est un grand mot que cela.

JACQUES. – Mon capitaine ajoutait que chaque balle qui partait d'un fusil avait son billet [1].

10 LE MAÎTRE. – Et il avait raison...

Après une courte pause, Jacques s'écria : «Que le diable emporte le cabaretier et son cabaret [2] !»

LE MAÎTRE. – Pourquoi donner au diable son prochain ? Cela n'est pas chrétien.

15 JACQUES. – C'est que, tandis que je m'enivre de son mauvais vin, j'oublie de mener nos chevaux à l'abreuvoir. Mon père s'en aperçoit ; il se fâche. Je hoche de la tête : il prend un bâton et

---

1. *Billet* : autorisation de passage ou d'entrée. L'expression «chaque balle [...] avait son billet» est une citation de *Vie et opinions de Tristram Shandy* (1760-1767), du romancier anglais Laurence Sterne (1713-1768) : «[...] Le roi William pensait que tout est prédestiné dans notre existence, il disait même souvent à ses soldats que chaque balle a son billet» (trad. S. Soupel, GF-Flammarion, 1982 ; voir aussi dossier, p. 367).

2. *Cabaret* : établissement où l'on servait des boissons, du vin.

m'en frotte un peu durement les épaules. Un régiment passait pour aller au camp devant Fontenoy [1], de dépit je m'enrôle. Nous
20 arrivons; la bataille se donne...

LE MAÎTRE. – Et tu reçois la balle à ton adresse.

JACQUES. – Vous l'avez deviné; un coup de feu au genou; et Dieu sait les bonnes et mauvaises aventures amenées par ce coup de feu. Elles se tiennent ni plus ni moins que les chaînons d'une
25 gourmette [2]. Sans ce coup de feu, par exemple, je crois que je n'aurais été amoureux de ma vie, ni boiteux.

LE MAÎTRE. – Tu as donc été amoureux ?

JACQUES. – Si je l'ai été !

LE MAÎTRE. – Et cela par un coup de feu ?
30 JACQUES. – Par un coup de feu.

LE MAÎTRE. – Tu ne m'en as jamais dit un mot.

JACQUES. – Je le crois bien.

LE MAÎTRE. – Et pourquoi cela ?

JACQUES. – C'est que cela ne pouvait être dit ni plus tôt ni
35 plus tard.

LE MAÎTRE. – Et le moment d'apprendre ces amours est-il venu ?

JACQUES. – Qui le sait ?

LE MAÎTRE. – À tout hasard, commence toujours...
40 Jacques commença l'histoire de ses amours. C'était l'après-dînée [3]. Il faisait un temps lourd, son maître s'endormit. La nuit les surprit au milieu des champs; les voilà fourvoyés [4]. Voilà le

---

1. Fontenoy : village belge où eut lieu, le 11 mai 1745, une célèbre bataille, liée à la guerre de Succession d'Autriche (1740-1748), opposant les Français à une armée de coalisés (Anglais, Hollandais, Hanovriens et Autrichiens). La victoire (difficile) permit à Louis XV la conquête de la Flandre, mais au prix de lourdes pertes humaines (22 000 morts).

2. Gourmette : chaînette de fer qui se fixe dans la bouche du cheval et qui constitue une partie du mors.

3. Après-dînée : après-midi.

4. Fourvoyés : perdus.

maître dans une colère terrible et tombant à grands coups de fouet sur son valet, et le pauvre diable disant à chaque coup :
45 « Celui-là était apparemment encore écrit là-haut.»

Vous voyez, lecteur, que je suis en beau chemin, et qu'il ne tiendrait qu'à moi de vous faire attendre un an, deux ans, trois ans, le récit des amours de Jacques, en le séparant de son maître et en leur faisant courir à chacun tous les hasards[1] qu'il me 50 plairait. Qu'est-ce qui m'empêcherait de marier le maître et de le faire cocu ? d'embarquer Jacques pour les îles[2] ? d'y conduire son maître ? de les ramener tous les deux en France sur le même vaisseau ? Qu'il est facile de faire des contes[3] ! mais ils en seront quittes l'un et l'autre pour une mauvaise nuit, et vous pour ce 55 délai.

L'aube du jour parut. Les voilà remontés sur leurs bêtes et poursuivant leur chemin. – Et où allaient-ils ? – Voilà la seconde fois que vous me faites cette question, et la seconde fois que je vous réponds : Qu'est-ce que cela vous fait ? Si j'entame le 60 sujet de leur voyage, adieu les amours de Jacques... Ils allèrent quelque temps en silence. Lorsque chacun fut un peu remis de son chagrin, le maître dit à son valet : « Eh bien, Jacques, où en étions-nous de tes amours ?

JACQUES. – Nous en étions, je crois, à la déroute de l'armée 65 ennemie. On se sauve ; on est poursuivi, chacun pense à soi. Je reste sur le champ de bataille, enseveli sous le nombre des morts et des blessés, qui fut prodigieux. Le lendemain on me jeta avec une douzaine d'autres sur une charrette, pour être conduit à un de nos hôpitaux. Ah ! Monsieur, je ne crois pas qu'il y ait de 70 blessure plus cruelle que celle du genou.

LE MAÎTRE. – Allons donc, Jacques, tu te moques.

---

1. *Hasards* : aventures.
2. *Les îles* : les Antilles.
3. *Contes* : récits fictifs, pures inventions ; pour Diderot (et ses contemporains), les *contes* s'opposent aux *histoires*, qui rassemblent des « fait[s] historique[s]» (p. 103) véridiques, tirés du réel.

JACQUES. – Non, pardieu! monsieur, je ne me moque pas! Il y a là je ne sais combien d'os, de tendons, et bien d'autres choses qu'ils appellent je ne sais comment...»

75 Une espèce de paysan qui les suivait avec une fille qu'il portait en croupe et qui les avait écoutés, prit la parole et dit : «Monsieur a raison...»

On ne savait à qui ce *monsieur* était adressé, mais il fut mal pris par Jacques et par son maître; et Jacques dit à cet interlocu-
80 teur indiscret : «De quoi te mêles-tu?

– Je me mêle de mon métier; je suis chirurgien[1] à votre service, et je vais vous démontrer...»

La femme qu'il portait en croupe lui disait : «Monsieur le docteur, passons notre chemin et laissons ces messieurs qui n'aiment
85 pas qu'on leur démontre.

– Non, lui répondait le chirurgien, je veux leur démontrer, et je leur démontrerai...»

Et, tout en se retournant pour démontrer, il pousse sa compagne, lui fait perdre l'équilibre et la jette à terre, un pied pris
90 dans la basque[2] de son habit et les cotillons[3] renversés sur sa tête[4]. Jacques descend, dégage le pied de cette pauvre créature et lui rabaisse ses jupons. Je ne sais s'il commença par rabaisser les jupons ou par dégager le pied; mais à juger de l'état de cette femme par ses cris, elle s'était grièvement blessée. Et le maître de
95 Jacques disait au chirurgien : «Voilà ce que c'est que de démontrer!...»

---

1. *Chirurgien* : médecin. En réalité, il s'agit probablement, ici comme ailleurs dans le texte, d'un barbier-chirurgien, c'est-à-dire d'une personne qui fait la barbe au rasoir à main (voir «j'ai ma fille qui fait le poil à tout venant», p. 96) et pratique à l'occasion de menues opérations médicales sans avoir vraiment étudié la médecine à l'université.

2. *Basque* : pan d'une veste qui retombe plus ou moins bas sur les hanches.

3. *Cotillons* : jupons.

4. Diderot a raconté cette anecdote dans une lettre à Sophie Volland datée du 30 octobre 1759.

■ « À juger de l'état de cette femme par ses cris, elle s'était grièvement blessée » (p. 40).

Et le chirurgien : «Voilà ce que c'est que de ne vouloir pas qu'on démontre !…»

Et Jacques à la femme tombée ou ramassée : «Consolez-vous, 100 ma bonne, il n'y a ni de votre faute, ni de la faute de M. le docteur, ni de la mienne, ni de celle de mon maître : c'est qu'il était écrit là-haut qu'aujourd'hui, sur ce chemin, à l'heure qu'il est, M. le docteur serait un bavard, que mon maître et moi nous serions deux bourrus[1], que vous auriez une contusion à la tête, et qu'on 105 vous verrait le cul…»

Que cette aventure ne deviendrait-elle pas entre mes mains, s'il me prenait en fantaisie de vous désespérer ! Je donnerais de l'importance à cette femme ; j'en ferais la nièce d'un curé du village voisin ; j'ameuterais les paysans de ce village. Je me prépa-110 rerais des combats et des amours, car enfin cette paysanne était belle sous le linge. Jacques et son maître s'en étaient aperçus ; l'amour n'a pas toujours attendu une occasion aussi séduisante. Pourquoi Jacques ne deviendrait-il pas amoureux une seconde fois ? pourquoi ne serait-il pas une seconde fois[2] le rival et même 115 le rival préféré de son maître ? – Est-ce que le cas lui était déjà arrivé ? – Toujours des questions ! Vous ne voulez donc pas que Jacques continue le récit de ses amours ? Une bonne fois pour toutes, expliquez-vous ; cela vous fera-t-il, cela ne vous fera-t-il pas plaisir ? Si cela vous fera plaisir, remettons la paysanne en croupe 120 derrière son conducteur, laissons-les aller et revenons à nos deux voyageurs. Cette fois-ci ce fut Jacques qui prit la parole et qui dit à son maître :

«Voilà le train du monde[3] ; vous qui n'avez été blessé de votre vie et qui ne savez ce que c'est qu'un coup de feu au genou, vous

---

1. *Deux bourrus* : deux êtres peu aimables.

2. Allusion à *Crispin rival de son maître* (1707), comédie à succès d'Alain René Lesage (1668-1747), par ailleurs auteur du roman picaresque intitulé *Histoire de Gil Blas de Santillane* (1715-1735).

3. *Le train du monde* : la façon d'agir et de penser des gens, la marche du monde.

125 me soutenez, à moi qui ai eu le genou fracassé et qui boite depuis vingt ans...

LE MAÎTRE. – Tu pourrais avoir raison. Mais ce chirurgien impertinent[1] est cause que te voilà encore sur une charrette avec tes camarades, loin de l'hôpital, loin de ta guérison et loin de 130 devenir amoureux.

JACQUES. – Quoi qu'il vous plaise d'en penser, la douleur de mon genou était excessive; elle s'accroissait encore par la dureté de la voiture, par l'inégalité des chemins, et à chaque cahot[2] je poussais un cri aigu...

135 LE MAÎTRE. – Parce qu'il était écrit là-haut que tu crierais.

JACQUES. – Assurément! Je perdais tout mon sang et j'étais un homme mort si notre charrette, la dernière de la ligne, ne se fût arrêtée devant une chaumière. Là, je demande à descendre; on me met à terre. Une jeune femme, qui était debout à la porte de 140 la chaumière, rentra chez elle et en sortit presque aussitôt avec un verre et une bouteille de vin. J'en bus un ou deux coups à la hâte. Les charrettes qui précédaient la nôtre défilèrent. On se disposait à me rejeter parmi mes camarades, lorsque m'attachant fortement aux vêtements de cette femme et à tout ce qui était 145 autour de moi, je protestai que je ne remonterais pas et que, mourir pour mourir, j'aimais mieux que ce fût à l'endroit où j'étais qu'à deux lieues[3] plus loin. En achevant ces mots je tombai en défaillance[4]. Au sortir de cet état, je me trouvai déshabillé et couché dans un lit qui occupait un des coins de la chaumière, 150 ayant autour de moi un paysan le maître du lieu, sa femme la même qui m'avait secouru, et quelques petits enfants. La femme avait trempé le coin de son tablier dans du vinaigre et m'en frottait le nez et les tempes.

---

1. Impertinent : parlant sans raison.
2. Cahot : choc.
3. Deux lieues : environ huit kilomètres; la lieue est une ancienne unité de mesure de distance valant près de quatre kilomètres.
4. Je tombai en défaillance : je m'évanouis.

Le Maître. – Ah! malheureux! ah! coquin! Infâme! je te vois
155 arriver.

Jacques. – Mon maître, je crois que vous ne voyez rien.

Le Maître. – N'est-ce pas de cette femme que tu vas devenir
amoureux?

Jacques. – Et quand je serais devenu amoureux d'elle, qu'est-
160 ce qu'il y aurait à dire? Est-ce qu'on est maître de devenir ou de
ne pas devenir amoureux? Et quand on l'est, est-on maître d'agir
comme si on ne l'était pas? Si cela eût été écrit là-haut, tout ce
que vous vous disposez à me dire, je me le serais dit, je me serais
souffleté[1], je me serais cogné la tête contre le mur, je me serais
165 arraché les cheveux, il n'en aurait été ni plus ni moins, et mon
bienfaiteur eût été cocu.

Le Maître. – Mais, en raisonnant à ta façon, il n'y a point de
crime qu'on ne commît sans remords.

Jacques. – Ce que vous m'objectez là m'a plus d'une fois
170 chiffonné[2] la cervelle, mais avec tout cela, malgré que j'en aie[3],
j'en reviens toujours au mot de mon capitaine : Tout ce qui nous
arrive de bien et de mal en ce monde est écrit là-haut… Savez-
vous, monsieur, quelque moyen d'effacer cette écriture? Puis-je
n'être pas moi, et étant moi, puis-je faire autrement que moi?
175 Puis-je être moi et un autre? Et depuis que je suis au monde, y
a-t-il eu un seul instant où cela n'ait été vrai? Prêchez tant qu'il
vous plaira, vos raisons seront peut-être bonnes, mais s'il est écrit
en moi ou là-haut que je les trouverai mauvaises, que voulez-vous
que j'y fasse?

180 Le Maître. – Je rêve à[4] une chose, c'est si ton bienfaiteur eût
été cocu parce qu'il était écrit là-haut, ou si cela était écrit là-haut
parce que tu ferais cocu ton bienfaiteur?

---

1. *Souffleté* : giflé.
2. *Chiffonné* : préoccupé.
3. *Malgré que j'en aie* : malgré mes réticences.
4. *Je rêve à* : je réfléchis à.

JACQUES. – Tous les deux étaient écrits l'un à côté de l'autre. Tout a été écrit à la fois. C'est comme un grand rouleau qu'on
185 déploie petit à petit.»

Vous concevez, lecteur, jusqu'où je pourrais pousser cette conversation sur un sujet dont on a tant parlé, tant écrit depuis deux mille ans, sans en être d'un pas plus avancé. Si vous me savez peu de gré de[1] ce que je vous dis, sachez-m'en beaucoup
190 de ce que je ne vous dis pas.

Tandis que nos deux théologiens disputaient sans s'entendre[2], comme il peut arriver en théologie, la nuit s'approchait. Ils traversaient une contrée[3] peu sûre en tout temps, et qui l'était bien moins encore alors que la mauvaise administration et la
195 misère avaient multiplié sans fin le nombre des malfaiteurs. Ils s'arrêtèrent dans la plus misérable des auberges. On leur dressa deux lits de sangle[4] dans une chambre formée de cloisons entrouvertes de tous les côtés. Ils demandèrent à souper. On leur apporta de l'eau de mare, du pain noir et du vin tourné.
200 L'hôte[5], l'hôtesse, les enfants, les valets, tout avait l'air sinistre. Ils entendaient à côté d'eux les ris[6] immodérés et la joie tumultueuse d'une douzaine de brigands qui les avaient précédés et qui s'étaient emparés de toutes les provisions. Jacques était assez tranquille; il s'en fallait beaucoup que son maître le fût autant.
205 Celui-ci promenait son souci en long et en large, tandis que son valet dévorait quelques morceaux de pain noir, et avalait en grimaçant quelques verres de mauvais vin. Ils en étaient là lorsqu'ils entendirent frapper à leur porte. C'était un valet que ces insolents et dangereux voisins avaient contraint d'apporter
210 à nos voyageurs, sur une de leurs assiettes, tous les os d'une

---

1. *Si vous me savez de peu de gré de* : si vous m'êtes peu reconnaissant de.
2. *Sans s'entendre* : sans se comprendre.
3. *Contrée* : région.
4. *Sangle* : toile.
5. *Hôte* : ici, celui qui reçoit (le mot peut aussi désigner l'invité).
6. *Ris* : rires.

volaille qu'ils avaient mangée. Jacques indigné prend les pistolets de son maître.

«Où vas-tu?

– Laissez-moi faire.

215   – Où vas-tu? te dis-je.

– Mettre à la raison [1] cette canaille.

– Sais-tu qu'ils sont une douzaine?

– Fussent-ils cent, le nombre n'y fait rien, s'il est écrit là-haut
qu'ils ne sont pas assez.

220   – Que le diable t'emporte avec ton impertinent dicton!...»

Jacques s'échappe des mains de son maître, entre dans la chambre de ces coupe-jarrets [2], un pistolet armé [3] dans chaque main.
«Vite, qu'on se couche, leur dit-il, le premier qui remue je lui brûle
la cervelle...» Jacques avait l'air et le ton si vrais, que ces coquins

225 qui prisaient [4] autant la vie que d'honnêtes gens, se lèvent de table
sans souffler le mot, se déshabillent et se couchent. Son maître,
incertain sur la manière dont cette aventure finirait, l'attendait en
tremblant. Jacques rentra chargé des dépouilles [5] de ces gens : il
s'en était emparé pour qu'ils ne fussent pas tentés de se relever. Il

230 avait éteint leur lumière et fermé à double tour leur porte, dont il
tenait la clef avec un de ses pistolets. «À présent, monsieur, dit-il à
son maître, nous n'avons plus qu'à nous barricader en poussant
nos lits contre cette porte, et à dormir paisiblement» ; et il se mit
en devoir de pousser les lits, racontant froidement et succincte-

235 ment à son maître le détail [6] de son expédition [7].

---

1. *Mettre à la raison* : rendre plus raisonnables (par l'usage de la force).

2. *Coupe-jarrets* : assassins, bandits.

3. *Armé* : prêt à tirer.

4. *Prisaient* : estimaient, aimaient.

5. *Dépouilles* : vêtements ; en temps de guerre, les dépouilles sont les objets
pris sur le corps des ennemis.

6. *Détail* : menues circonstances.

7. Fin de la livraison n° 1 de la *Correspondance littéraire* de novembre
1778.

LE MAÎTRE. – Jacques, quel diable d'homme es-tu ? Tu crois donc...

JACQUES. – Je ne crois ni ne décrois[1].

LE MAÎTRE. – S'ils avaient refusé de se coucher ?

240 JACQUES. – Cela était impossible.

LE MAÎTRE. – Pourquoi ?

JACQUES. – Parce qu'ils ne l'ont pas fait.

LE MAÎTRE. – S'ils se relevaient ?

JACQUES. – Tant pis ou tant mieux.

245 LE MAÎTRE. – Si... si... si... etc.

JACQUES. – Si... si la mer bouillait, il y aurait, comme on dit, bien des poissons de cuits. Que diable, monsieur, tout à l'heure vous avez cru que je courais un grand danger et rien n'était plus faux ; à présent vous vous croyez en grand danger, et rien peut-être 250 n'est encore plus faux. Tous dans cette maison nous avons peur les uns des autres, ce qui prouve que nous sommes tous des sots...

Et tout en discourant ainsi, le voilà déshabillé, couché et endormi. Son maître, en mangeant à son tour un morceau de pain noir, et buvant un coup de mauvais vin, prêtait l'oreille 255 autour de lui, regardait Jacques qui ronflait et disait : «Quel diable d'homme est-ce là ? » À l'exemple de son valet, le maître s'étendit aussi sur son grabat[2], mais il n'y dormit pas de même. Dès la pointe du jour, Jacques sentit une main qui le poussait, c'était celle de son maître qui l'appelait à voix basse : 260 «Jacques ?

LE MAÎTRE. – Jacques ? Jacques ?

JACQUES. – Qu'est-ce ?

LE MAÎTRE. – Il fait jour.

JACQUES. – Cela se peut.

265 LE MAÎTRE. – Lève-toi donc.

---

1. *Je ne décrois* : je ne refuse pas de croire. Le verbe *décroire* «n'a guère d'usage qu'en l'opposant au mot *croire*, et dans cette phrase, "Je ne crois ni ne décrois". Il est du style familier» (*Dictionnaire de l'Académie*, 1762).

2. *Grabat* : lit de miséreux.

JACQUES. – Pourquoi ?

LE MAÎTRE. – Pour sortir d'ici au plus vite.

JACQUES. – Pourquoi ?

LE MAÎTRE. – Parce que nous y sommes mal.

270 JACQUES. – Qui le sait et si nous serons mieux ailleurs ?

LE MAÎTRE. – Jacques ?

JACQUES. – Eh bien, Jacques, Jacques. Quel diable d'homme êtes-vous !

LE MAÎTRE. – Quel diable d'homme es-tu ? Jacques, mon ami, 275 je t'en prie.»

Jacques se frotta les yeux, bâilla à plusieurs reprises, étendit ses bras, se leva, s'habilla sans se presser, repoussa les lits, sortit de la chambre, descendit, alla à l'écurie, sella et brida les chevaux, éveilla l'hôte qui dormait encore, paya la dépense, garda les clefs 280 des deux chambres ; et voilà nos gens partis.

Le maître voulait s'éloigner au grand trot, Jacques voulait aller le pas[1], et toujours d'après son système[2]. Lorsqu'ils furent à une assez grande distance de leur triste gîte, le maître entendant quelque chose qui résonnait dans la poche de Jacques, lui demanda ce que 285 c'était. Jacques lui dit que c'étaient les deux clefs des chambres.

LE MAÎTRE. – Et pourquoi ne les avoir pas rendues ?

JACQUES. – C'est qu'il faudra enfoncer deux portes, celle de nos voisins pour les tirer de leur prison, la nôtre pour leur livrer leurs vêtements, et que cela nous donnera du temps.

290 LE MAÎTRE. – Fort bien, Jacques, mais pourquoi gagner du temps ?

JACQUES. – Pourquoi ? Ma foi, je n'en sais rien.

LE MAÎTRE. – Et si tu veux gagner du temps, pourquoi aller au petit pas comme tu fais ?

295 JACQUES. – C'est que faute de savoir ce qui est écrit là-haut on ne sait ni ce qu'on veut, ni ce qu'on fait, et qu'on suit sa fantaisie

---

1. *Aller le pas* : aller au pas.

2. *Son système* : son système philosophique, son attachement au fatalisme.

qu'on appelle raison, ou sa raison qui n'est souvent qu'une dangereuse fantaisie qui tourne tantôt bien tantôt mal.

<Mon capitaine croyait que la prudence est une supposition, dans laquelle l'expérience nous autorise à regarder les circonstances où nous nous trouvons comme cause de certains effets à espérer ou à craindre pour l'avenir.

LE MAÎTRE. – Et tu entendais quelque chose à cela ?

JACQUES. – Assurément, peu à peu je m'étais fait à sa langue[1]. Mais, disait-il, qui peut se vanter d'avoir assez d'expérience ? Celui qui s'est flatté d'en être le mieux pourvu, n'a-t-il jamais été dupe ? Et puis, y a-t-il un homme capable d'apprécier juste[2] les circonstances où il se trouve ? Le calcul qui se fait dans nos têtes, et celui qui est arrêté sur le registre d'en haut, sont deux calculs bien différents. Est-ce nous qui menons le destin, ou bien est-ce le destin qui nous mène ? Combien de projets sagement concertés ont manqué, et combien manqueront ! Combien de projets insensés ont réussi, et combien réussiront ! C'est ce que mon capitaine me répétait, après la prise de Berg-op-Zoom[3] et celle du Port-Mahon[4] ; et il ajoutait que la prudence ne nous assurait point un bon succès[5], mais qu'elle nous consolait et nous excusait d'un mauvais. Aussi dormait-il la veille d'une action[6], sous sa tente comme dans sa garnison et allait-il au feu comme au bal. C'est bien de lui que vous vous seriez écrié : «Quel diable d'homme!»>

LE MAÎTRE. – Pourrais-tu me dire ce que c'est qu'un fou, ce que c'est qu'un sage ?

---

1. *À sa langue* : à sa façon de parler.

2. *Apprécier juste* : apprécier justement, à leur juste valeur.

3. *Berg-op-Zoom* : ville fortifiée des Pays-Bas qui fut assiégée et conquise de façon inattendue par les Français en 1747, deux ans après la victoire de Fontenoy.

4. *Port-Mahon* : capitale de l'île de Minorque que le duc de Richelieu (1696-1788) prit aux Anglais en 1756 ; cette victoire marqua le début de la guerre de Sept Ans (1756-1763).

5. *Succès* : résultat.

6. *Action* : bataille.

JACQUES. – Pourquoi pas ?... Un fou... attendez... c'est un homme malheureux, et par conséquent un homme heureux est un sage.

325 LE MAÎTRE. – Et qu'est-ce que c'est qu'un homme heureux ou malheureux ?

JACQUES. – Pour celui-ci, il est aisé[1]. Un homme heureux est celui dont le bonheur est écrit là-haut, et par conséquent celui dont le malheur est écrit là-haut est un homme malheureux.

330 LE MAÎTRE. – Et qui est-ce qui a écrit là-haut le bonheur et le malheur ?

JACQUES. – Et qui est-ce qui a fait le grand rouleau où tout est écrit ? Un capitaine, ami de mon capitaine, aurait bien donné un petit écu[2] pour le savoir ; lui, n'aurait pas donné une obole[3], ni 335 moi non plus, car à quoi cela me servirait-il ? En éviterais-je pour cela le trou où je dois m'aller casser le cou ?

LE MAÎTRE. – Je crois que oui.

JACQUES. – Moi, je crois que non, car il faudrait qu'il y eût une ligne fausse sur le grand rouleau qui contient vérité, qui ne 340 contient que vérité, et qui contient toute vérité. Il serait écrit sur le grand rouleau : «Jacques se cassera le cou tel jour» ; et Jacques ne se casserait pas le cou. Concevez-vous que cela se puisse, quel que soit l'auteur du grand rouleau ?

LE MAÎTRE. – Il y a beaucoup de choses à dire là-dessus...

345 Comme ils en étaient là, ils entendirent à quelque distance derrière eux du bruit et des cris, ils retournèrent la tête et virent une troupe d'hommes armés de gaules[4] et de fourches qui s'avançaient vers eux à toutes jambes. Vous allez croire que c'étaient les gens de l'auberge, les valets et les brigands dont nous avons 350 parlé. Vous allez croire que le matin on avait enfoncé leur porte faute de clefs, et que ces brigands s'étaient imaginé que nos deux

---

1. *Il est aisé* : c'est facile.
2. *Écu* : pièce d'argent ; le gros écu (voir p. 130) valait le double du petit.
3. *Obole* : menue monnaie de cuivre.
4. *Gaules* : grandes perches.

voyageurs avaient décampé avec leurs dépouilles. Jacques le crut, et il disait entre ses dents : «Maudites soient les clefs et la fantaisie ou la raison qui me les fit emporter ! Maudite soit la pru-
355 dence ! etc., etc.» Vous allez croire que cette petite armée tombera sur Jacques et son maître, qu'il y aura une action sanglante, des coups de bâton donnés, des coups de pistolets tirés, et il ne tiendrait qu'à moi que tout cela n'arrivât, mais adieu la vérité de l'histoire, adieu le récit des amours de Jacques. Nos deux voyageurs
360 n'étaient point suivis. J'ignore ce qui se passa dans l'auberge après leur départ. Ils continuèrent leur route, allant toujours sans savoir où ils allaient, quoiqu'ils sussent à peu près où ils voulaient aller ; trompant l'ennui et la fatigue par le silence et le bavardage, comme c'est l'usage de ceux qui marchent, et quelquefois de ceux
365 qui sont assis.

Il est bien évident que je ne fais point un roman, puisque je néglige ce qu'un romancier ne manquerait pas d'employer. Celui qui prendrait ce que j'écris pour la vérité serait peut-être moins dans l'erreur que celui qui le prendrait pour une
370 fable [1].

Cette fois-ci, ce fut le maître qui parla le premier et qui débuta par le refrain accoutumé : «Eh bien ! Jacques, l'histoire de tes amours ?

JACQUES. – Je ne sais où j'en étais. J'ai été si souvent interrompu,
375 que je ferais tout aussi bien de recommencer.

LE MAÎTRE. – Non, non. Revenu de ta défaillance, à la porte de la chaumière, tu te trouvas dans un lit, entouré des gens qui l'habitaient.

JACQUES. – Fort bien. La chose la plus pressée était d'avoir
380 un chirurgien, et il n'y en avait pas à plus d'une lieue à la ronde. Le bonhomme fit monter à cheval un de ses enfants, et l'envoya au lieu le moins éloigné. Cependant [2] la bonne femme avait fait

---

1. *Fable* : mensonge.
2. *Cependant* : pendant ce temps.

chauffer du gros vin, déchiré une vieille chemise de son mari, et mon genou fut étuvé[1], couvert de compresses et enveloppé de linge. On mit quelques morceaux de sucre, enlevés aux fourmis, dans une portion du vin qui avait servi à mon pansement et je l'avalai; ensuite on m'exhorta[2] à prendre patience. Il était tard; ces gens se mirent à table et soupèrent. Voilà le souper fini. Cependant l'enfant ne revenait pas, et point de chirurgien. Le père prit de l'humeur. C'était un homme naturellement chagrin; il boudait sa femme, il ne trouvait rien à son gré. Il envoya durement coucher ses autres enfants. Sa femme s'assit sur un banc et prit sa quenouille[3]. Lui, allait et venait, et en allant et venant il lui cherchait querelle sur tout... «Si tu avais été au moulin comme je te l'avais dit...» et il achevait sa phrase en hochant la tête du côté de mon lit.

– On ira demain.

– C'est aujourd'hui qu'il fallait y aller comme je te l'avais dit... Et ces restes de paille qui sont encore sur la grange, qu'attends-tu pour les relever[4]?

– On les relèvera demain.

– Ce que nous en avons tire à sa fin, et tu aurais beaucoup mieux fait de les relever aujourd'hui, comme je te l'avais dit... Et ce tas d'orge qui se gâte sur le grenier, je gage[5] que tu n'as pas songé à le remuer.

– Les enfants l'ont fait.

– Il fallait le faire toi-même. Si tu avais été sur ton grenier, tu n'aurais pas été à ta porte...»

Cependant il arriva un chirurgien, puis un second, puis un troisième, avec le petit garçon de la chaumière.

---

1. *Étuvé* : lavé à l'eau tiède.

2. *On m'exhorta* : on m'encouragea.

3. *Quenouille* : petit bâton autour duquel on plaçait la matière textile à filer (au moyen d'un fuseau ou d'un rouet).

4. *Relever* : ramasser.

5. *Je gage* : je parie.

LE MAÎTRE. – Te voilà en chirurgiens comme saint Roch en chapeaux[1].

JACQUES. – Le premier était absent, lorsque le petit garçon était arrivé chez lui ; mais sa femme avait fait avertir le second, et le troisième avait accompagné le petit garçon... «Eh ! bonsoir, compères ; vous voilà ?» dit le premier aux deux autres... Ils avaient fait le plus de diligence possible[2], ils avaient chaud, ils étaient altérés[3]. Ils s'asseyent autour de la table dont la nappe n'était pas encore ôtée. La femme descend à la cave et en remonte avec une bouteille. Le mari grommelait entre ses dents : «Eh ! que diable faisait-elle à sa porte ?...» On boit, on parle des maladies du canton, on entame l'énumération de ses pratiques. Je me plains ; on me dit : «Dans un moment nous serons à vous.» Après cette bouteille on en demande une seconde à compte sur mon traitement[4] ; puis une troisième, une quatrième, toujours à compte sur mon traitement, et à chaque bouteille le mari revenait à sa première exclamation : «Eh ! que diable faisait-elle à sa porte ?»

Quel parti un autre n'aurait-il pas tiré de ces trois chirurgiens, de leur conversation à la quatrième bouteille, de la multitude de leurs cures[5] merveilleuses ; de l'impatience de Jacques, de la mauvaise humeur de l'hôte, des propos de nos Esculapes[6]

---

1. Selon la légende, saint Roch portait trois chapeaux (de pèlerin), donc deux étaient inutiles ; la comparaison souligne que Jacques a de nombreux médecins à ses côtés dont deux sont de trop.
2. *Ils avaient fait le plus de diligence possible* : ils étaient venus le plus rapidement possible.
3. *Altérés* : assoiffés (de vin).
4. *À compte sur mon traitement* : à mes frais. Les chirurgiens boivent aux frais de Jacques ; ils dépensent d'avance une partie de la somme (pas encore fixée !) que lui coûtera son traitement.
5. *Cures* : méthodes thérapeutiques, traitements.
6. Figure de style appelée *antonomase*, qui consiste à remplacer un nom commun («médecin») par un nom propre (celui du dieu romain de la Médecine). Dans son ensemble, l'expression est burlesque.

de campagne autour du genou de Jacques, de leurs différents avis, l'un prétendant que Jacques était mort si l'on ne se hâtait de lui couper la jambe, l'autre qu'il fallait extraire la balle et la portion du vêtement qui l'avait suivie, et conserver la jambe à ce pauvre diable. Cependant on aurait vu Jacques assis sur son lit, regardant sa jambe en pitié[1], et lui faisant ses derniers adieux, comme on vit un de nos généraux entre Dufouart et Louis[2]. Le troisième chirurgien aurait gobemouché[3] jusqu'à ce que la querelle se fût élevée entre eux, et que des invectives[4] on en fût venu aux gestes.

Je vous fais grâce de toutes ces choses, que vous trouverez dans les romans, dans la comédie ancienne et dans la société. Lorsque j'entendis l'hôte s'écrier de sa femme : «Que diable faisait-elle à sa porte», je me rappelai l'Harpagon de Molière, lorsqu'il dit de son fils : *Qu'allait-il faire dans cette galère*[5] *?* Et je conçus qu'il ne s'agissait pas seulement d'être vrai, mais qu'il fallait encore être plaisant, et que c'était la raison pour laquelle on dirait à jamais : *Qu'allait-il faire dans cette galère ?* et que le mot de mon paysan : Que faisait-elle à sa porte ? ne passerait pas en proverbe.

Jacques n'en usa pas avec son maître avec la même réserve que je garde avec vous ; il n'omit pas la moindre circonstance, au hasard de[6] l'endormir une seconde fois. Si ce ne fut pas le plus

---

1. *En pitié* : avec pitié.
2. Référence à un article paru dans la *Correspondance littéraire* du 1ᵉʳ novembre 1776 : «[Le célèbre chirurgien Louis] avait opiné, dans la blessure du marquis de Castries, pour l'amputation du bras cassé par un coup de feu. [...] M. Dufouard, chirurgien très habile, qui n'écrit pas autant de mémoires que M. Louis, [...] ne coupa pas le bras au marquis de Castries, le guérit de sa blessure et mit son confrère au désespoir.»
3. *Gobemouché* : tergiversé, attendu.
4. *Invectives* : paroles violentes.
5. C'est Géronte qui, dans *Les Fourberies de Scapin* (1671) de Molière, s'étonne : «Que diable allait-il faire dans cette galère ?» (acte II, scène 11). Harpagon est le personnage cupide de *L'Avare* (1668).
6. *Au hasard de* : au risque de.

455 habile, ce fut au moins le plus vigoureux des trois chirurgiens qui resta maître du patient[1].

N'allez-vous pas, me direz-vous, tirer des bistouris[2] à nos yeux, couper des chairs, faire couler du sang, et nous montrer une opération chirurgicale ? À votre avis, cela ne sera-t-il pas de bon 460 goût ?... Allons, passons encore l'opération chirurgicale ; mais vous permettrez au moins à Jacques de dire à son maître, comme il le fit : « Ah ! Monsieur, c'est une terrible affaire que de s'arranger un genou fracassé !... » Et à son maître de lui répondre comme auparavant : « Allons donc, Jacques, tu te moques... » Mais ce que 465 je ne vous laisserais pas ignorer pour tout l'or du monde, c'est qu'à peine le maître de Jacques lui eut-il fait cette impertinente réponse, son cheval bronche et s'abat[3], que son genou va s'appuyer rudement sur un caillou pointu, et que le voilà criant à tue-tête : « Je suis mort ! j'ai le genou cassé !... »

470   Quoique Jacques, la meilleure pâte d'homme[4] qu'on puisse imaginer, fût tendrement attaché à son maître, je voudrais bien savoir ce qui se passa au fond de son âme, sinon dans le premier moment, du moins lorsqu'il fut bien assuré que cette chute n'aurait point de suite fâcheuse[5], et s'il put se refuser à un léger 475 mouvement de joie secrète d'un accident qui apprendrait à son maître ce que c'était qu'une blessure au genou. Une autre chose, lecteur, que je voudrais bien que vous me disiez, c'est si son maître n'eût pas mieux aimé être blessé, même un peu plus grièvement ailleurs qu'au genou, ou s'il ne fut pas plus sensible à la 480 honte qu'à la douleur ?

Lorsque le maître fut un peu revenu de sa chute et de son angoisse, il se remit en selle et appuya cinq ou six coups d'éperon à son cheval, qui partit comme un éclair : autant en fit la monture

---

1. *Patient* : malade.
2. *Tirer des bistouris* : sortir des scalpels de chirurgien.
3. *Bronche et s'abat* : fait un faux pas (trébuche) et tombe.
4. *La meilleure pâte d'homme* : la meilleure nature d'homme.
5. *Fâcheuse* : désagréable, pénible.

de Jacques, car il y avait entre ces deux animaux la même intimité
485 qu'entre leurs cavaliers ; c'étaient deux paires d'amis.

Lorsque les deux chevaux essoufflés reprirent leur pas ordinaire, Jacques dit à son maître : «Eh bien, monsieur, qu'en pensez-vous ?

LE MAÎTRE. – De quoi ?

490 JACQUES. – De la blessure au genou.

LE MAÎTRE. – Je suis de ton avis, c'est une des plus cruelles.

JACQUES. – Au vôtre ?

LE MAÎTRE. – Non, non : au tien, au mien, à tous les genoux
du monde.

495 JACQUES. – Mon maître, mon maître, vous n'y avez pas bien
regardé [1] ; croyez que nous ne plaignons jamais que nous.

LE MAÎTRE. – Quelle folie !

JACQUES. – Ah ! si je savais dire comme je sais penser ! Mais il
était écrit là-haut que j'aurais les choses dans ma tête et que les
500 mots ne me viendraient pas.»

Ici Jacques s'embarrassa dans une métaphysique très subtile
et peut-être très vraie. Il cherchait à faire concevoir à son maître
que le mot douleur était sans idée, et qu'il ne commençait à signi-
fier quelque chose qu'au moment où il rappelait à notre mémoire
505 une sensation que nous avions éprouvée. Son maître lui demanda
s'il avait déjà accouché.

– Non, lui répondit Jacques.

– Et crois-tu que ce soit une grande douleur que d'accoucher ?

510 – Assurément.

– Plains-tu les femmes en mal d'enfant [2] ?

– Beaucoup.

– Tu plains donc quelquefois un autre que toi ?

---

1. *Vous n'y avez pas bien regardé* : vous n'avez pas bien examiné la question.
2. *En mal d'enfant* : qui souffrent pendant l'enfantement (l'accouchement).

– Je plains ceux ou celles qui se tordent les bras, qui s'arrachent les cheveux, qui poussent des cris, parce que je sais par expérience qu'on ne fait pas cela sans souffrir ; mais pour le mal propre à la femme qui accouche, je ne le plains pas, je ne sais ce que c'est, Dieu merci. Mais pour en revenir à une peine que nous connaissons tous deux, l'histoire de mon genou qui est devenu le vôtre par votre chute...

LE MAÎTRE. – Non, Jacques ; l'histoire de tes amours qui sont devenues miennes par mes chagrins passés.

JACQUES. – Me voilà pansé[1], un peu soulagé, le chirurgien parti, et mes hôtes retirés et couchés. Leur chambre n'était séparée de la mienne que par des planches à claire-voie[2] sur lesquelles on avait collé du papier gris et sur ce papier quelques images enluminées[3]. Je ne dormais pas, et j'entendis la femme qui disait à son mari : « Laissez-moi, je n'ai pas envie de rire. Un pauvre malheureux qui se meurt à notre porte !...

– Femme, tu me diras tout cela après.

– Non, cela ne sera pas. Si vous ne finissez, je me lève. Cela ne me fera-t-il pas bien aise[4], lorsque j'ai le cœur gros ?

– Oh ! si tu te fais tant prier, tu en seras la dupe[5].

– Ce n'est pas pour se faire prier, mais c'est que vous êtes quelquefois d'un dur !... c'est que... c'est que... »

Après une assez courte pause, le mari prit la parole et dit : « Là, femme, conviens donc à présent que, par une compassion[6] déplacée, tu nous as mis dans un embarras dont il est presque impossible de se tirer. L'année est mauvaise, à peine pouvons-nous

---

1. *Pansé* : avec un pansement sur la plaie.

2. *Des planches à claire-voie* : des planches qui présentent des vides entre elles.

3. *Enluminées* : coloriées.

4. *Cela ne me fera-t-il pas bien aise ?* : cela me fera-t-il plaisir ?

5. *Tu en seras la dupe* : tu seras trompée par celui que tu plains.

6. *Compassion* : pitié, commisération, sympathie pour les maux dont souffre autrui.

540 suffire à nos besoins et aux besoins de nos enfants. Le grain est
d'une cherté ! Point de vin ! Encore si l'on trouvait à travailler ; mais
les riches se retranchent [1], les pauvres gens ne font rien ; pour une
journée qu'on emploie on en perd quatre. Personne ne paie ce qu'il
doit ; les créanciers [2] sont d'une âpreté [3] qui désespère : et voilà le
545 moment que tu prends pour retirer [4] ici un inconnu, un étranger
qui y restera tant qu'il plaira à Dieu et au chirurgien qui ne se pres-
sera pas de le guérir, car ces chirurgiens font durer les maladies le
plus longtemps qu'ils peuvent ; qui n'a pas le sou et qui doublera,
triplera notre dépense. Là, femme, comment te déferas-tu de cet
550 homme ? Parle donc, femme, dis-moi donc quelque raison.

– Est-ce qu'on peut parler avec vous ?

– Tu dis que j'ai de l'humeur, que je gronde ; eh ! qui n'en
aurait pas ? qui ne gronderait pas ? Il y avait encore un peu de vin
à la cave, Dieu sait le train dont il ira ! Les chirurgiens en burent
555 hier au soir plus que nous et nos enfants n'aurions fait dans la
semaine. Et le chirurgien, qui ne viendra pas pour rien, comme
tu peux penser, qui le paiera ?

– Oui, voilà qui est fort bien dit ; et parce qu'on est dans la
misère vous me faites un enfant, comme si nous n'en avions pas
560 déjà assez.

– Oh ! que non.

– Oh ! que si ; je suis sûre que je vais être grosse [5].

– Voilà comme tu dis toutes les fois.

– Et cela n'a jamais manqué quand l'oreille me démange
565 après, et j'y sens une démangeaison comme jamais…

– Ton oreille ne sait ce qu'elle dit.

– Ne me touche pas ! laisse là mon oreille ! Laisse donc,
l'homme, est-ce que tu es fou ? Tu t'en trouveras mal.

---

1. *Se retranchent* : diminuent leurs dépenses, font des économies.
2. *Créanciers* : individus auxquels on doit de l'argent.
3. *Âpreté* : avidité, cupidité.
4. *Retirer* : accueillir, donner asile à.
5. *Grosse* : enceinte.

– Non, non ; cela ne m'est pas arrivé depuis le soir de la Saint-
570 Jean[1].

– Tu feras si bien que… et puis dans un mois d'ici tu me bouderas comme si c'était de ma faute.

– Non, non.

– Et dans neuf mois d'ici ce sera bien pis.

575 – Non, non.

– C'est toi qui l'auras voulu.

– Oui, oui.

– Tu t'en souviendras ? tu ne diras pas comme tu as dit toutes les autres fois ?

580 – Oui, oui… »

Et puis voilà que de non non en oui oui cet homme enragé contre sa femme d'avoir cédé à un sentiment d'humanité…

LE MAÎTRE. – C'est la réflexion que je faisais.

JACQUES. – Il est certain que ce mari n'était pas trop conséquent,
585 mais il était jeune et sa femme jolie. On ne fait jamais tant d'enfants que dans les temps de misère.

LE MAÎTRE. – Rien ne peuple comme les gueux[2].

JACQUES. – Un enfant n'est rien de plus pour eux, c'est la charité qui les nourrit. Et puis c'est le seul plaisir qui ne coûte
590 rien ; on se console pendant la nuit, sans frais, des calamités[3] du jour… Cependant les réflexions de cet homme n'en étaient pas moins justes. Tandis que je me disais cela à moi-même, je ressentis une douleur violente au genou, et je m'écriai : « Ah ! le genou !… » Et le mari s'écria : « Ah ! ma femme !… » Et la femme
595 s'écria : « Ah ! mon homme ! Mais, mais cet homme qui est là ?

– Eh bien ! cet homme ?

– Il nous aura peut-être entendus.

---

1. *La Saint-Jean* : fête religieuse célébrée le 24 juin (date symbolique du solstice d'été) par des rites censés favoriser la fécondité.
2. *Rien ne peuple comme les gueux* : aucune catégorie de la population ne fait autant d'enfants que les miséreux.
3. *Calamités* : malheurs.

– Qu'il ait entendu.

– Demain, je n'oserai le regarder.

600 – Et pourquoi ? Est-ce que tu n'es pas ma femme ? Est-ce que je ne suis pas ton mari ? Est-ce qu'un mari a une femme, est-ce qu'une femme a un mari pour rien ?

– Ah ! ah !

– Eh bien, qu'est-ce ?

605 – Mon oreille !...

– Eh bien, ton oreille ?

– C'est pis que jamais.

– Dors, cela se passera.

– Je ne saurais. Ah ! l'oreille ! ah ! l'oreille !

610 – L'oreille, l'oreille, cela est bien aisé à dire... »

Je ne vous dirai point ce qui se passait entre eux, mais la femme, après avoir répété l'oreille, l'oreille, plusieurs fois de suite à voix basse et précipitée, finit par balbutier à syllabes interrompues l'or... eil... le, et à la suite de cette or... eil... le, je ne sais 615 quoi qui, joint au silence qui succéda, me fit imaginer que son mal d'oreille s'était apaisé d'une ou d'autre façon ; il n'importe, cela me fit plaisir, et à elle donc ?

LE MAÎTRE. – Jacques, mettez la main sur la conscience, et jurez-moi que ce n'est pas de cette femme que vous devîntes amoureux.

620 JACQUES. – Je le jure.

LE MAÎTRE. – Tant pis pour toi.

JACQUES. – C'est tant pis ou tant mieux. Vous croyez apparemment que les femmes qui ont une oreille comme la sienne écoutent volontiers ?

625 LE MAÎTRE. – Je crois que cela est écrit là-haut.

JACQUES. – Je crois qu'il est écrit à la suite qu'elles n'écoutent pas longtemps le même, et qu'elles sont tant soit peu sujettes à prêter l'oreille à un autre.

LE MAÎTRE. – Cela se pourrait.

630 Et les voilà embarqués dans une querelle interminable sur les femmes, l'un prétendant qu'elles étaient bonnes, l'autre méchan-

■ «Non, non ; cela ne m'est pas arrivé depuis le soir de la Saint-Jean» (p. 59).

tes, et ils avaient tous deux raison; l'un sottes, l'autre pleines d'esprit, et ils avaient tous deux raison; l'un fausses, l'autre vraies, et ils avaient tous deux raison; l'un avares, l'autre libérales[1], et ils
635 avaient tous deux raison; l'un belles, l'autre laides, et ils avaient tous deux raison; l'un bavardes, l'autre discrètes; l'un franches, l'autre dissimulées; l'un ignorantes, l'autre éclairées; l'un sages, l'autre libertines; l'un folles, l'autre sensées; l'un grandes, l'autre petites; et ils avaient tous deux raison.

640   En suivant cette dispute sur laquelle ils auraient pu faire le tour du globe sans déparler[2] un moment et sans s'accorder, ils furent accueillis par un orage qui les contraignit de s'acheminer... – Où ? – Où ? Lecteur, vous êtes d'une curiosité bien incommode! Et que diable cela vous fait-il ? Quand je vous aurai dit que c'est
645 à Pontoise ou à Saint-Germain, à Notre-Dame-de-Lorette ou à Saint-Jacques-de-Compostelle, en serez-vous plus avancé ? Si vous insistez, je vous dirai qu'ils s'acheminèrent vers... Oui, pourquoi pas ?... vers un château immense au frontispice[3] duquel on lisait : « Je n'appartiens à personne et j'appartiens à tout le monde. Vous
650 y étiez avant que d'y entrer, et vous y serez encore quand vous en sortirez[4]. » – Entrèrent-ils dans ce château ? – Non, car l'inscription était fausse, ou ils y étaient avant que d'y entrer. – Mais du moins ils en sortirent ? – Non, car l'inscription était fausse, ou ils y étaient encore quand ils en furent sortis. – Et que firent-ils
655 là ? – Jacques disait, ce qui est écrit là-haut; son maître, ce qu'ils voulurent, et ils avaient tous deux raison. – Quelle compagnie[5] y

---

1. *Libérales* : généreuses.
2. *Déparler* : cesser de parler.
3. *Frontispice* : façade principale ou fronton (couronnement en forme triangulaire ou arquée) d'un édifice.
4. Allusion à François Rabelais (1483-1553) et à son roman parodique *Gargantua* (1534), dans lequel un moine, frère Jean, fonde un couvent à l'envers nommé «Thélème» (en grec, «volonté libre»), dont la règle se résume par la clause «Fay ce que vouldras» inscrite sur la porte (chapitre LVII).
5. *Compagnie* : assemblée.

trouvèrent-ils? – Mêlée. – Qu'y disait-on? – Quelques vérités, et
beaucoup de mensonges. – Y avait-il des gens d'esprit? – Où n'y
en a-t-il pas? et de maudits questionneurs qu'on fuyait comme la
660 peste. Ce qui choqua le plus Jacques et son maître pendant tout
le temps qu'ils s'y promenèrent... – On s'y promenait donc?
– On ne faisait que cela quand on n'était pas assis ou couché. Ce
qui choqua le plus Jacques et son maître ce fut d'y trouver une
vingtaine de vauriens, qui s'étaient emparés des plus somptueux
665 appartements où ils se trouvaient presque toujours à l'étroit, qui
prétendaient, contre le droit commun[1] et le vrai sens de l'inscription, que le château leur avait été légué en toute propriété; et qui,
à l'aide d'un certain nombre de coglions à leurs gages[2], l'avaient
persuadé à un grand nombre d'autres coglions à leurs gages, tout
670 prêts pour une petite pièce de monnaie à pendre ou assassiner
le premier qui aurait osé les contredire, cependant au temps de
Jacques et de son maître, on l'osait quelquefois. – Impunément?
– C'est selon.

Vous allez dire que je m'amuse, et que, ne sachant plus que
675 faire de mes deux voyageurs, je me jette dans l'allégorie[3], la ressource ordinaire des esprits stériles[4]. Je vous sacrifierai mon allégorie et toutes les richesses que j'en pourrais tirer, je conviendrai
de tout ce qui vous plaira, mais à condition que vous ne me
tracasserez point sur le dernier gîte de Jacques et de son maître,
680 soit qu'ils aient atteint une grande ville et qu'ils aient couché chez
des filles; qu'ils aient passé la nuit chez un vieil ami qui les fêta de
son mieux; qu'ils se soient réfugiés chez des moines mendiants[5],

---

1. Contre le droit commun : en bafouant le droit civil.
2. Coglions à leurs gages : couillons (insulte, de l'italien *coglione*, «testi-
cules») à leur service; hommes de main.
3. Allégorie : narration métaphorique.
4. Des esprits stériles : des esprits sans imagination créatrice.
5. La pauvreté absolue était de règle dans trois communautés : les Carmes,
les Franciscains, et les Dominicains.

où ils furent mal logés et mal repus pour l'amour de Dieu ; qu'ils aient été accueillis dans la maison d'un grand [1], où ils manquè-
685 rent de tout ce qui est nécessaire, au milieu de tout ce qui est superflu ; qu'ils soient sortis le matin d'une grande auberge, où on leur fit payer très chèrement un mauvais souper servi dans des plats d'argent, et une nuit passée entre des rideaux de damas [2] et des draps humides et repliés ; qu'ils aient reçu l'hospitalité
690 chez un curé de village à portion congrue [3], qui courut mettre à contribution les basses-cours de ses paroissiens pour avoir une omelette et une fricassée [4] de poulets ; ou qu'ils se soient enivrés d'excellents vins, fait grande chère et pris une indigestion bien conditionnée [5] dans une riche abbaye de Bernardins [6] : car quoi-
695 que tout cela vous paraisse également possible, Jacques n'était pas de cet avis, il n'y avait réellement de possible que la chose qui était écrite en haut. Ce qu'il y a de vrai, c'est que de quelque endroit qu'il vous plaise de les mettre en route, ils n'eurent pas fait vingt pas, que le maître dit à Jacques, après avoir toutefois
700 selon son usage pris sa prise de tabac : « Eh bien, Jacques, et l'histoire de tes amours ? »

Au lieu de répondre, Jacques s'écria : « Au diable l'histoire de mes amours ! Ne voilà-t-il pas que j'ai laissé…

---

1. *D'un grand* : d'un grand seigneur du royaume.

2. *Rideaux de damas* : rideaux de grand luxe, faits de damas, tissu de soie à ornements en relief, à l'origine fabriqué à Damas, en Syrie.

3. *À portion congrue* : ayant à peine de quoi subsister. On appelait « portion *congrue* » (« qui convient ») le salaire que recevait un prêtre en contrepartie de son activité ; cette somme permettait, au mieux, de survivre.

4. *Fricassée* : ragoût.

5. *Bien conditionnée* : bien comme il faut.

6. « Les Bernardins sont des religieux qui tirent leur origine de l'ordre de Saint-Benoît et leur nom de saint Bernard, qui les réforma dans le XIIᵉ siècle ; leur habit est blanc avec un scapulaire noir. On nomme leur ordre l'ordre de Cîteaux, du nom de leur principale abbaye » (*Dictionnaire Littré*, 1860-1876). Austère à l'origine, leur ordre s'était beaucoup relâché ; à l'époque de Diderot, ils étaient réputés pour être de bons vivants.

Le Maître. – Qu'as-tu laissé ? »

705 Au lieu de lui répondre, Jacques retournait toutes ses poches, et se fouillait partout inutilement. Il avait laissé la bourse de voyage sous le chevet de son lit, et il n'en eut pas plus tôt fait l'aveu à son maître, que celui-ci s'écria : « Au diable l'histoire de tes amours ! Ne voilà-t-il pas que ma montre est restée accrochée
710 à la cheminée ! »

Jacques ne se fit pas prier, aussitôt il tourne bride, et regagne au petit pas, car il n'était jamais pressé... – Le château immense ? – Non, non. Entre les différents gîtes possibles ou non possibles dont je vous ai fait l'énumération qui précède, choisissez celui qui
715 convient le mieux à la circonstance présente[1].

Cependant son maître allait toujours en avant ; mais voilà le maître et le valet séparés, et je ne sais auquel des deux m'attacher de préférence. Si vous voulez suivre Jacques, prenez-y garde : la recherche de la bourse et de la montre pourra devenir si longue
720 et si compliquée, que de longtemps il ne rejoindra son maître, le seul confident de ses amours, et adieu les amours de Jacques. Si l'abandonnant seul à la quête de la bourse et de la montre, vous prenez le parti de faire compagnie à son maître, vous serez poli, mais très ennuyé ; vous ne connaissez pas encore cette espè-
725 ce-là. Il a peu d'idées dans la tête ; s'il lui arrive de dire quelque chose de sensé, c'est de réminiscence[2] ou d'inspiration. Il a des yeux comme vous et moi ; mais on ne sait la plupart du temps s'il regarde. Il ne dort pas, il ne veille pas non plus ; il se laisse exister : c'est sa fonction habituelle. L'automate allait devant lui,
730 se retournant de temps en temps pour voir si Jacques ne revenait pas ; il descendait de cheval et marchait à pied ; il remontait sur sa bête, faisait un quart de lieue[3], redescendait et s'asseyait à terre, la bride de son cheval passée dans son bras et la tête

---

1. Fin de la livraison n° 2 de la *Correspondance littéraire* de janvier 1779.
2. *Réminiscence* : mémoire.
3. *Un quart de lieue* : environ un kilomètre (voir note 3, p. 43).

appuyée sur ses deux mains. Quand il était las de cette posture, il
735 se levait et regardait au loin s'il n'apercevait point Jacques. Point
de Jacques. Alors il s'impatientait, et sans trop savoir s'il parlait
ou non, il disait : «Le bourreau, le chien, le coquin, où est-il ?
Que fait-il ? Faut-il tant de temps pour reprendre une bourse et
une montre ? Je te rouerai de coups [1]; oh ! cela est certain, je te
740 rouerai de coups.» Puis il cherchait sa montre à son gousset [2]
où elle n'était pas et il achevait de se désoler, car il ne savait
que devenir sans sa montre, sans sa tabatière [3] et sans Jacques :
c'étaient les trois grandes ressources de sa vie, qui se passait à
prendre du tabac, à regarder l'heure qu'il était, à questionner
745 Jacques, et cela dans toutes les combinaisons. Privé de sa montre, il en était donc réduit à sa tabatière qu'il ouvrait et fermait
à chaque minute, comme je fais moi lorsque je m'ennuie. Ce
qui reste de tabac le soir dans ma tabatière est en raison directe
de l'amusement, ou inverse de l'ennui de ma journée. Je vous
750 supplie, lecteur, de vous familiariser avec cette manière de dire
empruntée de la géométrie, parce que je la trouve précise et que
je m'en servirai souvent.

   Eh bien, en avez-vous assez du maître, et son valet ne venant
point à nous, voulez-vous que nous allions à lui ? Le pauvre
755 Jacques ! au moment où nous en parlons, il s'écriait douloureusement : «Il était donc écrit là-haut qu'en un même jour je serais
appréhendé comme voleur de grand chemin, sur le point d'être
conduit dans une prison, et accusé d'avoir séduit une fille ! »

   Comme il approchait, au petit pas... du château ? non, du
760 lieu de leur dernière couchée [4], il passe à côté de lui un de ces

---

1. *Je te rouerai de coups* : je te battrai.
2. *Gousset* : petite poche du gilet ou de la ceinture où l'on met la bourse,
la montre, etc.
3. *Tabatière* : petite boîte de poche dans laquelle on mettait le tabac à priser
(aspiré par le nez).
4. *Couchée* : «Le lieu où on loge la nuit en faisant voyage» (*Dictionnaire de
l'Académie*, 1762).

merciers ambulants qu'on appelle porteballes [1], et qui lui crie : «Monsieur le chevalier, jarretières [2], ceintures, cordons de montre, tabatières du dernier goût, vraies jaback [3], bagues, cachets de montre. Montre, monsieur, une montre, une belle montre d'or, ciselée, à double boîte, comme neuve...» Jacques lui répond : «J'en cherche bien une, mais ce n'est pas la tienne...» et continue sa route, toujours au petit pas. En allant, il crut voir écrit en haut que la montre que cet homme lui avait proposée était celle de son maître. Il revient sur ses pas et dit au porteballe : «L'ami, voyons votre montre à boîte d'or, j'ai dans la fantaisie [4] qu'elle pourrait me convenir.

– Ma foi, dit le porteballe, je n'en serais pas surpris, elle est belle, très belle, de Julien-le-Roi [5]. Il n'y a qu'un moment qu'elle m'appartient, je l'ai acquise pour un morceau de pain, j'en ferai bon marché. J'aime les petits gains répétés, mais on est bien malheureux par le temps qui court, de trois mois d'ici je n'aurai pas une pareille aubaine [6]. Vous m'avez l'air d'un galant homme, et j'aimerais mieux que vous en profitassiez qu'un autre...»

Tout en causant, le mercier avait mis sa malle [7] à terre, l'avait ouverte, et en avait tiré la montre que Jacques reconnut

---

1. Porteballes : «Petit[s] mercier[s] [petits commerçants] qui porte[nt] sur [leur] dos une balle [un gros paquet en général, ici, un panier] où sont [leurs] marchandises» (*Dictionnaire de l'Académie*, 1762).
2. Jarretières : rubans servant à lier les bas au-dessus ou au-dessous du genou.
3. Il existait alors à Paris un hôtel Jaback où l'on vendait des bijoux et des bibelots à la mode.
4. J'ai dans la fantaisie : j'ai dans l'idée.
5. Julien Le Roy (1686-1759) : célèbre horloger du roi Louis XV, nommé en 1734.
6. Aubaine : chance.
7. Malle : «[...] se dit de certains paniers que des merciers de campagne portent sur leur dos, qui sont pleins de cent sortes de menues marchandises» (*Dictionnaire de Furetière*, 1690).

sur-le-champ, sans en être étonné, car s'il ne se pressait jamais, il s'étonnait rarement. Il regarde bien la montre : «Oui, se dit-il à lui-même, c'est elle…» Au porteballe : «Vous avez raison,
785 elle est belle, très belle, et je sais qu'elle est bonne…» Puis la mettant dans son gousset il dit au porteballe : «L'ami, grand merci.

– Comment, grand merci !

– Oui ; c'est la montre de mon maître.

790   – Je ne connais point votre maître ; cette montre est à moi, je l'ai achetée et bien payée…»

Et saisissant Jacques au collet, il se mit en devoir de lui reprendre la montre. Jacques s'approche de son cheval, prend un de ses pistolets, et l'appuyant sur la poitrine du porteballe :
795 «Retire-toi, lui dit-il, ou tu es mort…» Le porteballe effrayé lâche prise. Jacques remonte sur son cheval et s'achemine au petit pas vers la ville, en disant en lui-même : «Voilà la montre recouvrée[1], à présent voyons à notre bourse…» Le porteballe se hâte de refermer sa malle, la remet sur ses épaules, et suit Jacques en
800 criant : «Au voleur ! au voleur ! à l'assassin ! au secours ! à moi ! à moi !…» C'était dans la saison des récoltes, les champs étaient couverts de travailleurs. Tous laissent leurs faucilles, s'attroupent autour de cet homme, et lui demandent où est le voleur, où est l'assassin.

805   «Le voilà, le voilà là-bas.

– Quoi ! celui qui s'achemine au petit pas vers la porte de la ville ?

– Lui-même.

– Allez, vous êtes fou, ce n'est point là l'allure d'un voleur.

810   – C'en est un, c'en est un, vous dis-je, il m'a pris de force une montre d'or…»

Ces gens ne savaient à quoi s'en rapporter, des cris du porteballe ou de la marche tranquille de Jacques. «Cependant, ajoutait

---

1. Recouvrée : retrouvée, récupérée.

le porteballe, mes enfants, je suis ruiné si vous ne me secourez,
815 elle vaut trente louis comme un liard[1]. Secourez-moi, il emporte
ma montre, et s'il vient à piquer des deux[2], ma montre est perdue… »

Si Jacques n'était guère à portée d'entendre ces cris, il pouvait aisément voir l'attroupement, et n'en allait pas plus vite. Le
820 porteballe détermina[3] par l'espoir d'une récompense les paysans
à courir après Jacques. Voilà donc une multitude d'hommes, de
femmes et d'enfants allant et criant : « Au voleur ! au voleur ! à
l'assassin ! » et le porteballe les suivant d'aussi près que le fardeau
dont il était chargé le lui permettait, et criant : « Au voleur ! au
825 voleur ! à l'assassin ! … »

Ils sont entrés dans la ville, car c'est dans une ville que
Jacques et son maître avaient séjourné la veille, je me le rappelle
à l'instant. Les habitants quittent leurs maisons, se joignent aux
paysans et au porteballe, tous vont en criant à l'unisson : « Au
830 voleur ! au voleur ! à l'assassin ! … » Tous atteignent Jacques en
même temps. Le porteballe s'élançant sur lui, Jacques lui détache
un coup de botte dont il est renversé par terre, mais n'en criant
pas moins : « Coquin, fripon, scélérat[4], rends-moi ma montre ;
tu me la rendras, et tu n'en seras pas moins pendu… » Jacques,
835 gardant son sens froid, s'adressait à la foule qui grossissait à
chaque instant et disait : « Il y a un magistrat de police ici, qu'on
me mène chez lui ; là, je ferai voir que je ne suis point un coquin,
et que cet homme en pourrait bien être un. Je lui ai pris une
montre, il est vrai ; mais cette montre est celle de mon maître. Je
840 ne suis point inconnu dans cette ville, avant-hier au soir nous y

---

1. Comme un liard : comme un rien. Le liard était alors une petite monnaie
de cuivre valant trois deniers (un quart de sou).
2. Piquer des deux : pousser son cheval au galop (en lui piquant les flancs
des deux éperons à la fois).
3. Détermina : convainquit.
4. Coquin, fripon, scélérat : synonymes qui signifient « voleur », « méchant
homme ».

arrivâmes mon maître et moi, et nous avons séjourné chez M. le lieutenant général[1], son ancien ami...» Si je ne vous ai pas dit plus tôt que Jacques et son maître avaient passé par Conches[2], et qu'ils avaient logé chez le lieutenant général de ce lieu, c'est 845 que cela ne m'est pas revenu plus tôt. «Qu'on me conduise chez M. le lieutenant général», disait Jacques, et en même temps il mit pied à terre. On le voyait au centre du cortège lui, son cheval et le porteballe. Ils marchent, ils arrivent à la porte du lieutenant général. Jacques, son cheval et le porteballe entrent, Jacques et le 850 porteballe se tenant l'un l'autre à la boutonnière. La foule reste en dehors.

Cependant, que faisait le maître de Jacques? Il s'était assoupi au bord du grand chemin, la bride de son cheval passée dans son bras, et l'animal paissait l'herbe autour du dormeur, autant que 855 la longueur de la bride le lui permettait.

Aussitôt que le lieutenant général aperçut Jacques, il s'écria : «Eh! c'est toi, mon pauvre Jacques? Qu'est-ce qui te ramène seul ici?

– La montre de mon maître, il l'avait laissée pendue au coin 860 de la cheminée, et je l'ai retrouvée dans la balle de cet homme; notre bourse, que j'ai oubliée sous mon chevet, et qui se retrouvera si vous l'ordonnez.

– Et que cela soit écrit là-haut...» ajouta le magistrat.

À l'instant il fit appeler ses gens, à l'instant le porteballe 865 montrant un grand drôle[3] de mauvaise mine et nouvellement installé dans la maison, dit : «Voilà celui qui m'a vendu la montre.»

---

1. *Lieutenant général* : fonctionnaire civil représentant le roi dans les affaires policières, judiciaires et administratives.
2. Il y a deux villages de ce nom : l'un près d'Évreux (Haute-Normandie), et l'autre à l'est de Paris, près de Lagny, sur la Marne.
3. *Drôle* : «homme fin, rusé, dont il faut se défier» (*Dictionnaire de l'Académie*, 1762).

Le magistrat, prenant un air sévère, dit au porteballe et à son valet : «Vous mériteriez tous deux les galères[1], toi, pour avoir vendu la montre, toi, pour l'avoir achetée…» À son valet : «Rends à cet homme son argent et mets bas ton habit[2] sur-le-champ…» Au porteballe : «Dépêche-toi de vider le pays[3], si tu n'y veux pas rester accroché[4] pour toujours. Vous faites tous deux un métier qui porte malheur… Jacques, à présent il s'agit de ta bourse.» Celle qui se l'était appropriée comparut sans se faire appeler; c'était une grande fille faite au tour[5]. «C'est moi, monsieur, qui ai la bourse, dit-elle à son maître; mais je ne l'ai point volée, c'est lui qui me l'a donnée.

– Je vous ai donné ma bourse?

– Oui.

– Cela se peut, mais que le diable m'emporte si je m'en souviens.»

Le magistrat dit à Jacques : «Allons, Jacques, n'éclaircissons pas cela davantage.

– Monsieur…

– Elle est jolie et complaisante, à ce que je vois.

– Monsieur, je vous jure…

– Combien y avait-il dans la bourse?

– Environ neuf cent dix-sept livres.

– Ah! Javotte! neuf cent dix-sept livres pour une nuit, c'est beaucoup trop pour vous et pour lui. Donnez-moi la bourse…»

La grande fille donna la bourse à son maître qui en tira un écu de six francs : «Tenez, lui dit-il, en lui jetant l'écu, voilà le prix de vos services. Vous valez mieux, mais pour un autre que Jacques. Je vous en souhaite deux fois autant tous les jours, mais hors de

---

1. Le condamné aux galères ramait, enchaîné, sur les navires de guerre du roi (peine abolie en 1748).
2. *Mets bas ton habit* : ôte ta livrée de domestique (le valet est renvoyé).
3. *Vider le pays* : quitter le pays.
4. *Accroché* : enchaîné.
5. *Faite au tour* : comme modelée au tour par un potier; parfaitement proportionnée.

895 chez moi, entendez-vous ? Et toi, Jacques, dépêche-toi de remonter sur ton cheval et de retourner à ton maître.»

Jacques salua le magistrat et s'éloigna sans répondre, mais il disait en lui-même : «L'effrontée ! la coquine ! Il était donc écrit là-haut qu'un autre coucherait avec elle et que Jacques paierait ? Allons, 900 Jacques, console-toi ; n'es-tu pas trop heureux d'avoir rattrapé ta bourse et la montre de ton maître et qu'il t'en ait si peu coûté ?»

Jacques remonte sur son cheval et fend la presse[1] qui s'était faite à l'entrée de la maison du magistrat, mais comme il souffrait[2] avec peine que tant de gens le prissent pour un fripon, il affecta 905 de tirer la montre de sa poche et de regarder l'heure qu'il était, puis il piqua des deux son cheval qui n'y était pas fait et qui n'en partit qu'avec plus de célérité[3]. Son usage était de le laisser aller à sa fantaisie, car il trouvait autant d'inconvénient à l'arrêter quand il galopait, qu'à le presser quand il marchait lentement. Nous 910 croyons conduire le destin, mais c'est toujours lui qui nous mène ; et le destin pour Jacques était tout ce qui le touchait ou l'approchait, son cheval, son maître, un moine, un chien, une femme, un mulet, une corneille. Son cheval le conduisait donc à toutes jambes vers son maître, qui s'était assoupi sur le bord du chemin, 915 la bride de son cheval passée dans son bras, comme je vous l'ai dit. Alors le cheval tenait à la bride, mais lorsque Jacques arriva, la bride était restée à sa place, et le cheval n'y tenait plus. Un fripon s'était apparemment approché du dormeur, avait doucement coupé la bride et emmené l'animal. Au bruit du cheval de Jacques 920 son maître se réveilla et son premier mot fut : «Arrive, arrive, maroufle[4] ! je te vais…» Là, il se mit à bâiller d'une aune[5].

---

1. Presse : foule.

2. Souffrait : supportait.

3. Célérité : vitesse.

4. Maroufle : «Terme d'injure et de mépris, qui se dit d'un fripon, d'un malhonnête homme» (*Dictionnaire de l'Académie*, 1762).

5. Aune : ancienne mesure de longueur de tissu (1,182 m) ; ici, le mot sert à désigner un bâillement prolongé.

■ « Un fripon s'était approché du dormeur » (p. 72).

«Bâillez, bâillez, monsieur, tout à votre aise, lui dit Jacques, mais où est votre cheval?

– Mon cheval?

925 – Oui, votre cheval?...»

Le maître s'apercevant aussitôt qu'on lui avait volé son cheval, se disposait à tomber sur Jacques à grands coups de bride, lorsque Jacques lui dit : «Tout doux, monsieur, je ne suis pas d'humeur aujourd'hui à me laisser assommer; je recevrai le pre-
930 mier coup, mais je vous jure qu'au second je pique des deux et vous laisse là...»

Cette menace de Jacques fit tomber subitement la fureur de son maître, qui lui dit d'un ton radouci : «Et ma montre?

– La voilà.

935 – Et ta bourse?

– La voilà.

– Tu as été bien longtemps.

– Pas trop pour tout ce que j'ai fait. Écoutez bien. Je suis allé; je me suis battu; j'ai ameuté tous les paysans de la campagne, j'ai
940 ameuté tous les habitants de la ville, j'ai été pris pour voleur de grand chemin[1], j'ai été conduit chez le juge, j'ai subi deux inter-rogatoires, j'ai presque fait pendre deux hommes, j'ai fait mettre à la porte un valet, j'ai fait chasser une servante. J'ai été convaincu d'avoir couché avec une créature que je n'ai jamais vue et que j'ai
945 pourtant payée; et je suis revenu.

– Et moi, en t'attendant...

– En m'attendant il était écrit là-haut que vous vous endor-miriez, et qu'on vous volerait votre cheval. Eh bien, monsieur, n'y pensons plus! C'est un cheval perdu et peut-être est-il écrit
950 là-haut qu'il se retrouvera.

– Mon cheval! mon pauvre cheval!

---

1. « Les *voleurs de grand chemin* sont ceux qui volent à la campagne à main armée» (*Dictionnaire de Furetière*, 1690).

– Quand vous continueriez vos lamentations d'ici à demain, il n'en sera ni plus ni moins [1].

– Qu'allons-nous faire ?

955 – Je vais vous prendre en croupe, ou, si vous l'aimez mieux, nous quitterons nos bottes, nous les attacherons sur la selle de mon cheval, et nous poursuivrons notre route à pied.

– Mon cheval ! mon pauvre cheval ! »

Ils prirent le parti d'aller à pied, le maître s'écriant de temps 960 en temps : « Mon cheval ! mon pauvre cheval ! » et Jacques para-phrasant l'abrégé de ses aventures. Lorsqu'il en fut à l'accusation de la fille, son maître lui dit :

« Vrai, Jacques, tu n'avais pas couché avec cette fille ?

JACQUES. – Non, monsieur.

965 LE MAÎTRE. – Et tu l'as payée ?

JACQUES. – Assurément.

LE MAÎTRE. – Je fus une fois en ma vie plus malheureux que toi.

JACQUES. – Vous payâtes après avoir couché ?

970 LE MAÎTRE. – Tu l'as dit.

JACQUES. – Est-ce que vous ne me raconterez pas cela ?

LE MAÎTRE. – Avant que d'entrer dans l'histoire de mes amours il faut être sorti de l'histoire des tiennes. Eh bien, Jacques, et tes amours que je prendrai pour les premières et les seules de ta vie, 975 nonobstant [2] l'aventure de la servante du lieutenant général de Conches, car, quand tu aurais couché avec elle, tu n'en aurais pas été l'amoureux pour cela. Tous les jours on couche avec des femmes qu'on n'aime pas, et l'on ne couche pas avec des femmes qu'on aime. Mais…

980 JACQUES. – Eh bien, mais ?… qu'est-ce ?

LE MAÎTRE. – Mon cheval !… Jacques, mon ami, ne te fâche pas ; mets-toi à la place de mon cheval, suppose que je t'aie perdu,

---

1. *Il n'en sera ni plus ni moins* : cela ne changerait rien.
2. *Nonobstant* : malgré.

et dis-moi si tu ne m'en estimerais pas davantage si tu m'entendais m'écrier : "Mon Jacques ! mon pauvre Jacques !"»

985 Jacques sourit et dit [1] : «J'en étais, je crois, au discours de mon hôte avec sa femme pendant la nuit qui suivit mon premier pansement. Je reposai un peu. Mon hôte et sa femme se levèrent plus tard que de coutume.

LE MAÎTRE. – Je le crois.

990 JACQUES. – À mon réveil, j'entrouvris doucement mes rideaux, et je vis mon hôte, sa femme et le chirurgien en conférence secrète vers la fenêtre. Après ce que j'avais entendu pendant la nuit il ne me fut pas difficile de deviner ce qui se traitait là. Je toussai. Le chirurgien dit au mari : "Il est éveillé. Compère [2], descendez à la 995 cave, nous boirons un coup, cela rend la main sûre ; je lèverai ensuite mon appareil [3], puis nous aviserons au reste."

La bouteille arrivée et vidée, car en terme de l'art [4] boire un coup, c'est vider au moins une bouteille, le chirurgien s'approcha de mon lit, et me dit : "Comment la nuit a-t-elle été ?

1000 – Pas mal.

– Votre bras... Bon, bon... le pouls n'est pas mauvais, il n'y a presque plus de fièvre. Il faut voir à ce genou. [Allons, commère, dit-il à l'hôtesse qui était debout au pied de mon lit derrière le rideau, aidez-nous..." L'hôtesse appela un de ses enfants. 1005 "Ce n'est pas un enfant qu'il nous faut ici, c'est vous, un faux mouvement nous apprêterait [5] de la besogne pour un mois. Approchez..." L'hôtesse approcha, les yeux baissés... "Prenez cette jambe, la bonne, je me charge de l'autre. Doucement, dou-

---

1. Fin de la livraison n° 3 de la *Correspondance littéraire* de février 1779.

2. *Compère* : parrain d'un enfant. C'est aussi un «nom très familier et d'amitié que l'on donne aux hommes avec qui on est en relation habituelle» (*Dictionnaire Littré*, 1860-1876).

3. *Appareil* : «En termes de chirurgie, se dit des linges et des médicaments nécessaires pour panser une plaie» (*Dictionnaire de Trévoux*, 1771).

4. *En terme de l'art* : en terme de chirurgie (par plaisanterie).

5. *Nous apprêterait* : nous donnerait.

cement. À moi, encore un peu à moi. L'ami, un petit tour de corps
1010 à droite, à droite, vous dis-je, et nous y voilà…"

Je tenais le matelas des deux mains, je grinçais des dents, la
sueur me coulait le long du visage. "L'ami, cela n'est pas doux.

– Je le sens.

– Vous y voilà, commère, lâchez la jambe, prenez l'oreiller,
1015 approchez la chaise et mettez l'oreiller dessus ; trop près… un
peu plus loin… L'ami, donnez-moi la main, serrez-moi ferme.
Commère, passez dans la ruelle[1] et tenez-le par-dessous les bras.
À merveille. Compère, ne reste-t-il rien dans la bouteille ?

– Non.

1020 – Allez prendre la place de votre femme, et qu'elle en aille
chercher une autre… Bon, bon, versez plein… Femme, laissez
votre homme où il est et venez à côté de moi…" L'hôtesse
appela encore une fois un de ses enfants. "Eh ! mort diable, je
vous l'ai déjà dit, un enfant n'est pas ce qu'il nous faut. Mettez-
1025 vous à genoux, passez la main sous le mollet. Commère, vous
tremblez comme si vous aviez fait un mauvais coup ; allons
donc, du courage… La gauche sous le bas de la cuisse, là, au-
dessus du bandage… fort bien !…" Voilà les coutures coupées,
les bandes déroulées, l'appareil levé et ma blessure à décou-
1030 vert.] Le chirurgien tâte en dessus, en dessous, par les côtés,
et à chaque fois qu'il me touche, il dit : "L'ignorant ! l'âne ! le
butor[2] ! et cela se mêle de chirurgie ! Cette jambe une jambe à
couper ? Elle durera autant que l'autre, c'est moi qui vous en
réponds.

1035 – Je guérirai ?

– J'en ai bien guéri d'autres.

– Je marcherai ?

– Vous marcherez.

– Sans boiter ?

---

1. *Ruelle* : espace libre entre le lit et le mur.
2. *Butor* : grossier personnage.

1040   – C'est autre chose ; diable, l'ami, comme vous y allez ? N'est-ce pas assez que je vous aie sauvé votre jambe ? Au demeurant, si vous boitez, ce sera peu de chose. Aimez-vous la danse ?

    – Beaucoup.

    – Si vous en marchez un peu moins bien, vous n'en danserez
1045 que mieux... Commère, le vin chaud... Non, l'autre d'abord, encore un petit verre et notre pansement n'en ira pas plus mal."

    Il boit. On apporte le vin chaud, on m'étuve, on remet l'appareil, on m'étend dans mon lit, on m'exhorte à dormir si je
1050 puis, on ferme les rideaux ; on achève la bouteille entamée, on en remonte une autre, et la conférence reprend entre le chirurgien, l'hôte et l'hôtesse.

    L'Hôte. – Compère, cela sera-t-il long ?

    Le Chirurgien. – Très long... À vous, compère.

1055   L'Hôte. – Mais combien ? Un mois ?

    Le Chirurgien. – Un mois ! Mettez-en deux, trois, quatre ; qui sait cela ? La rotule est entamée, le fémur, le tibia... À vous, commère.

    L'Hôte. – Quatre mois ! Miséricorde ! Pourquoi le recevoir
1060 ici ? Que diable faisait-elle à sa porte ?

    Le Chirurgien. – À moi, car j'ai bien travaillé.

    L'Hôtesse. – Mon ami, voilà que tu recommences. Ce n'est pas ce que tu m'avais promis cette nuit ; mais patience, tu y reviendras.

1065   L'Hôte. – Mais, dis-moi, que faire de cet homme ? Encore si l'année n'était pas si mauvaise !...

    L'Hôtesse. – Si tu voulais, j'irais chez le curé.

    L'Hôte. – Si tu y mets le pied, je te roue de coups.

    Le Chirurgien. – Pourquoi donc, compère ? la mienne y va
1070 bien.

    L'Hôte. – C'est votre affaire.

    Le Chirurgien. – À ma filleule ; comment se porte-t-elle ?

    L'Hôtesse. – Fort bien.

LE CHIRURGIEN. – Allons, compère, à votre femme et à la
1075 mienne; ce sont deux bonnes femmes.

L'HÔTE. – La vôtre est plus avisée; et elle n'aurait pas fait la
sottise...

L'HÔTESSE. – Mais, compère, il y a les sœurs grises[1].

LE CHIRURGIEN. – Ah! commère! un homme, un homme chez
1080 les sœurs grises! Et puis il y a une petite difficulté un peu plus grande
que le doigt[2]... Buvons aux sœurs, ce sont de bonnes filles.

L'HÔTESSE. – Et quelle difficulté?

LE CHIRURGIEN. – Votre homme ne veut pas que vous alliez chez
le curé et ma femme ne veut pas que j'aille chez les sœurs... Mais,
1085 compère, encore un coup, cela nous avisera[3] peut-être. Avez-vous
questionné cet homme? Il n'est peut-être pas sans ressource[4].

L'HÔTE. – Un soldat!

LE CHIRURGIEN. – Un soldat a père, mère, frères, sœurs, des
parents, des amis, quelqu'un sous le ciel... Buvons encore un coup,
1090 éloignez-vous, et laissez-moi faire.»

[Telle fut à la lettre la conversation du chirurgien, de l'hôte et
de l'hôtesse; mais quelle autre couleur n'aurais-je pas été le maître de lui donner, en introduisant un scélérat parmi ces bonnes
gens? Jacques se serait vu ou vous auriez vu Jacques au moment
1095 d'être arraché de son lit, jeté sur un grand chemin ou dans une
fondrière[5]. – Pourquoi pas tué? – Tué, non. J'aurais bien su appeler quelqu'un à son secours, ce quelqu'un-là aurait été un soldat
de sa compagnie; mais cela aurait pué le *Cleveland*[6] à infecter.

---

1. *Les sœurs grises* : «Les sœurs de la Charité sont des filles qui vivent
en communauté sans être religieuses. On les appellent aussi Sœurs grises»
(*Dictionnaire de Trévoux*, 1771).
2. *Une petite difficulté un peu plus grande que le doigt* : sous-entendu
grivois.
3. *Cela nous avisera* : cela nous fera trouver la solution, nous conseillera.
4. *Ressource* : moyens financiers.
5. *Fondrière* : trou profond plein d'eau ou de boue.
6. L'*Histoire de Monsieur Cleveland, fils naturel de Cromwell* (1731-1739) est
un long roman philosophique de l'abbé Prévost (1697-1763).

La vérité, la vérité ; la vérité, me direz-vous, est souvent froide,
1100 commune et plate. Par exemple, votre dernier récit du pansement de Jacques est vrai, mais qu'y a-t-il d'intéressant ? Rien.
– D'accord. – S'il faut être vrai, c'est comme Molière, Regnard[1],
Richardson[2], Sedaine[3], la vérité a ses côtés piquants[4] qu'on saisit
quand on a du génie. – Oui, quand on a du génie ; mais quand
1105 on en manque ? – Quand on en manque, il ne faut pas écrire. – Et
si par malheur on ressemblait à un certain poète que j'envoyai à
Pondichéry[5] ?... – Qu'est-ce que ce poète ? – Ce poète...

Mais si vous m'interrompez, lecteur, et si je m'interromps
moi-même à tout coup, que deviendront les amours de Jacques ?
1110 Croyez-moi, laissons là le poète. L'hôte et l'hôtesse s'éloignè-
rent... – Non, non, l'histoire du poète de Pondichéry. – Le
chirurgien s'approcha du lit de Jacques... – L'histoire du poète
de Pondichéry, l'histoire du poète de Pondichéry. – Un jour, il
me vint un jeune poète, comme il m'en vient tous les jours...
1115 Mais, lecteur, quel rapport cela a-t-il avec le voyage de Jacques le
Fataliste et de son maître ?... – L'histoire du poète de Pondichéry.
– Après les compliments ordinaires sur mon esprit, mon génie,
mon goût, ma bienfaisance, et autres propos dont je ne crois pas
un mot, bien qu'il y ait plus de vingt ans qu'on me les répète, et

---

1. *Jean-François Regnard* (1655-1709) : auteur de comédies pleines de
verve (*Le Légataire universel*, 1708).
2. *Samuel Richardson* (1689-1761) : imprimeur et romancier anglais,
auteur de romans par lettres (*Pamela, ou la Vertu récompensée*, 1741 ; *Clarissa
Harlowe*, 1747) d'une étonnante profondeur psychologique ; Diderot, qui
lisait l'anglais, appréciait beaucoup cet auteur dont les héroïnes font figure
de saintes.
3. *Michel Jean Sedaine* (1719-1797) : disciple et ami de Diderot, auteur
d'un drame bourgeois intitulé *Le Philosophe sans le savoir* (1765).
4. *Piquants* : qui suscitent l'intérêt.
5. *Pondichéry* : ville d'Inde située sur la côte orientale, ex-comptoir colonial
français. Une première version de l'histoire du poète de Pondichéry (il s'agirait d'un certain Viguier, commerçant de Pondichéry et auteur d'un *Essai de
poésies diverses* publié en 1765) parut dans la *Correspondance littéraire* de
juillet 1771, soit sept ans avant la première livraison de *Jacques le Fataliste*.

1120 peut-être de bonne foi, le jeune poète tire un papier de sa poche ;
ce sont des vers, me dit-il. – Des vers ! – Oui, monsieur, et sur
lesquels j'espère que vous aurez la bonté de me dire votre avis.
– Aimez-vous la vérité ? – Oui, monsieur, et je vous la demande.
– Vous allez la savoir. – Quoi ! vous êtes assez bête pour croire
1125 qu'un poète vient chercher la vérité chez vous ? – Oui. – Et pour
la lui dire ? – Assurément. – Sans ménagement ? – Sans doute ;
le ménagement le mieux apprêté[1] ne serait qu'une offense gros-
sière ; fidèlement interprété, il signifierait : vous êtes un mauvais
poète ; et comme je ne vous crois pas assez robuste pour entendre
1130 la vérité, vous n'êtes encore qu'un plat[2] homme. – Et la franchise
vous a toujours réussi ? – Presque toujours... Je lis les vers de
mon jeune poète, et je lui dis : Non seulement vos vers sont
mauvais, mais il m'est démontré[3] que vous n'en ferez jamais
de bons. – Il faudra donc que j'en fasse de mauvais, car je ne
1135 saurais m'empêcher d'en faire. – Voilà une terrible malédiction !
Concevez-vous, monsieur, dans quel avilissement vous allez tomber ? Ni les dieux, ni les hommes, ni les colonnes n'ont pardonné
la médiocrité aux poètes ; c'est Horace[4] qui l'a dit. – Je le sais.
– Êtes-vous riche ? – Non. – Êtes-vous pauvre ? – Très pauvre.
1140 – Et vous allez joindre à la pauvreté le ridicule de mauvais poète ;
vous aurez perdu toute votre vie, vous serez vieux. Vieux, pauvre
et mauvais poète, ah ! monsieur, quel rôle ! – Je le conçois, mais
je suis entraîné malgré moi... (Ici Jacques aurait dit : Mais cela
est écrit là-haut.) – Avez-vous des parents ? – J'en ai. – Quel est
1145 leur état ? – Ils sont joailliers. – Feraient-ils quelque chose pour
vous ? – Peut-être. – Eh bien, voyez vos parents, proposez-leur

---

1. *Le ménagement le mieux apprêté* : la réserve la mieux formulée.
2. *Plat* : banal, sans caractère.
3. *Démontré* : prouvé.
4. *Horace* (65-8 av. J.-C.) : un des deux plus grands poètes latins, auteur
en particulier d'un *Art poétique* qui contient les vers «Ni les hommes, ni les
dieux, ni les colonnes n'ont concédé aux poètes le droit d'être médiocres»
(v. 372-373).

de vous avancer une pacotille[1] de bijoux. Embarquez-vous pour Pondichéry, vous ferez de mauvais vers sur la route ; arrivé, vous ferez fortune. Votre fortune faite, vous reviendrez faire ici tant de mauvais vers qu'il vous plaira, pourvu que vous ne les fassiez pas imprimer, car il ne faut ruiner personne... Il y avait environ douze ans que j'avais donné ce conseil au jeune homme, lorsqu'il m'apparut ; je ne le reconnaissais pas. – C'est moi, monsieur, me dit-il, que vous avez envoyé à Pondichéry. J'y ai été, j'ai amassé là une centaine de mille francs. Je suis revenu, je me suis remis à faire des vers et en voilà que je vous apporte... Ils sont toujours mauvais ? – Toujours, mais votre sort[2] est arrangé, et je consens que vous continuiez à faire de mauvais vers. – C'est bien mon projet...]

Et le chirurgien s'étant approché du lit de Jacques, celui-ci ne lui laissa pas le temps de parler. J'ai tout entendu, lui dit-il... Puis, s'adressant à son maître, il ajouta... Il allait ajouter lorsque son maître l'arrêta. Il était las de marcher, il s'assit sur le bord du chemin, la tête tournée vers un voyageur qui s'avançait de leur côté à pied, la bride de son cheval qui le suivait, passée dans son bras.

Vous allez croire, lecteur, que ce cheval est celui qu'on a volé au maître de Jacques, et vous vous tromperez. C'est ainsi que cela arriverait dans un roman, un peu plus tôt ou un peu plus tard, de cette manière ou autrement ; mais ceci n'est point un roman, je vous l'ai déjà dit, je crois, et je vous le répète encore. Le maître dit à Jacques :

«Vois-tu cet homme qui vient à nous ?

JACQUES. – Je le vois.

LE MAÎTRE. – Son cheval me paraît bon.

JACQUES. – J'ai servi dans l'infanterie, et je ne m'y connais pas.

---

1. Pacotille : «Petite quantité de marchandises, qu'il est permis à ceux qui servent sur un vaisseau, d'y embarquer pour leur propre compte» (*Dictionnaire de l'Académie*, 1762). Il s'agit ici peut-être aussi de bijoux de pacotille au sens moderne...

2. Sort : situation (destinée).

LE MAÎTRE. – Moi, j'ai commandé dans la cavalerie, et je m'y connais.

JACQUES. – Après ?

LE MAÎTRE. – Je voudrais que tu allasses proposer à cet homme de nous le céder[1], en payant, s'entend.

JACQUES. – Cela est bien fou, mais j'y vais. Combien y voulez-vous mettre ?

LE MAÎTRE. – Jusqu'à cent écus… »

Jacques, après avoir recommandé à son maître de ne pas s'endormir, va à la rencontre du voyageur, lui propose l'achat de son cheval, le paie et l'emmène. « Eh bien, Jacques, lui dit son maître, si vous avez vos pressentiments, vous voyez que j'ai aussi les miens. Ce cheval est beau, le marchand t'aura juré qu'il est sans défaut, mais en fait de chevaux tous les hommes sont maquignons[2].

JACQUES. – Et en quoi ne le sont-ils pas ?

LE MAÎTRE. – Tu le monteras et tu me céderas le tien.

JACQUES. – D'accord. »

Les voilà donc tous les deux à cheval, et Jacques ajoutant :

« Lorsque je quittai la maison, mon père, ma mère, mon parrain m'avaient tous donné quelque chose, chacun selon leurs petits moyens ; et j'avais en réserve cinq louis dont Jean, mon aîné, m'avait fait présent lorsqu'il partit pour son malheureux voyage de Lisbonne. »

Ici Jacques se mit à pleurer, et son maître à lui représenter que cela était écrit là-haut.

JACQUES. – Il est vrai, monsieur, je me le suis dit cent fois, et avec tout cela je ne saurais m'empêcher de pleurer…

Puis voilà Jacques qui sanglote et qui pleure de plus belle, et son maître qui prend sa prise de tabac et qui regarde à sa montre

_____

1. *De nous le céder* : de nous le remettre, de nous le donner.
2. *Maquignons* : escrocs. Les maquignons étaient des vendeurs de chevaux ; ils étaient réputés malhonnêtes.

l'heure qu'il est. Après avoir mis la bride de son cheval entre ses dents et essuyé ses yeux avec ses deux mains, Jacques continua :

«Des cinq louis de Jean, de mon engagement et des présents de mes parents et amis, j'avais fait une bourse dont je n'avais pas
1210 encore soustrait une obole. Je retrouvai ce magot[1] bien à point, qu'en dites-vous, mon maître?

LE MAÎTRE. – Il était impossible que tu restasses plus longtemps dans la chaumière.

JACQUES. – Même en payant.

1215 LE MAÎTRE. – Mais qu'est-ce que ton frère Jean était allé chercher à Lisbonne?

JACQUES. – Il me semble que vous prenez à tâche de[2] me fourvoyer. Avec vos questions, nous aurons fait le tour du monde avant que d'avoir atteint la fin de mes amours.

1220 LE MAÎTRE. – Qu'importe, pourvu que tu parles et que je t'écoute? Ne sont-ce pas les deux points importants? Tu me grondes, lorsque tu devrais me remercier.

JACQUES. – Mon frère était allé chercher le repos à Lisbonne. Jean, mon frère, était un garçon d'esprit; c'est ce qui lui a porté
1225 malheur; il eût été mieux pour lui qu'il eût été un sot comme moi; mais cela était écrit là-haut. Il était écrit que le frère quêteur des Carmes[3] qui venait dans notre village demander des œufs, de la laine, du chanvre, des fruits, du vin, à chaque saison, logerait chez mon père, qu'il débaucherait[4] Jean, mon frère, et que Jean,
1230 mon frère, prendrait l'habit de moine.

LE MAÎTRE. – Jean, ton frère, a été Carme?

JACQUES. – Oui, monsieur, et Carme déchaux[5]. Il était actif,

---

1. *Magot* : tas d'argent.
2. *Vous prenez à tâche de* : vous avez à cœur de, vous vous efforcez de.
3. *Frère quêteur des Carmes* : moine de l'ordre mendiant de Notre-Dame du Mont-Carmel (en Palestine) fondé au XIIe siècle.
4. *Débaucherait* : détournerait de son travail (devoir).
5. Les *Carmes déchaux* (ou déchaussés), issus au XVIe siècle de la réforme de Thérèse d'Ávila, allaient pieds nus dans leurs sandales, à la différence des autres Carmes (chaussés).

intelligent, chicaneur[1], c'était l'avocat consultant du village. Il
savait lire et écrire, et, dès sa jeunesse, il s'occupait à déchiffrer et
1235 à copier de vieux parchemins. Il passa par toutes les fonctions de
l'ordre, successivement portier, sommelier, jardinier, sacristain[2],
adjoint à procure[3] et banquier; du train dont il y allait, il aurait
fait notre fortune à tous. Il a marié et bien marié deux de nos
sœurs et quelques autres filles du village. Il ne passait pas dans
1240 les rues que les pères, les mères et les enfants n'allassent à lui
et ne lui criassent : "Bonjour, frère Jean; comment vous portez-
vous, frère Jean?" Il est sûr que quand il entrait dans une maison
la bénédiction du Ciel y entrait avec lui, et que s'il y avait une
fille, deux mois après sa visite elle était mariée. Le pauvre frère
1245 Jean! l'ambition le perdit. Le procureur de la maison, auquel on
l'avait donné pour adjoint, était vieux. Les moines ont dit qu'il
avait formé le projet de lui succéder après sa mort, que pour cet
effet il bouleversa tout le chartrier[4], qu'il brûla tous les anciens
registres et qu'il en fit de nouveaux, en sorte qu'à la mort du
1250 vieux procureur, le diable n'aurait vu goutte dans les titres de
la communauté. Avait-on besoin d'un papier? il fallait perdre
un mois à le chercher, encore souvent ne le trouvait-on pas. Les
Pères démêlèrent la ruse du frère Jean et son objet; ils prirent la
chose au grave, et frère Jean, au lieu d'être procureur comme il
1255 s'en était flatté, fut réduit au pain et à l'eau, et discipliné[5] jusqu'à
ce qu'il eût communiqué à un autre la clef[6] de ses registres. Les

---

1. **Chicaneur** : ergoteur.
2. **Sacristain** : moine chargé de l'entretien de l'église.
3. **Adjoint à procure** : adjoint au procureur, c'est-à-dire au moine chargé
de l'administration des affaires et des intérêts financiers de la communauté,
du monastère.
4. **Chartrier** : lieu de stockage et de consultation des chartes (contrats), des
anciens titres de propriété, etc.
5. **Discipliné** : fouetté. La discipline était «un fouet de cordelettes ou de
chaînes» (*Dictionnaire de l'Académie*, 1762).
6. **La clef** : le code.

moines sont implacables. Quand on eut tiré de frère Jean tous les éclaircissements dont on avait besoin, on le fit porteur de charbon dans le laboratoire où l'on distille l'*eau des Carmes*[1]. Frère
1260 Jean, ci-devant[2] banquier de l'ordre et adjoint à procure, maintenant charbonnier ! Frère Jean avait du cœur, il ne put supporter ce déchet[3] d'importance et de splendeur, et n'attendit qu'une occasion de se soustraire à cette humiliation.

Ce fut alors qu'il arriva dans la même maison un jeune Père
1265 qui passait pour la merveille de l'ordre au tribunal et dans la chaire[4]; il s'appelait le Père Ange. Il avait de beaux yeux, un beau visage, un bras et des mains à modeler. Le voilà qui prêche, qui prêche, qui confesse, qui confesse; voilà les vieux directeurs quittés par leurs dévotes, voilà ces dévotes attachées au jeune Père
1270 Ange; voilà que les veilles de dimanche et de grandes fêtes la boutique[5] du Père Ange est environnée de pénitents et de pénitentes, et que les vieux Pères attendaient inutilement pratique dans leurs boutiques désertes, ce qui les chagrinait beaucoup... Mais, monsieur, si je laissais là l'histoire de frère Jean et que je reprisse celle
1275 de mes amours, cela serait peut-être plus gai.

LE MAÎTRE. – Non, non, prenons une prise de tabac, voyons l'heure qu'il est et poursuis.

JACQUES. – J'y consens, puisque vous le voulez... »

Mais le cheval de Jacques fut d'un autre avis, le voilà qui
1280 prend tout à coup le mors aux dents et qui se précipite dans une fondrière. Jacques a beau le serrer des genoux et lui tenir la bride courte, du plus bas de la fondrière l'animal têtu s'élance et se met à grimper à toutes jambes un monticule où il s'arrête tout court

---

1. *Eau des Carmes* : alcool à base de mélisse (citronnelle).
2. *Ci-devant* : auparavant.
3. *Déchet* : perte, diminution.
4. *La merveille de l'ordre au tribunal et dans la chaire* : le plus brillant lorsqu'il s'agissait de confesser (dans le confessionnal, tribunal de Dieu) et de prêcher (depuis la tribune surélevée appelée «chaire»).
5. *Boutique* : confessionnal.

et où Jacques tournant ses regards autour de lui, se voit entre des
1285 fourches patibulaires[1].

[Un autre que moi, lecteur, ne manquerait pas de garnir ces
fourches de leur gibier et de ménager à Jacques une triste reconnaissance. Si je vous le disais, vous le croiriez peut-être, car il y
a des hasards plus singuliers, mais la chose n'en serait pas plus
1290 vraie ; ces fourches étaient vacantes[2].]

Jacques laissa reprendre haleine à son cheval, qui de lui-même
redescendit la montagne, remonta la fondrière et replaça Jacques
à côté de son maître, qui lui dit : «Ah ! mon ami, quelle frayeur
tu m'as causée ! je t'ai tenu pour mort… mais tu rêves ; à quoi
1295 rêves-tu ?

JACQUES. – À ce que j'ai trouvé là-haut.

LE MAÎTRE. – Et qu'y as-tu donc trouvé ?

JACQUES. – Des fourches patibulaires, un gibet.

LE MAÎTRE. – Diable ! cela est de fâcheux augure[3] ; mais
1300 rappelle-toi ta doctrine. Si cela est écrit là-haut, tu auras beau
faire, tu seras pendu, cher ami, et si cela n'est pas écrit là-haut, le
cheval en aura menti. Si cet animal n'est pas inspiré, il est sujet à
des lubies[4], il faut y prendre garde… »

Après un moment de silence, Jacques se frotta le front et
1305 secoua ses oreilles comme on fait lorsqu'on cherche à écarter de
soi une idée fâcheuse, et reprit brusquement :

«Ces vieux moines tinrent conseil entre eux et résolurent à
quelque prix et par quelque voie que ce fût de se défaire d'une
jeune barbe[5] qui les humiliait. Savez-vous ce qu'ils firent ?… Mon
1310 maître, vous ne m'écoutez pas.

---

1. Fourches patibulaires : gibets, potences formées de colonnes de pierre
réunies à leur sommet par une traverse à laquelle le bourreau pendait les
condamnés, dont les corps étaient *patibulés*, c'est-à-dire exposés à la vue.
2. Vacantes : vides, inoccupées.
3. Cela est de fâcheux augure : cela est mauvais signe.
4. Lubies : envies saugrenues.
5. Une jeune barbe : un jeune homme arrogant.

Le Maître. – Je t'écoute, je t'écoute, continue.

Jacques. – Ils gagnèrent le portier[1] qui était un vieux coquin comme eux. Ce vieux coquin accusa le jeune Père d'avoir pris des libertés avec une de ses dévotes dans le parloir, et assura par 1315 serment qu'il l'avait vu. Peut-être cela était-il vrai, peut-être cela était-il faux, que sait-on ? Ce qu'il y a de plaisant, c'est que le lendemain de cette accusation le prieur de la maison[2] fut assigné au nom d'un chirurgien pour être satisfait[3] des remèdes qu'il avait administrés et des soins qu'il avait donnés à ce scélérat de 1320 portier dans le cours d'une maladie galante[4]… Mon maître, vous ne m'écoutez pas, et je sais ce qui vous distrait, je gage que ce sont ces fourches patibulaires.

Le Maître. – Je ne saurais en disconvenir.

Jacques. – Je surprends vos yeux attachés sur mon visage, est-1325 ce que vous me trouvez l'air sinistre[5] ?

Le Maître. – Non, non.

Jacques. – C'est-à-dire, oui, oui. Eh bien, si je vous fais peur, nous n'avons qu'à nous séparer.

Le Maître. – Allons donc, Jacques, vous perdez l'esprit, est-ce 1330 que vous n'êtes pas sûr de vous ?

Jacques. – Non, monsieur ; et qui est-ce qui est sûr de soi ?

Le Maître. – Tout homme de bien. Est-ce que Jacques, l'honnête Jacques, ne se sent pas là de l'horreur pour le crime… ? Allons, Jacques, finissons cette dispute et reprenez votre récit.

1335 Jacques. – En conséquence de cette calomnie ou médisance du portier, on se crut autorisé à faire mille diableries, mille méchancetés à ce pauvre Père Ange, dont la tête parut se déranger. Alors on appela un médecin qu'on corrompit et qui attesta que

---

1. *Ils gagnèrent le portier* : ils convainquirent le portier de les aider.

2. *Le prieur de la maison* : le supérieur du monastère.

3. *Satisfait* : rémunéré, payé.

4. *Une maladie galante* : une maladie vénérienne, c'est-à-dire sexuellement transmissible.

5. *Sinistre* : qui annonce des malheurs.

ce religieux était fou et qu'il avait besoin de respirer l'air natal[1].
1340 S'il n'eût été question que d'éloigner ou d'enfermer le Père Ange, c'eût été une affaire bientôt faite, mais parmi les dévotes dont il était la coqueluche, il y avait de grandes dames à ménager. On leur parlait de leur directeur avec une commisération[2] hypocrite : "Hélas ! ce pauvre Père, c'est bien dommage ! c'était
1345 l'aigle de notre communauté. – Qu'est-ce qui lui est donc arrivé ?" À cette question on ne répondait qu'en poussant un profond soupir et en levant les yeux au ciel ; si l'on insistait, on baissait la tête et l'on se taisait. À cette singerie l'on ajoutait quelquefois : "Ô Dieu ! qu'est-ce de nous !... Il a encore des
1350 moments surprenants... des éclairs de génie... Cela reviendra peut-être, mais il y a peu d'espoir... Quelle perte pour la religion !..." Cependant les mauvais procédés redoublaient, il n'y avait rien qu'on ne tentât pour amener le Père Ange au point où on le disait, et on y aurait réussi si frère Jean ne l'eût pris en
1355 pitié. Que vous dirai-je de plus ? Un soir que nous étions tous endormis, nous entendîmes frapper à notre porte, nous nous levons, nous ouvrons au Père Ange et à mon frère déguisés. Ils passèrent le jour suivant dans la maison ; le lendemain dès l'aube du jour ils décampèrent. Ils s'en allaient les mains bien
1360 garnies, car Jean en m'embrassant me dit : "J'ai marié tes sœurs ; si j'étais resté dans le couvent deux ans de plus ce que j'y étais tu serais un des gros fermiers du canton, mais tout a changé, et voilà ce que je puis faire pour toi. Adieu, Jacques, si nous avons du bonheur, le Père et moi, tu t'en ressentiras...[3]" puis il me
1365 lâcha dans la main les cinq louis dont je vous ai parlé, avec cinq autres pour la dernière des filles du village qu'il avait mariée, et qui venait d'accoucher d'un gros garçon qui ressemblait à frère Jean comme deux gouttes d'eau.

---

1. *L'air natal* : l'air de son pays natal.
2. *Commisération* : compassion, pitié.
3. *Tu t'en ressentiras* : tu en profiteras.

LE MAÎTRE *(sa tabatière ouverte et sa montre replacée).* – Et
1370 qu'allaient-ils faire à Lisbonne ?

JACQUES. – Chercher un tremblement de terre[1], qui ne pouvait
se faire sans eux, être écrasés, engloutis, brûlés, comme il était
écrit là-haut.

LE MAÎTRE. – Ah ! les moines ! les moines !

1375 JACQUES. – Le meilleur ne vaut pas grand argent.

LE MAÎTRE. – Je le sais mieux que toi.

JACQUES. – Est-ce que vous avez passé par leurs mains ?

LE MAÎTRE. – Une autre fois je te dirai cela.

JACQUES. – Mais pourquoi est-ce qu'ils sont si méchants ?

1380 LE MAÎTRE. – Je crois que c'est parce qu'ils sont moines. Et
puis revenons à tes amours.

JACQUES. – Non, monsieur, n'y revenons pas.

LE MAÎTRE. – Est-ce que tu ne veux plus que je les sache ?

JACQUES. – Je le veux toujours, mais le destin, lui, ne le veut
1385 pas. Est-ce que vous ne voyez pas qu'aussitôt que j'en ouvre la
bouche le diable s'en mêle et qu'il survient toujours quelque
incident qui me coupe la parole ? Je ne les finirai pas, vous dis-je,
cela est écrit là-haut.

LE MAÎTRE. – Essaie, mon ami.

1390 JACQUES. – Mais si vous commenciez l'histoire des vôtres,
peut-être que cela romprait le sortilège et qu'ensuite les miennes
en iraient mieux. J'ai dans la tête que cela tient à cela : tenez,
monsieur, il me semble quelquefois que le destin me parle.

LE MAÎTRE. – Et tu te trouves toujours bien de l'écouter ?

---

1. Un tremblement de terre eut lieu à Lisbonne le 1er novembre 1755 ; il fut
suivi d'un raz de marée, et fit 40 000 morts. Cette catastrophe permit aux philosophes, et notamment à Voltaire – dès 1756, avec son *Poème sur le désastre
de Lisbonne* –, de réaliser une critique de la providence face à l'existence du
mal. Diderot, dans la *Correspondance littéraire* du 1er juillet 1756, répondit à
Voltaire que se révolter contre Dieu est inutile puisque nous sommes empor-
tés dans l'ordre général de la nature.

1395 JACQUES. – Mais oui, témoin le jour qu'il me dit que votre montre était sur le dos du porteballe... »

Le maître se mit à bâiller, en bâillant il frappait de la main sur sa tabatière, et en frappant sur sa tabatière il regardait au loin, et en regardant au loin il dit à Jacques : « Ne vois-tu pas quelque 1400 chose sur ta gauche ?

JACQUES. – Oui, et je gage que c'est quelque chose qui ne voudra pas que je continue mon histoire, ni que vous commenciez la vôtre... »

Jacques avait raison. Comme la chose qu'ils voyaient venait 1405 à eux et qu'ils allaient à elle, ces deux marches en sens contraire abrégèrent la distance et bientôt ils aperçurent un char drapé de noir [1], traîné par quatre chevaux noirs couverts de housses noires qui leur enveloppaient la tête et qui descendaient jusqu'à leurs pieds ; derrière, deux domestiques en noir, à la suite deux 1410 autres vêtus de noir, chacun sur un cheval noir caparaçonné de noir [2] ; sur le siège du char un cocher noir, le chapeau clabaud [3] et entouré d'un long crêpe [4] qui pendait le long de son épaule gauche : ce cocher avait la tête penchée, laissait flotter ses guides et conduisait moins ses chevaux qu'ils ne le conduisaient. Voilà 1415 nos deux voyageurs arrivés au côté de cette voiture funèbre. À l'instant Jacques pousse un cri, tombe de son cheval plutôt qu'il n'en descend, s'arrache les cheveux, se roule à terre en criant : « Mon capitaine ! mon pauvre capitaine ! c'est lui, je n'en saurais douter, voilà ses armes... » Il y avait, en effet, dans le char, un long 1420 cercueil sous un drap mortuaire, sur le drap mortuaire une épée

---

1. *Un char drapé de noir* : un corbillard.

2. *Caparaçonné de noir* : recouvert d'une housse noire (d'un carapaçon noir).

3. *Clabaud* : « Se dit proprement d'un chien de chasse qui a les oreilles pendantes. [...] On dit figurément et familièrement d'un chapeau qui a les bords pendants, qu'il fait clabaud, qu'il est clabaud » (*Dictionnaire de l'Académie*, 1762).

4. *Crêpe* : étoffe légère, ondulée, comme frisée.

avec un cordon[1], et à côté du cercueil un prêtre, son bréviaire[2] à la main et psalmodiant[3]. Le char allait toujours. Jacques le suivait en se lamentant, le maître suivait Jacques en jurant et les domestiques certifiaient à Jacques que ce convoi était celui de son capitaine, décédé dans la ville voisine, d'où on le transférait à la sépulture de ses ancêtres. Depuis que ce militaire avait été privé par la mort d'un autre militaire son ami, capitaine au même régiment, de la satisfaction de se battre au moins une fois par semaine, il en était tombé dans une mélancolie qui l'avait éteint au bout de quelques mois. Jacques, après avoir payé à son capitaine le tribut[4] d'éloges, de regrets et de larmes qu'il lui devait, fit excuse à son maître, remonta sur son cheval, et ils allaient en silence.

Mais pour Dieu, lecteur, me dites-vous, où allaient-ils ?... Mais pour Dieu, lecteur, vous répondrai-je, est-ce qu'on sait où l'on va ? Et vous, où allez-vous ? Faut-il que je vous rappelle l'aventure d'Ésope[5] ? Son maître Xantippe lui dit un soir d'été ou d'hiver, car les Grecs se baignaient dans toutes les saisons : «Ésope, va au bain, s'il y a peu de monde nous nous baignerons.» Ésope part. Chemin faisant il rencontre la patrouille d'Athènes... «Où vas-tu ? – Où je vais ? répond Ésope, je n'en sais rien. – Tu n'en sais rien ! marche en prison. – Eh bien ! reprit Ésope, ne l'avais-je pas bien dit que je ne savais où j'allais ? Je voulais aller au bain, et voilà que je vais en prison.»

Jacques suivait son maître comme vous le vôtre ; son maître suivait le sien comme Jacques le suivait. – Mais, qui était le maître

---

1. **Cordon** : ruban qui est une marque de chevalerie.
2. **Bréviaire** : livre de prières.
3. **Psalmodiant** : disant des psaumes.
4. **Le tribut** [...] **qu'il lui devait** : la quantité qu'il était moralement obligé de lui accorder.
5. **Ésope** (620-560 av. J.-C.) : conteur grec, dont la personnalité reste légendaire et auquel on attribue un recueil de *Fables*, réunies au IVe siècle av. J.-C. Son maître s'appelait Xanthos ; Xantippe était le nom de la femme de Socrate.

du maître de Jacques ? – Bon ! est-ce qu'on manque de maître dans ce monde ? Le maître de Jacques en avait cent pour un, comme vous ; mais parmi tant de maîtres du maître de Jacques il fallait qu'il n'y eût pas un bon, car d'un jour à l'autre il en chan-1450 geait. – Il était homme. – Homme passionné comme vous, lecteur ; homme curieux comme vous, lecteur ; homme questionneur comme vous, lecteur ; homme importun[1] comme vous, lecteur. – Et pourquoi questionnait-il ? – Belle question ! Il questionnait pour apprendre et pour redire, comme vous, lecteur. – Le maître 1455 dit à Jacques :

«Tu ne me parais pas disposé à reprendre l'histoire de tes amours.

JACQUES. – Mon pauvre capitaine ! il s'en va où nous allons tous, et où il est bien extraordinaire qu'il ne soit pas arrivé plus 1460 tôt. Ahi !... Ahi !...

LE MAÎTRE. – Mais, Jacques, vous pleurez, je crois ?... "Pleurez sans contrainte, parce que vous pouvez pleurer sans honte ; sa mort vous affranchit des bienséances scrupuleuses qui vous gênaient pendant sa vie. Vous n'avez plus les mêmes raisons de 1465 dissimuler votre peine que celles que vous aviez de dissimuler votre bonheur. On ne pensera pas à tirer de vos larmes les conséquences qu'on eût tirées de votre joie. On pardonne au malheur. Et puis il faut dans ce moment se montrer sensible ou ingrat, et tout bien considéré, il vaut mieux déceler[2] une faiblesse 1470 que se laisser soupçonner d'un vice. Je veux que votre plainte soit libre pour être moins douloureuse, je la veux violente pour être moins longue. Rappelez-vous, exagérez-vous même ce qu'il était, sa pénétration[3] à sonder[4] les matières les plus profondes, sa subtilité à discuter les plus délicates, son goût solide qui l'attachait

---

1. *Importun* : indiscret, ennuyeux.
2. *Déceler* : révéler.
3. *Pénétration* : perspicacité.
4. *Sonder* : interroger.

1475 aux plus importantes, la fécondité qu'il jetait[1] dans les plus
stériles[2] ; avec quel art il défendait les accusés, son indulgence[3]
lui donnait mille fois plus d'esprit que l'intérêt ou l'amour-propre
n'en donnait au coupable ; il n'était sévère que pour lui seul. Loin
de chercher des excuses aux fautes légères qui lui échappaient,
1480 il s'occupait avec toute la méchanceté d'un ennemi à se les
exagérer, et avec tout l'esprit d'un jaloux à rabaisser le prix de
ses vertus par un examen rigoureux des motifs qui peut-être
l'avaient déterminé à son insu. Ne prescrivez à vos regrets d'autre
terme que celui que le temps y mettra. Soumettons-nous à l'ordre
1485 universel lorsque nous perdons nos amis, comme nous nous y
soumettrons lorsqu'il lui plaira de disposer de nous. Acceptons
l'arrêt du sort qui les condamne, sans désespoir, comme nous
l'accepterons sans résistance lorsqu'il se prononcera contre nous.
Les devoirs de la sépulture ne sont pas les derniers devoirs des
1490 amis. La terre qui se remue dans ce moment, se raffermira sur
la tombe de votre amant, mais votre âme conservera toute sa
sensibilité."

JACQUES. – Mon maître, cela est fort beau, mais à quoi diable
cela revient-il ? J'ai perdu mon capitaine, j'en suis désolé, et
1495 vous me détachez[4], comme un perroquet, un lambeau de la
consolation d'un homme ou d'une femme à une autre femme
qui a perdu son amant.

LE MAÎTRE. – Je crois que c'est d'une femme.

JACQUES. – Moi, je crois que c'est d'un homme. Mais que ce
1500 soit d'un homme ou d'une femme, encore une fois, à quoi diable
cela revient-il ? Est-ce que vous me prenez pour la maîtresse de
mon capitaine ? Mon capitaine, monsieur, était un brave homme ;
et moi, j'ai toujours été un honnête garçon.

---

1. *La fécondité qu'il jetait* : la richesse (la productivité) intellectuelle dont
il faisait preuve.
2. *Stériles* : inintéressantes.
3. *Indulgence* : bonté, charité.
4. *Vous me détachez* : vous m'envoyez.

LE MAÎTRE. – Jacques, qui est-ce qui vous le dispute[1]?

1505 JACQUES. – À quoi diable revient donc votre consolation d'un homme ou d'une femme à une autre femme? À force de vous le demander, vous me le direz peut-être?

LE MAÎTRE. – Non, Jacques, il faut que vous trouviez cela tout seul.

1510 JACQUES. – J'y rêverais le reste de ma vie, que je ne le devinerais pas, j'en aurais pour jusqu'au jugement dernier[2].

LE MAÎTRE. – Jacques, il m'a paru que vous m'écoutiez avec attention tandis que je disais[3].

JACQUES. – Est-ce qu'on peut la refuser au ridicule?

1515 LE MAÎTRE. – Fort bien, Jacques.

JACQUES. – Peu s'en est fallu que je n'aie éclaté à l'endroit des bienséances[4] rigoureuses qui me gênaient pendant la vie de mon capitaine et dont j'avais été affranchi[5] par sa mort.

LE MAÎTRE. – Fort bien, Jacques. J'ai donc fait ce que je m'étais
1520 proposé. Dites-moi s'il était possible de s'y prendre mieux pour vous consoler? Vous pleuriez: si je vous avais entretenu de l'objet de votre douleur, qu'en serait-il arrivé? Que vous eussiez pleuré bien davantage et que j'aurais achevé de vous désoler. Je vous ai donné le change[6] et par le ridicule de mon oraison funèbre[7] et
1525 par la petite querelle qui s'en est suivie. À présent, convenez que la pensée de votre capitaine est aussi loin de vous que le char

---

1. *Qui est-ce qui vous le dispute?* : qui vous le conteste?
2. *Jugement dernier* : dans la religion chrétienne, moment de la fin des temps (et du monde), au cours duquel le Christ apparaîtra aux yeux de tous les humains, vivants et morts ressuscités, qui recevront leur récompense ou leur punition éternelle.
3. *Disais* : parlais.
4. *Que je n'aie éclaté à l'endroit des bienséances* : que je n'aie éclaté de rire au passage (au moment) des convenances.
5. *Affranchi* : délivré, libéré.
6. *Donné le change* : trompé.
7. *Oraison funèbre* : discours religieux prononcé à l'occasion des obsèques d'un personnage illustre.

funèbre qui le mène à son dernier domicile. Partant[1] je pense que vous pouvez reprendre l'histoire de vos amours.

JACQUES. – Je le pense aussi.

1530 – Docteur, dis-je au chirurgien, demeurez-vous loin d'ici ?

– À un bon quart de lieue au moins.

– Êtes-vous un peu commodément logé ?

– Assez commodément.

– Pourriez-vous disposer d'un lit ?

1535 – Non.

– Quoi ! pas même en payant, en payant bien ?

– Oh ! en payant et payant bien, pardonnez-moi. Mais, l'ami, vous ne me paraissez guère en état de payer, et moins encore de bien payer.

1540 – C'est mon affaire. Et serais-je un peu soigné chez vous ?

– Très bien. J'ai ma femme qui a gardé des malades toute sa vie ; j'ai une fille aînée qui fait le poil à tout venant[2], et qui vous lève un appareil aussi bien que moi.

– Combien me prendriez-vous pour mon logement, ma nour-
1545 riture et vos soins ?

Le chirurgien dit en se grattant l'oreille :

– Pour le logement… la nourriture… les soins… Mais qui est-ce qui me répondra[3] du paiement ?

– Je paierai tous les jours.

1550 – Voilà ce qui s'appelle parler, cela…

Mais, monsieur, je crois que vous ne m'écoutez pas.

LE MAÎTRE. – Non, Jacques ; il était écrit là-haut que tu parlerais cette fois, qui ne sera peut-être pas la dernière, sans être écouté.

JACQUES. – Quand on n'écoute pas celui qui parle, c'est qu'on
1555 ne pense à rien, ou qu'on pense à autre chose que ce qu'il dit ; lequel des deux faisiez-vous ?

---

1. *Partant* : par conséquent.

2. *Qui fait le poil à tout venant* : qui rase la barbe à tout le monde.

3. *Qui me répondra* : qui se portera garant.

LE MAÎTRE. – Le dernier. Je rêvais à ce qu'un des domestiques noirs qui suivaient le char funèbre te disait, que ton capitaine avait été privé par la mort de son ami du plaisir de se battre au moins une fois la semaine. As-tu compris quelque chose à cela ?

JACQUES. – Assurément.

LE MAÎTRE. – C'est pour moi une énigme que tu m'obligerais de m'expliquer[1].

JACQUES. – Et que diable cela vous fait-il ?

LE MAÎTRE. – Peu de chose mais, quand tu parleras, tu veux apparemment être écouté ?

JACQUES. – Cela va sans dire.

LE MAÎTRE. – Eh bien, en conscience, je ne saurais t'en répondre, tant que cet inintelligible propos me chiffonnera la cervelle. Tire-moi de là, je t'en prie.

JACQUES. – À la bonne heure, mais jurez-moi, du moins, que vous ne m'interromprez plus.

LE MAÎTRE. – À tout hasard, je te le jure.

JACQUES. – C'est que mon capitaine, bon homme, galant homme, homme de mérite, un des meilleurs officiers du corps[2], mais homme un peu hétéroclite[3], avait rencontré et fait amitié avec un autre officier du même corps, bon homme aussi, galant homme aussi, homme de mérite aussi, aussi bon officier que lui, mais homme aussi hétéroclite que lui... »

Jacques allait entamer l'histoire de son capitaine, lorsqu'ils entendirent une troupe nombreuse d'hommes et de chevaux qui s'acheminaient derrière eux. C'était le même char lugubre qui revenait sur ses pas. Il était entouré... De gardes de la Ferme[4] ?

---

1. *Que tu m'obligerais de m'expliquer* : que je te serais reconnaissant de m'expliquer.

2. *Corps* : régiment.

3. *Hétéroclite* : étrange, original. « Se dit figurément des personnes qui ont quelque chose d'irrégulier et de bizarre dans l'humeur, dans la conduite » (*Dictionnaire de l'Académie*, 1762).

4. *Gardes de la Ferme* : officiers chargés de collecter dans une province, au nom du roi, les impôts indirects.

– Non. – De cavaliers de maréchaussée[1] ? – Peut-être… Quoi
qu'il en soit, ce cortège était précédé du prêtre en soutane et
en surplis, les mains liées derrière le dos ; du cocher noir, les
mains liées derrière le dos ; et des deux valets noirs, les mains
liées derrière le dos. Qui fut bien surpris ? ce fut Jacques, qui
s'écria : « Mon capitaine, mon pauvre capitaine n'est pas mort !
Dieu soit loué ! » Ce fut Jacques. Puis Jacques tourne bride,
pique des deux, s'avance à toutes jambes au-devant du prétendu convoi. Il n'en était pas à trente pas, que les gardes de
la Ferme ou les cavaliers de maréchaussée le couchent en joue
et lui crient : « Arrête, retourne sur tes pas, ou tu es mort… »
Jacques s'arrêta tout court et consulta un moment le destin
dans sa tête ; il lui sembla que le destin lui disait : « Retourne
sur tes pas » ; ce qu'il fit. Son maître lui dit : « Eh bien, Jacques,
qu'est-ce ?

JACQUES. – Ma foi, je n'en sais rien.

LE MAÎTRE. – Et pourquoi ?

JACQUES. – Je n'en sais pas davantage.

LE MAÎTRE. – Tu verras que ce sont des contrebandiers qui
avaient rempli cette bière[2] de marchandises prohibées[3], et qu'ils
auront été vendus à la Ferme par les coquins mêmes de qui ils
les avaient achetées.

JACQUES. – Mais pourquoi ce carrosse aux armes de mon
capitaine ?

LE MAÎTRE. – Ou c'est un enlèvement. On aura caché dans ce
cercueil, que sait-on, une femme, une fille, une religieuse. Ce n'est
pas le linceul[4] qui fait le mort.

JACQUES. – Mais pourquoi ce carrosse aux armes de mon
capitaine ?

---

1. *Cavaliers de maréchaussée* : cavaliers chargés de maintenir l'ordre et la
sécurité publique sous l'Ancien Régime ; gendarmes.
2. *Bière* : cercueil.
3. *Prohibées* : interdites.
4. *Linceul* : drap mortuaire.

LE MAÎTRE. – Ce sera tout ce qu'il te plaira ; mais achève-moi l'histoire de ton capitaine[1].

1615 JACQUES. – Vous tenez encore à cette histoire ? Mais peut-être que mon capitaine est encore vivant.

LE MAÎTRE. – Qu'est-ce que cela fait à la chose ?

JACQUES. – Je n'aime point à parler des vivants, parce qu'on est de temps en temps exposé à rougir du bien et du mal qu'on 1620 en a dit ; du bien qu'ils gâtent, du mal qu'ils réparent.

LE MAÎTRE. – Ne sois ni fade panégyriste[2], ni censeur[3] amer ; dis la chose comme elle est.

JACQUES. – Cela n'est pas aisé. N'a-t-on pas son caractère, son intérêt, son goût, ses passions, d'après quoi l'on exagère ou l'on 1625 atténue ? Dis la chose comme elle est !… Cela n'arrive peut-être pas deux fois en un jour dans toute une grande ville. Et celui qui vous écoute est-il mieux disposé que celui qui parle ? Non. D'où il doit arriver que deux fois à peine en un jour, dans toute une grande ville on soit entendu comme on dit.

1630 LE MAÎTRE. – Que diable, Jacques, voilà des maximes à proscrire[4] l'usage de la langue et des oreilles, à ne rien dire, à ne rien écouter et à ne rien croire ! Cependant dis comme toi, je t'écouterai comme moi, et je t'en croirai comme je pourrai.

<JACQUES. – Si l'on ne dit presque rien dans ce monde, qui 1635 soit entendu comme on le dit, il y a bien pis, c'est qu'on n'y fait presque rien qui soit jugé comme on l'a fait.

LE MAÎTRE. – Il n'y a peut-être pas sous le ciel une autre tête qui contienne autant de paradoxes que la tienne.

JACQUES. – Et quel mal y aurait-il à cela ? Un paradoxe n'est 1640 pas toujours une fausseté.

LE MAÎTRE. – Il est vrai.

---

1. Fin de la livraison n° 4 de la *Correspondance littéraire* de mars 1779.
2. *Panégyriste* : laudateur, auteur qui fait un éloge.
3. *Censeur* : critique, auteur qui blâme.
4. *Proscrire* : rejeter.

JACQUES. – Nous passions à Orléans, mon capitaine et moi. Il n'était bruit dans la ville que d'une aventure récemment arrivée à un citoyen appelé M. Le Pelletier[1], homme pénétré d'une si profonde commisération pour les malheureux, qu'après avoir réduit, par des aumônes démesurées, une fortune assez considérable au plus étroit nécessaire, il allait de porte en porte chercher dans la bourse d'autrui des secours qu'il n'était plus en état de puiser dans la sienne.

LE MAÎTRE. – Et tu crois qu'il y avait deux opinions sur la conduite de cet homme-là?

JACQUES. – Non, parmi les pauvres, mais presque tous les riches sans exception le regardaient comme une espèce de fou, et peu s'en fallut que ses proches ne le fissent interdire comme dissipateur[2]. Tandis que nous nous rafraîchissions[3] dans une auberge, une foule d'oisifs s'était rassemblée autour d'une espèce d'orateur, le barbier de la rue, et lui disait : "Vous y étiez, vous, racontez-nous comment la chose s'est passée.

– Très volontiers, répondit l'orateur du coin, qui ne demandait pas mieux que de pérorer[4]. M. Aubertot, une de mes pratiques[5], dont la maison fait face à l'église des Capucins, était sur sa porte. M. Le Pelletier l'aborde et lui dit : 'Monsieur Aubertot, ne me donnerez-vous rien pour mes amis?' car c'est ainsi qu'il appelle les pauvres, comme vous savez.

– Non, pour aujourd'hui, monsieur Le Pelletier.

---

1. *Charles Le Pelletier* (1681-1756) : personnage authentique; sa vie exemplaire à Orléans a été racontée par sa nièce, Alès du Corbet (*Abrégé de la vie de M. Le Pelletier*, 1760).

2. *Ne le fissent interdire comme dissipateur* : ne lui ôtassent, par décision de justice, la libre disposition de ses biens parce qu'ils estimaient qu'il avait perdu la tête (en dépensant autant pour les pauvres).

3. *Nous nous rafraîchissions* : nous buvions (du vin).

4. *Pérorer* : discourir (en faisant l'important).

5. *Pratiques* : clients.

M. Le Pelletier insiste : 'Si vous saviez en faveur de qui je sollicite votre charité ! c'est une pauvre femme qui vient d'accoucher
et qui n'a pas un guenillon pour entortiller [1] son enfant.

– Je ne saurais.

1670 – C'est une jeune et belle fille qui manque d'ouvrage et de
pain, et que votre libéralité [2] sauvera peut-être du désordre [3].

– Je ne saurais.

– C'est un manœuvre qui n'avait que ses bras pour vivre, et
qui vient de se fracasser une jambe en tombant de son échafaud [4].

1675 – Je ne saurais, vous dis-je.

– Allons, monsieur Aubertot, laissez-vous toucher, et soyez
sûr que jamais vous n'aurez l'occasion de faire une action plus
méritoire.

– Je ne saurais, je ne saurais.

1680 – Mon bon, mon miséricordieux monsieur Aubertot !…

– Monsieur Le Pelletier, laissez-moi en repos ; quand je veux
donner, je ne me fais pas prier…'

Et cela dit, M. Aubertot lui tourne le dos, passe de sa porte
dans son magasin, où M. Le Pelletier le suit, il le suit de son
1685 magasin dans son arrière-boutique, de son arrière-boutique dans
son appartement. Là, M. Aubertot, excédé des insistances de
M. Le Pelletier, lui donne un soufflet."

Alors mon capitaine se lève brusquement, et dit à l'orateur :
«Et il ne le tua pas ?

1690 – Non, monsieur ; est-ce qu'on tue comme cela ?

– Un soufflet ! morbleu, un soufflet ! Et que fit-il donc ?

– Ce qu'il fit après son soufflet reçu ? il prit un air riant et dit
à M. Aubertot : 'Cela c'est pour moi, mais mes pauvres ?…'"

À ce mot tous les auditeurs s'écrièrent d'admiration, excepté
1695 mon capitaine qui leur disait : "Votre M. Le Pelletier, messieurs,

---

1. *Guenillon pour entortiller* : chiffon pour emmailloter.
2. *Libéralité* : générosité.
3. *Désordre* : prostitution.
4. *Échafaud* : échafaudage.

n'est qu'un gueux, un malheureux, un lâche, un infâme, à qui cependant cette épée aurait fait prompte justice, si j'avais été là, et votre Aubertot aurait été bien heureux, s'il ne lui en avait coûté que le nez et ses deux oreilles."

1700 L'orateur lui répliqua : "Je vois, monsieur, que vous n'auriez pas laissé le temps à l'homme insolent de reconnaître sa faute, de se jeter aux pieds de M. Le Pelletier et de lui présenter sa bourse.

– Non, certes.

–Vous êtes un militaire, et M. Le Pelletier est un chrétien ; vous
1705 n'avez pas les mêmes idées du soufflet.

– La joue de tous les hommes d'honneur est la même.

– Ce n'est pas tout à fait l'avis de l'Évangile.

– L'Évangile est dans mon cœur et dans mon fourreau, et je n'en connais pas d'autre."

1710 Le vôtre, mon maître, est je ne sais où ; le mien est écrit là-haut ; chacun apprécie l'injure et le bienfait à sa manière, et peut-être n'en portons-nous pas le même jugement dans deux instants de notre vie.

LE MAÎTRE. – Après ? maudit bavard, après ? »

1715 Lorsque le maître de Jacques avait pris de l'humeur, Jacques se taisait, se mettait à rêver, et souvent ne rompait son silence que par un propos, lié dans son esprit, mais aussi décousu dans la conversation que la lecture d'un livre dont on aurait sauté quelques feuillets. C'est précisément ce qui lui arriva lorsqu'il dit :
1720 «Mon cher maître…

LE MAÎTRE. – Ah ! la parole t'est enfin revenue. Je m'en réjouis pour tous les deux, car je commençais à m'ennuyer de ne te pas entendre, et toi de ne pas parler. Parle donc.>

JACQUES. – Mon cher maître, la vie se passe en quiproquos.
1725 Il y a les quiproquos d'amour, les quiproquos d'amitié, les quiproquos de politique, de finance, d'église, de magistrature, de commerce, de femmes, de maris.

LE MAÎTRE. – Eh ! laisse là ces quiproquos, et tâche de t'apercevoir que c'est en faire un grossier que de t'embarquer dans un

1730 chapitre de morale, lorsqu'il s'agit d'un fait historique. L'histoire de ton capitaine ? »

Jacques allait commencer l'histoire de son capitaine, lorsque pour la seconde fois son cheval se jetant brusquement hors de la grande route[1] à droite, l'emporte à travers une longue plaine, à
1735 un bon quart de lieue de distance, et s'arrête tout court entre des fourches patibulaires... Entre des fourches patibulaires ? Voilà une singulière allure de cheval de mener son cavalier au gibet !...

« Qu'est-ce que cela signifie ? disait Jacques. Est-ce un avertissement du destin ?

1740 LE MAÎTRE. – Mon ami, n'en doutez pas. Votre cheval est inspiré[2], et le fâcheux, c'est que tous ces pronostics, inspirations, avertissements d'en haut par rêves, par apparitions, ne servent à rien, la chose n'en arrive pas moins. Cher ami, je vous conseille de mettre votre conscience en bon état, d'arranger[3] vos petites
1745 affaires, et de me dépêcher[4] le plus vite que vous pourrez l'histoire de votre capitaine et celle de vos amours, car je serais fâché de vous perdre sans les avoir entendues. Quand vous vous soucieriez encore plus que vous ne faites, à quoi cela remédierait-il ? à rien. L'arrêt[5] de votre destin, prononcé deux fois par votre cheval,
1750 s'accomplira. Voyez, n'avez-vous rien à restituer à personne ? Confiez-moi vos dernières volontés et soyez sûr qu'elles seront fidèlement remplies. Si vous m'avez pris quelque chose, je vous le donne, demandez-en seulement pardon à Dieu, et pendant le temps plus ou moins court que nous avons encore à vivre
1755 ensemble, ne me volez plus.

JACQUES. – J'ai beau revenir sur le passé, je n'y vois rien à démêler avec la justice des hommes ; je n'ai tué, ni volé, ni violé.

---

1. Grande route : route principale.
2. Inspiré : conduit par une force divine ou surnaturelle.
3. Arranger : mettre en ordre.
4. De me dépêcher : de me raconter.
5. Arrêt : décision. Le maître use d'un jeu de mot, « arrêt » signifiant aussi « terme », « fin ».

Le Maître. – Tant pis ; à tout prendre, j'aimerais mieux que le crime fût commis qu'à commettre, et pour cause.

1760 Jacques. – Mais, monsieur, ce ne sera peut-être pas pour mon compte, mais pour le compte d'un autre, que je serai pendu.

Le Maître. – Cela se peut.

Jacques. – Ce n'est peut-être qu'après ma mort que je serai pendu.

1765 Le Maître. – Cela se peut encore.

Jacques. – Je ne serai peut-être point pendu du tout.

Le Maître. – J'en doute.

Jacques. – Il est peut-être écrit là-haut que j'assisterai seulement à la potence d'un autre, et cet autre-là, monsieur, qui
1770 sait qui il est ? s'il est proche, ou s'il est loin ?

Le Maître. – Monsieur Jacques, soyez pendu, puisque le sort le veut et que votre cheval le dit, mais ne soyez pas insolent ; finissez vos conjectures impertinentes[1], et faites-moi vite l'histoire de votre capitaine.

1775 Jacques. – Monsieur, ne vous fâchez pas, on a quelquefois pendu de fort honnêtes gens ; c'est un quiproquo de justice.

Le Maître. – Ces quiproquos-là sont affligeants. Parlons d'autre chose. »

Jacques, un peu rassuré par les interprétations diverses qu'il
1780 avait trouvées au pronostic du cheval, dit :

« Quand j'entrai au régiment, il y avait deux officiers à peu près égaux d'âge, de naissance, de service et de mérite[2]. Mon capitaine était l'un des deux. La seule différence qu'il y eût entre eux, c'est que l'un était riche et que l'autre ne l'était pas. Mon capitaine
1785 était le riche. Cette conformité devait produire ou la sympathie ou l'antipathie la plus forte ; elle produisit l'une et l'autre… »

Ici Jacques s'arrêta, et cela lui arriva plusieurs fois dans le cours de son récit, à chaque mouvement de tête que son cheval

---

1. *Conjectures impertinentes* : hypothèses insolentes.
2. *Mérite* : valeur.

faisait de droite et de gauche. Alors, pour continuer il reprenait
1790 sa dernière phrase, comme s'il avait eu le hoquet.

JACQUES. – Elle produisit l'une et l'autre. Il y avait des jours
où ils étaient les meilleurs amis du monde, et d'autres où ils
étaient ennemis mortels. Les jours d'amitié ils se cherchaient, ils
se fêtaient, ils s'embrassaient, ils se communiquaient leurs peines,
1795 leurs plaisirs, leurs besoins ; ils se consultaient sur leurs affaires les plus secrètes, sur leurs intérêts domestiques[1], sur leurs
espérances, sur leurs craintes, sur leurs projets d'avancement[2].
Le lendemain, se rencontraient-ils ? ils se regardaient fièrement,
ils s'appelaient Monsieur, ils s'adressaient des mots durs, ils met-
1800 taient l'épée à la main et se battaient ; s'il arrivait que l'un des
deux fût blessé, l'autre se précipitait sur son camarade, pleurait,
se désespérait, l'accompagnait chez lui et s'établissait à côté de
son lit jusqu'à ce qu'il fût guéri. Huit jours, quinze jours, un mois
après, c'était à recommencer, et l'on voyait d'un instant à un
1805 autre deux braves gens… deux braves gens, deux amis sincères,
exposés à périr par la main l'un de l'autre, et le mort n'aurait
certainement pas été le plus à plaindre des deux. On leur avait
parlé plusieurs fois de la bizarrerie de leur conduite ; moi-même,
à qui mon capitaine avait permis de parler, je lui disais : « Mais,
1810 monsieur, s'il vous arrivait de le tuer ?… » À ces mots, il se mettait
à pleurer, il se couvrait les yeux de ses mains, il courait dans son
appartement comme un fou ; deux heures après, ou son camarade le ramenait chez lui blessé, ou il rendait le même service à
son camarade. Ni mes remontrances[3]… ni mes remontrances, ni
1815 celles des autres n'y faisaient rien ; on n'y trouva de remède qu'à
les séparer[4]. Le ministre de la Guerre fut instruit d'une persévé-
rance aussi singulière dans des extrémités aussi opposées, et mon

---

1. *Domestiques* : liés à leur vie privée.
2. *Projets d'avancement* : projets de promotion, de carrière.
3. *Remontrances* : avertissements, reproches.
4. *On n'y trouva de remède qu'à les séparer* : la seule solution fut de les
séparer.

capitaine nommé à un commandement de place, avec injonction[1] expresse de se rendre sur-le-champ à son poste, et défense de s'en
1820 éloigner ; une autre défense fixa[2] son camarade au régiment...
Je crois que ce maudit cheval me fera devenir fou... À peine les ordres du ministre furent-ils arrivés, que mon capitaine, sous prétexte d'aller remercier de la faveur qu'il venait d'obtenir, partit pour la cour, représenta qu'il était riche, et que son camarade
1825 indigent[3] avait le même droit aux grâces du roi ; que le poste qu'on venait de lui accorder récompenserait les services de son ami, suppléerait à son peu de fortune, et qu'il en serait, lui, comblé de joie. Comme le ministre n'avait eu d'autre intention que de séparer ces deux hommes bizarres, et que les procédés[4] généreux
1830 touchent toujours, il fut arrêté... Maudite bête ! tiendras-tu ta tête droite ?... il fut arrêté[5] que mon capitaine resterait au régiment et que son camarade irait occuper le commandement de place.

À peine furent-ils séparés, qu'ils sentirent le besoin qu'ils avaient l'un de l'autre ; ils tombèrent dans une mélancolie pro-
1835 fonde. Mon capitaine demanda un congé de semestre pour aller prendre l'air natal ; mais à deux lieues de la garnison il vend son cheval, se déguise en paysan et s'achemine vers la place que son ami commandait. Il paraît que c'était une démarche concertée entre eux. Il arrive... Va donc où tu voudras ! Y a-t-il encore là
1840 quelque gibet qu'il te plaise de visiter ?... Riez bien, monsieur, cela est en effet très plaisant... Il arrive ; mais il était écrit làhaut que quelques précautions qu'ils prendraient pour cacher la satisfaction qu'ils avaient de se revoir, et ne s'aborder qu'avec les marques extérieures de la subordination[6] d'un paysan à un

---

1. *Injonction* : ordre.
2. *Fixa* : immobilisa.
3. *Indigent* : pauvre.
4. *Procédés* : comportements.
5. *Arrêté* : décidé.
6. *Marques* [...] *de la subordination* : règles imposées par la différence de rang hiérarchique.

commandant de place, des soldats, quelques officiers qui se ren-
contreraient par hasard à leur entrevue et qui seraient instruits
de leur aventure, prendraient des soupçons et iraient prévenir le
major de la place.

Celui-ci, homme prudent, sourit de l'avis, mais ne laissa pas
d'y attacher [1] toute l'importance qu'il méritait. Il mit des espions
autour du commandant. Leur premier rapport fut que le commandant sortait peu, et que le paysan ne sortait point du tout. Il
était impossible que ces deux hommes vécussent ensemble huit
jours de suite, sans que leur étrange manie [2] les reprît ; ce qui ne
manqua pas d'arriver.

[Vous voyez, lecteur, combien je suis obligeant ; il ne tiendrait
qu'à moi de donner un coup de fouet aux chevaux qui traînent
le carrosse drapé de noir, d'assembler à la porte du gîte prochain
Jacques, son maître, les gardes des Fermes ou les cavaliers de
maréchaussée avec le reste de leur cortège, d'interrompre l'histoire du capitaine de Jacques et de vous impatienter à mon aise ;
mais pour cela il faudrait mentir et je n'aime pas le mensonge,
à moins qu'il ne soit utile et forcé. Le fait est que Jacques et son
maître ne revirent plus le carrosse drapé et que Jacques, toujours
inquiet de l'allure de son cheval, continua son récit.]

« Un jour les espions rapportèrent au major qu'il y avait eu
une contestation [3] fort vive entre le commandant et le paysan,
qu'ensuite ils étaient sortis, le paysan marchant le premier, le
commandant ne le suivant qu'à regret, et qu'ils étaient entrés
chez un banquier de la ville où ils étaient encore.

On apprit dans la suite que n'espérant plus se revoir, ils
avaient résolu de se battre à toute outrance [4], et que sensible aux
devoirs de la plus tendre amitié, au moment même de la férocité la
plus inouïe, mon capitaine qui était riche, comme je vous l'ai dit…

---

1. *Ne laissa pas d'y attacher* : ne manqua pas d'y attacher.

2. *Manie* : obsession.

3. *Contestation* : dispute.

4. *À toute outrance* : avec une grande démesure.

1875 J'espère, monsieur, que vous ne me condamnerez pas à finir notre voyage sur ce bizarre animal… mon capitaine, qui était riche, avait exigé de son camarade qu'il acceptât une lettre de change [1] de vingt-quatre mille livres qui lui assurât de quoi vivre chez l'étranger [2] au cas qu'il fût tué [3], celui-ci protestant qu'il ne se battrait 1880 point sans ce préalable [4] ; l'autre répondant à cette offre : "Est-ce que tu crois, mon ami, que si je te tue, je te survivrai ?…"

Ils sortaient de chez le banquier, et ils s'acheminaient vers les portes de la ville, lorsqu'ils se virent entourés du major [5] et de quelques officiers. Quoique cette rencontre eût l'air d'un incident 1885 fortuit [6], nos deux amis, nos deux ennemis, comme il vous plaira de les appeler, ne s'y méprirent pas. Le paysan se laissa connaître pour ce qu'il était. On alla passer la nuit dans une maison écartée. Le lendemain, dès la pointe du jour, mon capitaine, après avoir embrassé plusieurs fois son camarade, s'en sépara pour ne 1890 plus le revoir. À peine fut-il arrivé dans son pays, qu'il mourut.

Le Maître. – Et qui est-ce qui t'a dit qu'il était mort ?

Jacques. – Et ce cercueil ? et ce carrosse à ses armes ? Mon pauvre capitaine est mort, je n'en doute pas.

Le Maître. – Et ce prêtre, les mains liées sur le dos, et ces 1895 gens, les mains liées sur le dos, et ces gardes de la Ferme ou ces cavaliers de maréchaussée, et ce retour du convoi vers la ville ? Ton capitaine est vivant, je n'en doute pas ; mais ne sais-tu rien de son camarade ?

Jacques. – L'histoire de son camarade est une belle ligne du 1900 grand rouleau ou de ce qui est écrit là-haut.

---

1. *Lettre de change* : document par lequel un créancier prescrit à son débiteur (une banque par exemple) de payer à une date donnée une certaine somme à une personne désignée (le bénéficiaire) ; sorte de chèque bancaire.
2. *Chez l'étranger* : à l'étranger.
3. *Au cas qu'il fût tué* : au cas où il serait tué.
4. *Ce préalable* : ce préliminaire, cette condition.
5. *Major* : officier supérieur chargé de l'administration, du service.
6. *Fortuit* : dû au hasard.

Le Maître. – J'espère… »

Le cheval de Jacques ne permit pas à son maître d'achever ; il part comme un éclair, ne s'écartant ni à droite ni à gauche, suivant la grande route. On ne voit plus Jacques, et son maître, persuadé que le chemin aboutissait à des fourches patibulaires, se tenait les côtes de rire. Et puisque Jacques et son maître ne sont bons qu'ensemble et ne valent rien séparés non plus que Don Quichotte sans Sancho [1] et Richardet sans Ferragus [2], ce que les continuateurs de Cervantès [3] et l'imitateur de l'Arioste, monsignor Forti-Guerra [4], n'ont pas assez compris, lecteur, causons ensemble jusqu'à ce qu'ils se soient rejoints.

Vous allez prendre l'histoire du capitaine de Jacques pour un conte, et vous aurez tort. Je vous proteste que telle qu'il l'a racontée à son maître tel fut le récit que j'en avais entendu faire aux Invalides [5], je ne sais en quelle année, le jour de la Saint-Louis, à table chez un M. de Saint-Étienne, major de l'Hôtel, et l'historien qui parlait en présence de plusieurs autres officiers de la maison, qui avaient connaissance du fait, était un personnage grave qui n'avait point du tout l'air d'un badin [6]. Je vous le répète donc

---

1. Sancho Pança est le valet qui sert d'écuyer au vieil hidalgo Don Quichotte dans le roman de chevalerie parodique en deux parties intitulé *L'Ingénieux hidalgo Don Quichotte de la Manche* (1605 puis 1615), chef-d'œuvre de Miguel de Cervantès (1547-1616).

2. *Richardet*, *Ferragus* : personnages du *Roland furieux* (1532), épopée guerrière et amoureuse du grand poète italien Ludovico Ariosto (1474-1533), dit l'Arioste.

3. Un certain Avellaneda (probablement un pseudonyme) écrivit une suite à la première partie de *Don Quichotte* (qui parut quelques mois avant que Cervantès publie la seconde). Alain René Lesage (1668-1747) traduisit cette suite apocryphe en 1704 sous le titre *Nouvelles Aventures de Don Quichotte*.

4. *Niccolo Fortiguerra* (1674-1745) : auteur d'un poème parodique imité de l'Arioste, *Ricciardetto* (1755), traduit en français en 1766 sous le titre *Le Richardet*. Richardet et Ferragus sont des chevaliers de la cour de Charlemagne.

5. L'Hôtel des Invalides (fondé par Louis XIV en 1670) était l'hôpital des invalides de guerre et la maison de retraite des militaires.

6. *Badin* : plaisantin.

1920 pour ce moment et pour la suite, soyez circonspect [1] si vous ne voulez pas prendre dans cet entretien de Jacques et de son maître le vrai pour le faux, le faux pour le vrai. Vous voilà bien averti, et je m'en lave les mains. – Voilà, me direz-vous, deux hommes bien extraordinaires ! – Et c'est là ce qui vous met en méfiance ?

1925 Premièrement, la nature est si variée, surtout dans les instincts et les caractères, qu'il n'y a rien de si bizarre dans l'imagination d'un poète dont l'expérience et l'observation ne vous offrissent le modèle dans la nature. Moi, qui vous parle, j'ai rencontré le pendant du *Médecin malgré lui*[2], que j'avais regardé jusque-là comme

1930 la plus folle et la plus gaie des fictions[3]. – Quoi ! le pendant du mari à qui sa femme dit : J'ai trois enfants sur les bras ; et qui lui répond : Mets-les à terre… Ils me demandent du pain : donne-leur le fouet ? – Précisément. Voici son entretien avec ma femme.

«Vous voilà, monsieur Gousse[4] ?

1935 – Non, madame, je ne suis pas un autre.

– D'où venez-vous ?

– D'où j'étais allé.

– Qu'avez-vous fait là ?

– J'ai raccommodé un moulin qui allait mal.

1940 – À qui appartenait ce moulin ?

– Je n'en sais rien ; je n'étais pas allé pour raccommoder le meunier.

– Vous êtes fort bien vêtu contre votre usage ; pourquoi sous cet habit, qui est très propre, une chemise sale ?

1945 – C'est que je n'en ai qu'une.

– Et pourquoi n'en avez-vous qu'une ?

---

1. Circonspect : attentif, prudent, réfléchi.
2. Le Médecin malgré lui : farce de Molière créée en 1666 et inspirée du fabliau *Le Vilain Mire*.
3. Fictions : constructions de l'imagination.
4. Gousse : personnage inspiré de Louis Georges Goussier (1722-1799), dessinateur autodidacte qui réalisa la plupart des planches de l'*Encyclopédie* (1751-1772) dirigée par Diderot et d'Alembert.

– C'est que je n'ai qu'un corps à la fois.

– Mon mari n'y est pas, mais cela ne vous empêchera pas de dîner ici.

1950 – Non, puisque je ne lui ai confié ni mon estomac ni mon appétit.

– Comment se porte votre femme ?

– Comme il lui plaît ; c'est son affaire.

– Et vos enfants ?

1955 – À merveille !

– Et celui qui a de si beaux yeux, un si bel embonpoint[1], une si belle peau ?

– Beaucoup mieux que les autres ; il est mort.

– Leur apprenez-vous quelque chose ?

1960 – Non, madame.

– Quoi ? ni à lire, ni à écrire, ni le catéchisme ?

– Ni à lire, ni à écrire, ni le catéchisme.

– Et pourquoi cela ?

– C'est qu'on ne m'a rien appris, et que je n'en suis pas plus 1965 ignorant. S'ils ont de l'esprit, ils feront comme moi ; s'ils sont sots, ce que je leur apprendrais ne les rendrait que plus sots… »

Si vous rencontrez jamais cet original, il n'est pas nécessaire de le connaître pour l'aborder. Entraînez-le dans un cabaret, dites-lui votre affaire, proposez-lui de vous suivre à vingt lieues, il vous 1970 suivra ; après l'avoir employé renvoyez-le sans un sou ; il s'en retournera satisfait.

Avez-vous entendu parler d'un certain Prémonval[2] qui donnait à Paris des leçons publiques de mathématiques ? C'était son ami… Mais Jacques et son maître se seront peut-être rejoints : 1975 voulez-vous que nous allions à eux, ou rester avec moi ?… Gousse et Prémonval tenaient ensemble l'école. Parmi les élèves qui s'y

---

1. *Un si bel embonpoint* : un corps si bien en chair (et un peu gras).
2. *Pierre Leguay de Prémontval* (1716-1764) : professeur de mathématiques, membre de l'Académie de Berlin. Diderot le connaissait.

rendaient en foule, il y avait une jeune fille appelée Mlle Pigeon [1], la fille de cet habile artiste qui a construit ces deux beaux planisphères [2] qu'on a transportés du Jardin du Roi [3] dans les salles 1980 de l'Académie des Sciences. Mlle Pigeon allait là tous les matins avec son portefeuille [4] sous le bras et son étui de mathématiques dans son manchon. Un des professeurs, Prémonval, devint amoureux de son écolière, et tout à travers les propositions sur les solides inscrits à la sphère, il y eut un enfant de fait. Le père 1985 Pigeon n'était pas homme à entendre patiemment la vérité de ce corollaire [5]. La situation des amants devient embarrassante, ils en confèrent [6]; mais n'ayant rien, mais rien du tout, quel pouvait être le résultat de leurs délibérations? Ils appellent à leur secours l'ami Gousse. Celui-ci, sans mot dire, vend tout ce 1990 qu'il possède, linge, habits, machines, meubles, livres, fait une somme, jette les deux amoureux dans une chaise de poste [7], les accompagne à franc étrier [8] jusqu'aux Alpes; là, il vide sa bourse du peu d'argent qui lui restait, le leur donne, les embrasse, leur souhaite un bon voyage, et s'en revient à pied demandant 1995 l'aumône jusqu'à Lyon, où il gagna à peindre les parois d'un cloître de moines de quoi revenir à Paris sans mendier. – Cela est très beau. – Assurément; et d'après cette action héroïque, vous croyez à Gousse un grand fonds de morale? Eh bien, détrompez-vous, il n'en avait non plus qu'il n'y en a dans la tête d'un

---

1. *Marie Anne Pigeon d'Osangis* (1724-1767) : épouse de Prémontval; elle rédigea une biographie de son père intitulée *Le Mécaniste philosophe ou Mémoire sur la vie de Jean Pigeon* (1750).

2. *Planisphères* : mappemondes.

3. *Jardin du Roi* : actuel Jardin des Plantes, à Paris.

4. *Portefeuille* : carton double pliant et servant à renfermer des papiers.

5. *Corollaire* : en mathématiques, conséquence directe d'un théorème déjà démontré.

6. *Confèrent* : parlent.

7. *Chaise de poste* : «Sorte de voiture légère à deux roues, traînée par un ou par deux chevaux» (*Dictionnaire de l'Académie*, 1762).

8. *À franc étrier* : à toute vitesse.

2000 brochet. – Cela est impossible. – Cela est. Je l'avais occupé. Je
lui donne un mandat[1] de quatre-vingts livres sur mes commettants[2], la somme était écrite en chiffres ; que fait-il ? Il ajoute
un zéro et se fait payer huit cents livres. – Ah ! l'horreur ! – Il
n'est pas plus malhonnête quand il me vole qu'honnête quand
2005 il se dépouille pour un ami ; c'est un original sans principes. Ces
quatre-vingts francs ne lui suffisaient pas, avec un trait de plume
il s'en procurait huit cents dont il avait besoin. Et les livres précieux dont il me fait présent ? – Qu'est-ce que ces livres ? – Mais
Jacques et son maître ? mais les amours de Jacques ? Ah ! lecteur,
2010 la patience avec laquelle vous m'écoutez me prouve le peu d'intérêt que vous prenez à mes deux personnages, et je suis tenté
de les laisser où ils sont... J'avais besoin d'un livre précieux, il
me l'apporte ; quelque temps après j'ai besoin d'un autre livre
précieux, il me l'apporte encore ; je veux les payer, il en refuse le
2015 prix. J'ai besoin d'un troisième livre précieux. « Pour celui-ci, me
dit-il, vous ne l'aurez pas, vous avez parlé trop tard ; mon docteur
de Sorbonne[3] est mort.

– Et qu'a de commun la mort de votre docteur de Sorbonne
avec le livre que je désire ? Est-ce que vous avez pris les deux
2020 autres dans sa bibliothèque ?

– Assurément !

– Sans son aveu ?

– Eh ! qu'en avais-je besoin pour exercer une justice distributive[4] ? Je n'ai fait que déplacer ces livres pour le mieux, en

---

1. Mandat : écrit portant l'ordre de payer une certaine somme à la personne
qui y est dénommée.
2. Commettants : personnes qui donnent à une autre la charge de certaines
affaires.
3. Docteur de Sorbonne : professeur d'université ; la Sorbonne, fondée par
Robert de Sorbon (1201-1274), était alors la grande faculté de théologie
parisienne.
4. Justice distributive : justice qui répartit les biens (et les peines) selon les
mérites individuels.

2025 les transférant d'un endroit où ils étaient inutiles dans un autre
où l'on en ferait un bon usage...» Et prononcez après cela sur
l'allure[1] des hommes ! Mais c'est l'histoire de Gousse avec sa
femme qui est excellente... Je vous entends, vous en avez assez,
et votre avis serait que nous allassions rejoindre nos deux voya-
2030 geurs. Lecteur, vous me traitez comme un automate, cela n'est
pas poli ; dites les amours de Jacques ; ne dites pas les amours de
Jacques ; je veux que vous me parliez de l'histoire de Gousse ; j'en
ai assez. Il faut sans doute que j'aille quelquefois à votre fantaisie.
Mais il faut que j'aille quelquefois à la mienne ; sans compter que
2035 tout auditeur qui me permet de commencer un récit s'engage
d'en entendre la fin.

Je vous ai dit, premièrement ; or un premièrement, c'est
annoncer au moins un secondement. Secondement donc...
Écoutez-moi, ne m'écoutez pas, je parlerai tout seul... Le capi-
2040 taine de Jacques et son camarade pouvaient être tourmentés
d'une jalousie violente et secrète ; c'est un sentiment que l'amitié n'éteint pas toujours. Rien de si difficile à pardonner que le
mérite. N'appréhendaient-ils pas un passe-droit[2], qui les aurait
également offensés tous deux ? Sans s'en douter, ils cherchaient
2045 d'avance à se délivrer d'un concurrent dangereux, ils se tâtaient
pour l'occasion à venir. Mais comment avoir cette idée de celui
qui cède si généreusement son commandement de place à son
ami indigent ? Il le cède, il est vrai, mais s'il en eût été privé,
peut-être l'eût-il revendiqué à la pointe de l'épée. Un passe-droit
2050 entre les militaires, s'il n'honore pas celui qui en profite, dés-
honore son rival. Mais laissons tout cela et disons que c'était
leur coin de folie. Est-ce que chacun n'a pas le sien ? Celui de
nos deux officiers fut pendant plusieurs siècles celui de toute
l'Europe, on l'appelait l'esprit de la chevalerie. Toute cette multi-
2055 tude brillante, armée de pied en cap, décorée de diverses livrées

---

1. *Allure* : comportement, conduite.
2. *Passe-droit* : faveur, privilège que l'on accorde en dépit du règlement.

d'amour[1], caracolant sur des palefrois[2], la lance au poing, la visière haute ou baissée, se regardant fièrement, se mesurant de l'œil, se menaçant, se renversant sur la poussière, jonchant l'espace d'un vaste tournoi des éclats d'armes brisées, n'étaient que
2060 des amis jaloux du mérite en vogue. Ces amis au moment où ils tenaient leurs lances en arrêt, chacun à l'extrémité de la carrière[3] et qu'ils avaient pressé de l'aiguillon[4] les flancs de leurs coursiers, devenaient les plus terribles ennemis ; ils fondaient les uns sur les autres avec la même fureur qu'ils auraient portée sur un
2065 champ de bataille. Eh bien, nos deux officiers n'étaient que deux paladins[5], nés de nos jours avec les mœurs des anciens. Chaque vertu et chaque vice se montre et passe de mode. La force du corps eut son temps, l'adresse aux exercices eut le sien. La bravoure est tantôt plus, tantôt moins considérée ; plus elle est com-
2070 mune, moins on en est vain[6], moins on en fait l'éloge. Suivez les indications des hommes, et vous en remarquerez qui semblent être venus au monde trop tard, ils sont d'un autre siècle. Et qui est-ce qui empêcherait de croire que nos deux militaires avaient été engagés dans ces combats journaliers et périlleux par le seul
2075 désir de trouver le côté faible de son rival et d'obtenir la supériorité sur lui ? Les duels se répètent dans la société sous toutes sortes de formes, entre des prêtres, entre des magistrats, entre des littérateurs, entre des philosophes ; chaque état a sa lance et ses chevaliers, et nos assemblées les plus respectables, les plus

---

1. Les livrées étaient les vêtements livrés, fournis par un seigneur aux hommes de sa suite et à ses domestiques ; ici, les livrées sont aux couleurs de la dame aimée.

2. *Palefrois* : chevaux de marche, de parade (par opposition aux destriers, coursiers pour les combats singuliers à la lance).

3. *Carrière* : lieu fermé de barrières destiné aux exercices et spectacles à cheval.

4. *Aiguillon* : éperon, probablement. L'aiguillon est un bâton pointu qui sert à piquer une bête (bœuf, cheval) pour la faire accélérer.

5. *Paladins* : chevaliers du Moyen Âge dans les romans de chevalerie.

6. *Moins on en est vain* : moins on en tire vanité, fierté.

2080 amusantes ne sont que de petits tournois où quelquefois l'on porte les livrées de l'amour dans le fond de son cœur sinon sur l'épaule. Plus il y a d'assistants, plus la joute est vive ; la présence des femmes y pousse la chaleur et l'opiniâtreté à toute outrance, et la honte d'avoir succombé devant elles ne s'oublie guère.

2085 Et Jacques ?… Jacques avait franchi les portes de la ville, traversé les rues aux acclamations des enfants, et atteint l'extrémité du faubourg opposé, où son cheval s'élançant dans une petite porte basse, il y eut entre le linteau [1] de cette porte et la tête de Jacques un choc terrible, dans lequel il fallait que le linteau fût 2090 déplacé ou Jacques renversé en arrière ; ce fut comme on pense bien, le dernier qui arriva. Jacques tomba, la tête fendue et sans connaissance. On le ramasse, on le rappelle à la vie avec des eaux spiritueuses [2], je crois même qu'il fut saigné par le maître de la maison. – Cet homme était donc chirurgien ? – Non. Cependant 2095 son maître était arrivé et demandait de ses nouvelles à tous ceux qu'il rencontrait. « N'auriez-vous point aperçu un grand homme sec [3], monté sur un cheval pie [4] ?

– Il vient de passer, il allait comme si le diable l'eût emporté ; il doit être arrivé chez son maître.

2100 – Et qui est son maître ?

– Le bourreau.

– Le bourreau !

– Oui, car ce cheval est le sien.

– Où demeure le bourreau ?

2105 – Assez loin, mais ne vous donnez pas la peine d'y aller, voilà ses gens [5] qui rapportent apparemment l'homme sec que vous demandez et que nous avons pris pour un de ses valets. »

---

1. *Linteau* : pièce horizontale (de bois ici, mais pouvant aussi être en pierre ou en métal) qui forme la partie supérieure d'une ouverture et soutient la maçonnerie.
2. *Spiritueuses* : contenant de l'alcool.
3. *Sec* : ici, maigre.
4. *Cheval pie* : cheval à robe noire et blanche (ou fauve et blanche).
5. *Ses gens* : ses domestiques (hommes de main).

Et qui est-ce qui parlait ainsi avec le maître de Jacques ? C'était un aubergiste à la porte duquel il s'était arrêté, il n'y avait pas à
2110 se tromper, il était court et gros comme un tonneau, en chemise retroussée jusqu'aux coudes, avec un bonnet de coton sur la tête, un tablier de cuisine autour de lui et un grand couteau à son côté. «Vite, vite un lit pour ce malheureux, lui dit le maître de Jacques, un chirurgien, un médecin, un apothicaire...» Cependant on
2115 avait déposé Jacques à ses pieds, le front couvert d'une épaisse et énorme compresse, et les yeux fermés. «Jacques ? Jacques ?

– Est-ce vous, mon maître ?

– Oui, c'est moi, regarde-moi donc.

– Je ne saurais.

2120 – Qu'est-ce donc qu'il t'est arrivé ?

– Ah ! le cheval ! le maudit cheval ! je vous dirai tout cela demain, si je ne meurs pas pendant la nuit...»

Et tandis qu'on le transportait et qu'on le montait à sa chambre, le maître dirigeait la marche et criait : «Prenez garde, allez
2125 doucement, doucement, mordieu ! vous allez le blesser. Toi, qui le tiens par les jambes, tourne à droite... toi, qui lui tiens la tête, tourne à gauche...» Et Jacques disait à voix basse : «Il était donc écrit là-haut !...»

À peine Jacques fut-il couché, qu'il s'endormit profondément.
2130 Son maître passa la nuit à son chevet, lui tâtant le pouls et humectant sans cesse sa compresse avec de l'eau vulnéraire[1]. Jacques le surprit à son réveil dans cette fonction[2], et lui dit : «Que faites-vous là ?

LE MAÎTRE. – Je te veille. Tu es mon serviteur, quand je suis
2135 malade ou bien portant, mais je suis le tien quand tu te portes mal.

JACQUES. – Je suis bien aise de savoir que vous êtes humain, ce n'est pas trop la qualité des maîtres envers leurs valets.

---

1. *Eau vulnéraire* : eau réputée guérir les blessures, curative.
2. *Fonction* : activité.

LE MAÎTRE. – Comment va la tête ?

2140 JACQUES. – Aussi bien que la solive[1] contre laquelle elle a lutté.

LE MAÎTRE. – Prends ce drap entre tes dents et secoue fort[2]… Qu'as-tu senti ?

JACQUES. – Rien. La cruche me paraît sans fêlure.

LE MAÎTRE. – Tant mieux… Tu veux te lever, je crois ?

2145 JACQUES. – Et que voulez-vous que je fasse là ?

LE MAÎTRE. – Je veux que tu te reposes.

JACQUES. – Mon avis à moi est que nous déjeunions et que nous partions.

LE MAÎTRE. – Et le cheval ?

2150 JACQUES. – Je l'ai laissé chez son maître, honnête homme, galant homme[3] qui l'a repris pour ce qu'il nous l'a vendu.

LE MAÎTRE. – Et cet honnête, ce galant homme, sais-tu qui il est ?

JACQUES. – Non.

2155 LE MAÎTRE. – Je te le dirai quand nous serons en route.

JACQUES. – Et pourquoi pas à présent ? Quel mystère y a-t-il à cela ?

LE MAÎTRE. – Mystère ou non, quelle nécessité y a-t-il de te l'apprendre dans ce moment ou dans un autre ?

2160 JACQUES. – Aucune.

LE MAÎTRE. – Mais il te faut un cheval.

JACQUES. – L'hôte de cette auberge ne demandera peut-être pas mieux que de nous céder un des siens.

LE MAÎTRE. – Dors encore un moment, et je vais voir à cela[4]. »

2165 Le maître de Jacques descend, ordonne le déjeuner, achète un cheval, remonte et trouve Jacques habillé. Ils ont déjeuné et les voilà partis, Jacques protestant qu'il était malhonnête de s'en

---

1. Solive : poutre (voir linteau, note 1, p. 116).

2. Vraisemblablement, méthode pour diagnostiquer une fracture crânienne.

3. Galant homme : homme de bonnes manières.

4. Je vais voir à cela : je vais m'en occuper.

aller sans avoir fait une visite de politesse au citoyen[1] à la porte
duquel il s'était presque assommé et qui l'avait si obligeam-
2170   ment[2] secouru ; son maître le tranquillisant sur sa délicatesse
par l'assurance qu'il avait bien récompensé ses satellites[3] qui
l'avaient apporté à l'auberge ; Jacques prétendant que l'argent
donné aux serviteurs ne l'acquittait pas avec leur maître, que
c'était ainsi que l'on inspirait aux hommes le regret et le dégoût
2175   de la bienfaisance, et que l'on se donnait à soi-même un air
d'ingratitude. « Mon maître, j'entends tout ce que cet homme
dit de moi par ce que je dirais de lui, s'il était à ma place et moi
à la sienne… »

Ils sortaient de la ville lorsqu'ils rencontrèrent un homme
2180   grand et vigoureux, le chapeau bordé sur la tête, l'habit galonné
sur toutes les tailles[4], allant seul, si vous en exceptez deux grands
chiens qui le précédaient. Jacques ne l'eut pas plus tôt aperçu, que
descendre de cheval, s'écrier : « C'est lui ! » et se jeter à son cou,
fut l'affaire d'un instant. L'homme aux deux chiens paraissait très
2185   embarrassé des caresses[5] de Jacques, le repoussait doucement et
lui disait : « Monsieur, vous me faites trop d'honneur.

– Eh non ! je vous dois la vie, et je ne saurais trop vous en
remercier.

– Vous ne savez pas qui je suis.

2190   – N'êtes-vous pas le citoyen officieux[6] qui m'a secouru, qui
m'a saigné[7] et qui m'a pansé, lorsque mon cheval…

– Il est vrai.

---

1. Citoyen : habitant (respectable) d'une cité, d'un bourg.

2. Obligeamment : aimablement.

3. Satellites : ici, gardes du corps. L'article « Bourreau » de l'*Encyclopédie*
indique que « l'exécuteur est le dernier des hommes aux yeux du peuple ». Il
était haï par tous et n'avait que des ennemis.

4. Sur toutes les tailles : sur toutes les coutures.

5. Caresses : flatteries et démonstrations d'affection.

6. Officieux : « Prompt à rendre service » (*Dictionnaire de Furetière*, 1690).

7. Saigné : un usage médical de l'époque consistant à tirer du sang à
quelqu'un en lui ouvrant une veine.

– N'êtes-vous pas le citoyen honnête qui a repris ce cheval pour le même prix qu'il me l'avait vendu ?

2195 – Je le suis… » Et Jacques de le rembrasser sur une joue et sur l'autre, et son maître de sourire, et les deux chiens debout, le nez en l'air et comme émerveillés d'une scène qu'ils voyaient pour la première fois. Jacques, après avoir ajouté à ses démonstrations de gratitude force révérences[1], que son bienfaiteur ne lui rendait 2200 pas, et force souhaits qu'on recevait froidement, remonte sur son cheval et dit à son maître : «J'ai la plus profonde vénération pour cet homme que vous devez me faire connaître.

LE MAÎTRE. – Et pourquoi, Jacques, est-il si vénérable à vos yeux ?

2205 JACQUES. – C'est que, n'attachant aucune importance aux services qu'il rend, il faut qu'il soit naturellement officieux et qu'il ait une longue habitude de bienfaisance.

LE MAÎTRE. – Et à quoi jugez-vous cela ?

JACQUES. – À l'air indifférent et froid avec lequel il a reçu mon 2210 remerciement ; il ne me salue point, il ne me dit pas un mot, il semble me méconnaître, et peut-être à présent se dit-il en lui-même avec un sentiment de mépris : Il faut que la bienfaisance soit fort étrangère à ce voyageur et que l'exercice de la justice lui soit bien pénible, puisqu'il en est si touché… Qu'est-ce qu'il y a 2215 donc de si absurde dans ce que je dis, pour vous faire rire de si bon cœur ?… Quoi qu'il en soit, dites-moi le nom de cet homme afin que je l'écrive sur mes tablettes[2].

LE MAÎTRE. – Très volontiers, écrivez.

JACQUES. – Dites.

2220 LE MAÎTRE. – Écrivez : l'homme auquel je porte la plus profonde vénération…

JACQUES. – La plus profonde vénération…

LE MAÎTRE. – Est…

---

1. *Force révérences* : quantité de révérences.
2. *Afin que je l'écrive sur mes tablettes* : afin que j'en prenne bonne note.

■ « Vous ne savez pas qui je suis » (p. 119).

JACQUES. – Est…

2225 LE MAÎTRE. – Le bourreau de ***.

JACQUES. – Le bourreau !

LE MAÎTRE. – Oui, oui, le bourreau.

JACQUES. – Pourriez-vous me dire où est le sel[1] de cette plaisanterie ?

2230 LE MAÎTRE. – Je ne plaisante point. Suivez les chaînons de votre gourmette. Vous avez besoin d'un cheval, le sort vous adresse à un passant, et ce passant, c'est un bourreau. Ce cheval vous conduit deux fois entre des fourches patibulaires, la troisième, il vous dépose chez un bourreau, là vous tombez sans vie ; de là on 2235 vous emporte, où ? dans une auberge, un gîte, un asile[2] commun. Jacques, savez-vous l'histoire de la mort de Socrate[3] ?

JACQUES. – Non.

LE MAÎTRE. – C'était un sage d'Athènes. Il y a longtemps que le rôle de sage est dangereux parmi les fous. Ses concitoyens 2240 le condamnèrent à boire la ciguë[4]. Eh bien, Socrate fit comme vous venez de faire, il en usa avec le bourreau qui lui présenta la ciguë aussi poliment que vous. Jacques, vous êtes une espèce de philosophe, convenez-en. Je sais bien que c'est une race d'hommes odieuse aux grands, devant lesquels ils ne fléchissent 2245 pas le genou ; aux magistrats, protecteurs par état des préjugés qu'ils poursuivent, aux prêtres qui les voient rarement au pied de leurs autels ; aux poètes, gens sans principes et qui regardent sottement la philosophie comme la cognée[5] des beaux-arts, sans

---

1. *Le sel* : l'intérêt.

2. *Asile* : refuge.

3. Voltaire surnommait Diderot «frère Platon», « Tonpla» ou «Socrate-Diderot». Celui-ci avait entrepris, lors de sa détention (sur lettre de cachet) au donjon de Vincennes, en 1749, la traduction de l'*Apologie de Socrate* du philosophe grec Platon (328-347 av. J.-C.).

4. *Ciguë* : poison mortel extrait d'une plante appelée la grande ciguë.

5. *Cognée* : destruction. La cognée est une grosse hache utilisée pour abattre les arbres.

compter que ceux même d'entre eux qui se sont exercés dans le genre odieux de la satire n'ont été que des flatteurs; aux peuples, de tout temps les esclaves des tyrans qui les oppriment, des fripons qui les trompent, et des bouffons qui les amusent. Ainsi je connais, comme vous voyez, tout le péril de votre profession et toute l'importance de l'aveu que je vous demande, mais je n'abuserai pas de votre secret. Jacques, mon ami, vous êtes un philosophe, j'en suis fâché pour vous, et s'il est permis de lire dans les choses présentes celles qui doivent arriver un jour, et si ce qui est écrit là-haut se manifeste quelquefois aux hommes longtemps avant l'événement, je présume que votre mort sera philosophique, et que vous recevrez le lacet[1] d'aussi bonne grâce que Socrate reçut la coupe de la ciguë.

JACQUES. – Mon maître, un prophète ne dirait pas mieux; mais heureusement…

LE MAÎTRE. – Vous n'y croyez pas trop; ce qui achève de donner de la force à mon pressentiment.

JACQUES. – Et vous, monsieur, y croyez-vous?

LE MAÎTRE. – J'y crois; mais je n'y croirais pas, que ce serait sans conséquence[2].

JACQUES. – Et pourquoi?

LE MAÎTRE. – C'est qu'il n'y a du danger que pour ceux qui parlent, et je me tais.

JACQUES. – Et aux pressentiments?

LE MAÎTRE. – J'en ris, mais j'avoue que c'est en tremblant. Il y en a qui ont un caractère si frappant, on a été bercé de ces contes-là de si bonne heure! Si vos rêves s'étaient réalisés cinq ou six fois, et qu'il vous arrivât de rêver que votre ami est mort, vous iriez bien vite le matin chez lui pour savoir ce qui en est. Mais les pressentiments dont il est impossible de se défendre, ce sont

---

1. *Lacet* : nœud coulant (pour être pendu).
2. *Conséquence* : effet, importance.

surtout ceux qui se présentent au moment où la chose se passe
2280 loin de nous, et qui ont un air symbolique[1].

JACQUES. – Vous êtes quelquefois si profond et si sublime, que
je ne vous entends pas. Ne pourriez-vous pas m'éclaircir cela par
un exemple ?

LE MAÎTRE. – Rien de plus aisé. Une femme vivait à la cam-
2285 pagne avec son mari octogénaire et attaqué de la pierre[2]. Le mari
quitte sa femme et vient à la ville se faire opérer. La veille de
l'opération il écrit à sa femme : "À l'heure où vous recevrez cette
lettre, je serai sous le bistouri du frère Côme[3]…" Tu connais ces
anneaux de mariage qui se séparent en deux parties, sur chacune
2290 desquelles les noms de l'époux et de sa femme sont gravés. Eh
bien, cette femme en avait un pareil au doigt, lorsqu'elle ouvrit
la lettre de son mari. À l'instant, les deux moitiés de cet anneau
se séparent, celle qui portait son nom reste à son doigt ; celle
qui portait le nom de son mari tombe brisée sur la lettre qu'elle
2295 lisait… Dis-moi, Jacques, crois-tu qu'il y ait de tête assez forte,
d'âme assez ferme pour n'être pas plus ou moins ébranlée d'un
pareil incident, et dans une circonstance pareille ? Aussi cette
femme en pensa mourir. Ses transes[4] durèrent jusqu'au jour de
la poste suivante par laquelle son mari lui écrivit que l'opération
2300 s'était faite heureusement, qu'il était hors de tout danger, et qu'il
se flattait de l'embrasser avant la fin du mois.

JACQUES. – Et l'embrassa-t-il en effet ?

LE MAÎTRE. – Oui.

JACQUES. – Je vous ai fait cette question, parce que j'ai remarqué
2305 plusieurs fois que le destin était cauteleux[5]. On lui dit au premier

---

1. Qui ont un air symbolique : qui naissent de faits apparaissant comme
des signes.
2. Attaqué de la pierre : atteint d'un calcul (du latin *calculus*, «caillou»),
maladie due à la concrétion de sels minéraux dans un organe (vessie, rein).
3. Jean Barseilhac, dit frère Côme (1703-1781) : chirurgien renommé à
l'époque, connu de Diderot.
4. Transes : craintes extrêmes.
5. Cauteleux : hypocrite et rusé, sournois.

moment qu'il en aura menti, et il se trouve au second moment qu'il a dit vrai. Ainsi donc, monsieur, vous me croyez dans le cas du pressentiment symbolique et, malgré vous, vous me croyez menacé de la mort du philosophe?

2310 [LE MAÎTRE. – Je ne saurais te le dissimuler; mais pour écarter cette triste idée, ne pourrais-tu pas?…

JACQUES. – Reprendre l'histoire de mes amours?…»

Jacques reprit l'histoire de ses amours. Nous l'avions laissé, je crois, avec le chirurgien.

2315 LE CHIRURGIEN. – J'ai peur qu'il n'y ait de la besogne [1] à votre genou pour plus d'un jour…

JACQUES. – Il y en aura tout juste pour le temps qui est écrit là-haut; qu'importe?

LE CHIRURGIEN. – À tant par jour pour le logement, la
2320 nourriture et mes soins, cela fera une somme.

JACQUES. – Docteur, il ne s'agit pas de la somme pour tout ce temps, mais combien par jour.

LE CHIRURGIEN. – Vingt-cinq sous, serait-ce trop?

JACQUES. – Beaucoup trop, allons, docteur, je suis un pauvre
2325 diable, ainsi réduisons la chose à la moitié, et avisez le plus promptement que vous pourrez à me faire transporter chez vous.

LE CHIRURGIEN. – Douze sous et demi, ce n'est guère; vous mettrez bien les treize sous?

2330 JACQUES. – Douze sous et demi, treize sous… Tope.

LE CHIRURGIEN. – Et vous paierez tous les jours?

JACQUES. – C'est la condition.

LE CHIRURGIEN. – C'est que j'ai une diable de femme qui n'entend pas raillerie [2], voyez-vous.

2335 JACQUES. – Eh! docteur, faites-moi transporter bien vite auprès de votre diable de femme.

---

1. Besogne : travail.
2. Qui n'entend pas raillerie : qui ne plaisante pas.

LE CHIRURGIEN. – Un mois à treize sous par jour, c'est dix-neuf livres dix sous. Vous mettrez bien vingt francs ?

JACQUES. – Vingt francs, soit.

2340 LE CHIRURGIEN. – Vous voulez être bien nourri, bien soigné, promptement guéri. Outre la nourriture, le logement et les soins, il y aura peut-être les médicaments, il y aura les linges, il y aura…

JACQUES. – Après ?

LE CHIRURGIEN. – Ma foi, le tout vaudra bien vingt-quatre
2345 francs.

JACQUES. – Va pour vingt-quatre francs ; mais sans queue[1].

LE CHIRURGIEN. – Un mois à vingt-quatre francs ; deux mois, cela fera quarante-huit livres, trois mois, cela fera soixante et douze. Ah ! que la doctoresse [2] serait contente, si vous pouviez
2350 lui avancer, en entrant, la moitié de ces soixante et douze livres.

JACQUES. – J'y consens.

LE CHIRURGIEN. – Elle serait bien plus contente encore…

JACQUES. – Si je payais le quartier[3] ? Je le paierai.»

Jacques ajouta : «Le chirurgien alla retrouver mes hôtes, les
2355 prévint de notre arrangement, et un moment après, l'homme, la femme et les enfants se rassemblèrent autour de mon lit avec un air serein ; ce furent des questions sans fin sur ma santé et sur mon genou, des éloges sur le chirurgien leur compère et sa femme, des souhaits à perte de vue, la plus belle affabilité[4], un
2360 intérêt ! un empressement à me servir ! Cependant le chirurgien ne leur avait pas dit que j'avais quelque argent, mais ils connaissaient l'homme ; il me prenait chez lui, et ils le savaient. Je payai ce que je devais à ces gens ; je fis aux enfants de petites largesses[5] que leurs père et mère ne laissèrent pas longtemps entre leurs
2365 mains. C'était le matin. L'hôte partit pour s'en aller aux champs,

---

1. *Sans queue* : sans supplément, tout compris.
2. *La doctoresse* : l'épouse du chirurgien.
3. *Le quartier* : le quart de l'année (trois mois), en acompte.
4. *Affabilité* : amabilité.
5. *Largesses* : dons (quelques sous ?).

l'hôtesse prit sa hotte[1] sur ses épaules et s'éloigna, les enfants, attristés et mécontents d'avoir été spoliés[2], disparurent ; et quand il fut question de me tirer de mon grabat, de me vêtir et de m'arranger sur mon brancard, il ne se trouva personne que le docteur qui se mit à crier à tue-tête et que personne n'entendit.

LE MAÎTRE. – Et Jacques, qui aime à se parler à lui-même, se disait apparemment : Ne payez jamais d'avance, si vous ne voulez pas être mal servi.

JACQUES. – Non, mon maître ; ce n'était pas le temps de moraliser, mais bien celui de s'impatienter et de jurer. Je m'impatientai, je jurai, je fis de la morale ensuite, et tandis que je moralisais, le docteur, qui m'avait laissé seul, revint avec deux paysans qu'il avait loués pour mon transport et à mes frais, ce qu'il ne me laissa pas ignorer. Ces hommes me rendirent tous les soins préliminaires à mon installation sur l'espèce de brancard qu'on me fit avec un matelas étendu sur des perches.

LE MAÎTRE. – Dieu soit loué ! te voilà dans la maison du chirurgien et amoureux de la femme ou de la fille du docteur.

JACQUES. – Je crois, mon maître, que vous vous trompez.

LE MAÎTRE. – Et tu crois que je passerai trois mois dans la maison du docteur avant que d'avoir entendu le premier mot de tes amours ? Ah ! Jacques, cela ne se peut. Fais-moi grâce, je te prie, et de la description de la maison, et du caractère du docteur, et de l'humeur de la doctoresse, et des progrès de ta guérison ; saute, saute par-dessus tout cela. Au fait, allons au fait. Voilà ton genou à peu près guéri, te voilà assez bien portant, et tu aimes.

JACQUES. – J'aime donc, puisque vous êtes si pressé.

LE MAÎTRE. – Et qui aimes-tu ?

JACQUES. – Une grande brune de dix-huit ans, faite au tour, grands yeux noirs, petite bouche vermeille, beaux bras, jolies mains... Ah ! mon maître, les jolies mains !... C'est que ces mains-là...

---

1. *Hotte* : panier.
2. *Spoliés* : dépouillés par leurs parents des dons faits par Jacques.

LE MAÎTRE. – Tu crois encore les tenir.

JACQUES. – C'est que vous les avez prises et tenues plus d'une fois à la dérobée [1], et qu'il n'a dépendu que d'elles que vous n'en ayez fait tout ce qu'il vous plairait.

LE MAÎTRE. – Ma foi, Jacques, je ne m'attendais pas à celui-là.

JACQUES. – Ni moi non plus.

LE MAÎTRE. – J'ai beau rêver, je ne me rappelle ni grande brune, ni jolies mains; tâche de t'expliquer.

JACQUES. – J'y consens, mais c'est à la condition que nous reviendrons sur nos pas et que nous rentrerons dans la maison du chirurgien.

LE MAÎTRE. – Crois-tu que cela soit écrit là-haut?

JACQUES. – C'est vous qui me l'allez apprendre; mais il est écrit ici-bas que qui *va piano va sano*.

LE MAÎTRE. – Et que qui *va sano va lontano* [2]; et je voudrais bien arriver.

JACQUES. – Eh bien, qu'avez-vous résolu?

LE MAÎTRE. – Ce que tu voudras.

JACQUES. – En ce cas, nous revoilà chez le chirurgien, et il était écrit là-haut que nous y reviendrions. Le docteur, sa femme et ses enfants se concertèrent si bien pour épuiser ma bourse par toutes sortes de petites rapines [3], qu'ils y eurent bientôt réussi. La guérison de mon genou paraissait bien avancée sans l'être, la plaie était refermée à peu de chose près, je pouvais sortir à l'aide d'une béquille, et il me restait encore dix-huit francs. Pas de gens qui aiment plus à parler que les bègues, pas de gens qui aiment plus à marcher que les boiteux. Un jour d'automne, un après-dîner qu'il faisait beau, je projetai une longue course [4]; du village que j'habitais au village voisin, il y avait environ deux lieues.

---

1. *À la dérobée* : en cachette.

2. *Qui va piano va sano* [...] *qui va sano va lontano* : «Qui va lentement va sûrement, qui va sûrement va loin» (proverbe italien).

3. *Rapines* : petits vols.

4. *Course* : promenade.

LE MAÎTRE. – Et ce village s'appelait ?

JACQUES. – Si je vous le nommais, vous sauriez tout. Arrivé là, j'entrai dans un cabaret, je me reposai, je me rafraîchis. Le jour commençait à baisser, et je me disposais à regagner le gîte, lorsque de la maison où j'étais, j'entendis une femme qui poussait les cris les plus aigus. Je sortis : on s'était attroupé autour d'elle. Elle était à terre, elle s'arrachait les cheveux ; elle disait, en montrant les débris d'une grande cruche : "Je suis ruinée, je suis ruinée pour un mois ; pendant ce temps qui est-ce qui nourrira mes pauvres enfants ? Cet intendant[1], qui a l'âme plus dure qu'une pierre ne me fera pas grâce d'un sou. Que je suis malheureuse ! Je suis ruinée, je suis ruinée !..." Tout le monde la plaignait, je n'entendais autour d'elle que : "La pauvre femme !" mais personne ne mettait la main dans sa poche. Je m'approchai brusquement et lui dis : "Ma bonne, qu'est-ce qui vous est arrivé ? – Ce qui m'est arrivé ! est-ce que vous ne le voyez pas ? On m'avait envoyé acheter une cruche d'huile, j'ai fait un faux pas, je suis tombée, ma cruche s'est cassée, et voilà l'huile dont elle était pleine..." Dans ce moment survinrent les petits enfants de cette femme, ils étaient presque nus et les mauvais vêtements de leur mère montraient toute la misère de la famille, et la mère et les enfants se mirent à crier. Tel que vous me voyez, il en fallait dix fois moins pour me toucher ; mes entrailles s'émurent de compassion, les larmes me vinrent aux yeux. Je demandai à cette femme, d'une voix entrecoupée, pour combien il y avait d'huile dans sa cruche. "Pour combien ? me répondit-elle en levant les mains en haut. Pour neuf francs, pour plus que je ne saurais gagner en un mois." À l'instant, déliant ma bourse et lui jetant deux gros écus, "tenez, ma bonne, lui dis-je, en voilà douze..." et, sans attendre ses remerciements, je repris le chemin du village.

LE MAÎTRE. – Jacques, vous fîtes là une belle chose.

JACQUES. – Je fis une sottise, ne vous en déplaise. Je ne fus pas à cent pas du village que je me le dis ; je ne fus pas à moitié

---

1. *Intendant* : régisseur, responsable de l'administration d'une propriété.

chemin, que je me le dis bien mieux ; arrivé chez le chirurgien, mon gousset vide, je le sentis bien autrement.

2460 LE MAÎTRE. – Tu pourrais bien avoir raison et mon éloge être aussi déplacé que ta commisération... Non, non, Jacques, je persiste dans mon premier jugement, et c'est l'oubli de ton propre besoin qui fait le principal mérite de ton action. J'en vois les suites. Tu vas être exposé à l'inhumanité de ton chirurgien et de sa femme, ils te 2465 chasseront de chez eux ; mais quand tu devrais mourir à leur porte sur un fumier, sur ce fumier tu serais satisfait de toi.

JACQUES. – Mon maître, je ne suis pas de cette force-là. Je m'acheminais cahin-caha[1] et, puisqu'il faut vous l'avouer, regrettant mes deux gros écus, qui n'en étaient pas moins donnés et 2470 gâtant par mon regret l'œuvre[2] que j'avais faite. J'étais à une égale distance des deux villages et le jour était tout à fait tombé, lorsque trois bandits sortent d'entre les broussailles qui bordaient le chemin, se jettent sur moi, me renversent à terre, me fouillent, et sont étonnés de me trouver aussi peu d'argent que j'en avais. 2475 Ils avaient compté sur une meilleure proie ; témoins de l'aumône que j'avais faite au village, ils avaient imaginé que celui qui peut se dessaisir aussi lestement d'un demi-louis devait en avoir encore une vingtaine. Dans la rage de voir leur espérance trompée et de s'être exposés à avoir les os brisés sur un échafaud[3] pour 2480 une poignée de sous marqués[4], si je les dénonçais, s'ils étaient pris et que je les reconnusse, ils balancèrent[5] un moment s'ils ne m'assassineraient pas. Heureusement ils entendirent du bruit ; ils s'enfuirent, et j'en fus quitte pour quelques contusions que je me fis en tombant et que je reçus tandis qu'on me volait. Les bandits

---

1. **Cahin-caha** : péniblement (Jacques boite).
2. **Œuvre** : ici, action.
3. **De s'être exposés à avoir les os brisés sur un échafaud** : d'avoir pris le risque d'être condamnés au supplice de la roue (membres et poitrine rompus avec une barre de fer) sur une estrade.
4. **Pour une poignée de sous marqués** : pour presque rien.
5. **Balancèrent** : se demandèrent, hésitèrent.

2485 éloignés, je me retirai, je regagnai le village comme je pus ; j'y arrivai à deux heures de nuit, pâle, défait, la douleur de mon genou fort accrue et souffrant en différents endroits des coups que j'avais remboursés[1]. Le docteur... Mon maître, qu'avez-vous ? Vous serrez les dents, vous vous agitez comme si vous
2490 étiez en présence d'un ennemi.

LE MAÎTRE. – J'y suis en effet, j'ai l'épée à la main, je fonds sur tes voleurs et je te venge. Dis-moi donc comment celui qui a écrit le grand rouleau a pu écrire que telle serait la récompense d'une action généreuse ? Pourquoi moi, qui ne suis qu'un misérable
2495 composé de défauts, je prends ta défense, tandis que lui qui t'a vu tranquillement attaqué, renversé, maltraité, foulé aux pieds, lui qu'on dit être l'assemblage[2] de toute perfection... ?

JACQUES. – Mon maître, paix, paix, ce que vous dites-là sent le fagot en diable[3]...
2500 LE MAÎTRE. – Qu'est-ce que tu regardes ?

JACQUES. – Je regarde s'il n'y a personne autour de nous qui vous ait entendu... Le docteur me tâta le pouls et me trouva de la fièvre. Je me couchai sans parler de mon aventure, rêvant sur mon grabat, ayant affaire à deux âmes, Dieu ! quelles âmes ! n'ayant
2505 pas le sou, et pas le moindre doute que le lendemain, à mon réveil, on n'exigeât le prix dont nous étions convenus par jour. »

En cet endroit le maître jeta ses bras autour du cou de son valet, en s'écriant : « Mon pauvre Jacques, que vas-tu faire ? Que vas-tu devenir ? Ta position[4] m'effraie.
2510 JACQUES. – Mon maître, rassurez-vous, me voilà.

---

1. *Remboursés* : reçus.
2. *Assemblage* : réunion.
3. *Sent le fagot en diable* : pourrait vous mener au bûcher. Par exemple, le 1er juillet 1766, pour avoir blasphémé publiquement et détenu chez lui des ouvrages «philosophiques», un athée, le chevalier de La Barre, fut condamné par le parlement de Paris (sous l'influence de l'Église catholique) à avoir la langue arrachée, le poing coupé, la tête tranchée et le corps brûlé.
4. *Position* : ici, situation.

LE MAÎTRE. – Je n'y pensais pas ; j'étais à demain, à côté de toi chez le docteur, au moment où tu t'éveilles, et où l'on vient te demander de l'argent.

JACQUES. – Mon maître, on ne sait de quoi se réjouir, ni de quoi s'affliger dans la vie. Le bien amène le mal, le mal amène le bien. Nous marchons dans la nuit au-dessous de ce qui est écrit là-haut, également insensés dans nos souhaits, dans notre joie et dans notre affliction. Quand je pleure, je trouve souvent que je suis un sot.

LE MAÎTRE. – Et quand tu ris ?

JACQUES. – Je trouve encore que je suis un sot ; cependant, je ne puis m'empêcher ni de pleurer ni de rire : et c'est ce qui me fait enrager. J'ai cent fois essayé... Je ne fermai pas l'œil de la nuit...

LE MAÎTRE. – Non, non, dis-moi ce que tu as essayé.

JACQUES. – De me moquer de tout. Ah ! si j'avais pu y réussir.

LE MAÎTRE. – À quoi cela t'aurait-il servi ?

JACQUES. – À me délivrer de souci, à n'avoir plus besoin de rien, à me rendre parfaitement maître de moi, à me trouver aussi bien la tête contre une borne, au coin de la rue, que sur un bon oreiller. Tel je suis quelquefois, mais le diable est que cela ne dure pas, et que dur et ferme comme un rocher dans les grandes occasions, il arrive souvent qu'une petite contradiction, une bagatelle me déferre[1], c'est à se donner des soufflets. J'y ai renoncé, j'ai pris le parti d'être comme je suis, et j'ai vu, en y pensant un peu, que cela revenait presque au même, en ajoutant qu'importe comme on soit. C'est une autre résignation plus facile et plus commode.

LE MAÎTRE. – Pour plus commode, cela est sûr.

JACQUES. – Dès le matin, le chirurgien tira mes rideaux et me dit : "Allons, l'ami, votre genou, car il faut que j'aille au loin.

– Docteur, lui répondis-je d'un ton douloureux, j'ai sommeil.

---

1. *Une bagatelle me déferre* : un rien me réduit au silence.

– Tant mieux, c'est bon signe.

– Laissez-moi dormir, je ne me soucie pas d'être pansé.

2545 – Il n'y a pas grand inconvénient à cela, dormez…"

Cela dit, il referme mes rideaux[1] ; et je ne dors pas. Une heure après, la doctoresse tira mes rideaux et me dit : "Allons, l'ami, prenez votre rôtie au sucre[2].

– Madame la doctoresse, lui répondis-je d'un ton douloureux,
2550 je ne me sens pas d'appétit.

– Mangez, mangez, vous n'en paierez ni plus ni moins.

– Je ne veux pas manger.

– Tant mieux, ce sera pour mes enfants et pour moi" ; et cela dit, elle referme mes rideaux, appelle ses enfants et les voilà qui
2555 se mettent à dépêcher[3] ma rôtie au sucre.»

Lecteur, si je faisais ici une pause, et que je reprisse l'histoire de l'homme à une seule chemise, parce qu'il n'avait qu'un corps à la fois, je voudrais bien savoir ce que vous en penseriez ? – Que je me suis fourré dans une *impasse*, à la Voltaire, ou, vulgaire-
2560 ment, dans un cul-de-sac[4] d'où je ne sais comment sortir, et que je me jette dans un conte fait à plaisir[5] pour gagner du temps et chercher quelque moyen de sortir de celui que j'ai commencé. Eh bien, lecteur, vous vous abusez de tout point[6]. Je sais très bien comment Jacques sera tiré de sa détresse, et ce que je vais vous
2565 dire de Gousse, l'homme à une seule chemise à la fois, parce qu'il n'avait qu'un corps à la fois, n'est point du tout un conte.

---

1. *Rideaux* : rideaux de lit.

2. *Rôtie au sucre* : boisson à base de vin sucré et de pain servant de remontant, de fortifiant.

3. *Dépêcher* : engloutir.

4. Allusion plaisante à l'article «Cul» du *Dictionnaire philosophique* (1764) de Voltaire : «On trouve le mot *cul* partout, et très mal à propos : une rue sans issue ne ressemble en rien à un *cul de sac* ; un honnête homme aurait pu appeler ces sortes de rue des *impasses*.»

5. *Fait à plaisir* : inventé de toute pièce, qui est une pure fiction.

6. *Vous vous abusez de tout point* : vous vous trompez complètement.

C'était un jour de Pentecôte, le matin, que je reçus un billet de Gousse, par lequel il me suppliait de le visiter dans une prison où il était confiné[1]. En m'habillant, je rêvais à son aventure, et je pensais que son tailleur, son boulanger, son marchand de vin ou son hôte avait obtenu et mis à exécution contre lui une prise de corps[2]. J'arrive, et je le trouve faisant chambrée commune avec des autres personnages d'une figure omineuse[3]. Je lui demandai ce que c'étaient que ces gens-là.

«Le vieux que vous voyez avec ses lunettes sur le nez est un homme adroit qui sait supérieurement le calcul et qui cherche à faire cadrer les registres qu'il copie avec ses comptes. Cela est difficile, nous en avons causé, mais je ne doute point qu'il y réussisse.

– Et cet autre?

– C'est un sot.

– Mais encore?

– Un sot, qui avait inventé une machine à contrefaire les billets publics, mauvaise machine, machine vicieuse qui pèche par vingt endroits.

– Et ce troisième qui est vêtu d'une livrée et qui joue de la basse?

– Il n'est ici qu'en attendant, ce soir peut-être ou demain matin, car son affaire n'est rien, il sera transféré à Bicêtre[4].

– Et vous?

– Moi? mon affaire est moindre encore...»

Après cette réponse, il se lève, pose son bonnet sur le lit, et à l'instant ses trois camarades de prison disparaissent. Quand j'entrai, j'avais trouvé Gousse en robe de chambre, assis à une

---

1. **Confiné** : enfermé.
2. **Prise de corps** : décret d'arrestation.
3. **Omineuse** : funeste, qui ne présage rien de bon (du latin *ominosus*, dérivé de *omen*, «présage»).
4. **Bicêtre** : établissement du sud de Paris qui servait d'asile d'aliénés et de prison pour les vagabonds et les forçats en attente de transfert.

petite table, traçant des figures de géométrie et travaillant aussi
tranquillement que s'il eût été chez lui. Nous voilà seuls. « Et vous,
que faites-vous ici ?

– Moi, je travaille, comme vous voyez.

– Et qui est-ce qui vous y a fait mettre ?

– Moi.

– Comment, vous !

– Oui, moi, monsieur.

– Et comment vous y êtes-vous pris ?

– Comme je m'y serais pris avec un autre. Je me suis fait un
procès à moi-même, je l'ai gagné, et en conséquence de la sentence que j'ai obtenue contre moi et du décret qui s'en est suivi,
j'ai été appréhendé et conduit ici.

– Êtes-vous fou ?

– Non, monsieur, je vous dis la chose telle qu'elle est.

– Ne pourriez-vous pas vous faire un autre procès à vous-
même, le gagner, et, en conséquence d'une autre sentence et d'un
autre décret, vous faire élargir ?

– Non, monsieur. »

Gousse avait une servante jolie, et qui lui servait de moitié[1]
plus souvent que la sienne. Ce partage inégal avait troublé la paix
domestique. Quoique rien ne fût plus difficile que de tourmenter
cet homme, celui de tous qui s'épouvantait le moins du bruit[2], il
prit le parti de quitter sa femme et de vivre avec sa servante. Mais
toute sa fortune consistait en meubles, en machines, en dessins,
en outils et autres effets[3] mobiliers, et il aimait mieux laisser sa
femme toute nue que de s'en aller les mains vides ; en conséquence, voici le projet qu'il conçut. Ce fut de faire des billets[4] à
sa servante, qui en poursuivrait le paiement et obtiendrait la saisie

---

1. *Qui lui servait de moitié* : qui lui servait d'épouse.
2. *Bruit* : qu'en-dira-t-on.
3. *Effets* : biens.
4. *Billets (à ordre)* : écrits où l'on s'engage à payer au bénéficiaire une certaine somme à une date donnée.

et la vente de ses effets, qui iraient du pont Saint-Michel[1] dans le
2625 logement où il se proposait de s'installer avec elle. Il est enchanté
de l'idée, il fait les billets, il s'assigne, il a deux procureurs[2]. Le
voilà courant de l'un chez l'autre, se poursuivant lui-même avec
toute la vivacité possible, s'attaquant bien, se défendant mal ;
le voilà condamné à payer sous les peines portées par la loi, le
2630 voilà s'emparant en idée de tout ce qu'il pouvait y avoir dans sa
maison, mais il n'en fut pas tout à fait ainsi. Il avait affaire à une
coquine très rusée qui, au lieu de le faire exécuter dans ses meubles[3], se jeta sur sa personne, le fit prendre et mettre en prison ;
en sorte que quelque bizarres que fussent les réponses énigmati-
2635 ques qu'il m'avait faites, elles n'en étaient pas moins vraies.

Tandis que je vous faisais cette histoire, que vous prendrez
pour un conte… – Et celle de l'homme à la livrée qui raclait[4] de
la basse ? – Lecteur, je vous la promets, d'honneur, vous ne la
perdrez pas ; mais permettez que je revienne à Jacques et à son
2640 maître. Jacques et son maître avaient atteint le gîte où ils avaient
la nuit à passer. Il était tard, la porte de la ville était fermée, et ils
avaient été obligés de s'arrêter dans le faubourg[5]. Là, j'entends un
vacarme… – Vous entendez ! Vous n'y étiez pas, il ne s'agit pas de
vous. – Il est vrai. Eh bien, Jacques, son maître… On entend un
2645 vacarme effroyable. Je vois deux hommes… – Vous ne voyez rien,
il ne s'agit pas de vous, vous n'y étiez pas. – Il est vrai. Il y avait
deux hommes à table, causant assez tranquillement à la porte de
la chambre qu'ils occupaient ; une femme, les deux poings sur
les côtés, leur vomissait un torrent d'injures, et Jacques essayait

---

1. Pont Saint-Michel : lieu où étaient stockés les biens saisis par décision
de justice.
2. Deux procureurs : deux personnes chargées de s'occuper de ses intérêts.
3. Au lieu de le faire exécuter dans ses meubles : au lieu de lui faire payer
sa dette par la saisie de ses meubles.
4. Raclait : jouait maladroitement.
5. Faubourg : quartier d'une ville se trouvant *extra-muros*, c'est-à-dire à l'ex-
térieur de son enceinte.

2650 d'apaiser cette femme qui n'écoutait non plus ses remontrances [1]
pacifiques que les deux personnages à qui elle s'adressait ne faisaient d'attention à ses invectives. «Allons, ma bonne, lui disait
Jacques, patience, remettez-vous, voyons, de quoi s'agit-il? Ces
messieurs me semblent d'honnêtes gens.

2655 – Eux, d'honnêtes gens! ce sont des brutaux, des gens sans
pitié, sans humanité, sans aucun sentiment. Eh! quel mal leur
faisait cette pauvre Nicole pour la maltraiter ainsi? elle en sera
peut-être estropiée pour le reste de sa vie.

– Le mal n'est peut-être pas aussi grand que vous le croyez.

2660 – Le coup a été effroyable, vous dis-je, elle en sera estropiée.

– Il faut voir, il faut envoyer chercher le chirurgien.

– On y est allé.

– La faire mettre au lit.

– Elle y est et pousse des cris à fendre le cœur. Ma pauvre
2665 Nicole!...»

Au milieu de ces lamentations on sonnait d'un côté, et l'on
criait : «Notre hôtesse! du vin...» Elle répondait : «On y va.»
On sonnait d'un autre côté, et l'on criait : «Notre hôtesse! du
linge...» Elle répondait : «On y va. – Les côtelettes et le canard.
2670 – On y va. – Un pot à boire [2], un pot de chambre. – On y va, on y
va...» Et d'un autre coin du logis un homme forcené [3] : «Maudit
bavard! enragé bavard! de quoi te mêles-tu? As-tu résolu de me
faire attendre jusqu'à demain? Jacques? Jacques?»

L'hôtesse, un peu remise de sa douleur et de sa fureur, dit à
2675 Jacques : «Monsieur, laissez-moi, vous êtes trop bon.

– Jacques? Jacques?

– Courez vite; ah! si vous saviez tous les malheurs de cette
pauvre créature!...

– Jacques? Jacques?

---

1. *Remontrances* : reproches.
2. *Un pot à boire* : une cruche de vin.
3. *Un homme forcené* : un fou.

2680 – Allez donc, c'est, je crois, votre maître qui vous appelle.

– Jacques ? Jacques ? »

C'était en effet le maître de Jacques qui s'était déshabillé seul ; qui se mourait de faim et qui s'impatientait de n'être pas servi. Jacques monta et un moment après Jacques l'hôtesse qui avait
2685 vraiment l'air abattu. « Monsieur, dit-elle au maître de Jacques, mille pardons ; c'est qu'il y a mille choses dans la vie qu'on ne saurait digérer. Que voulez-vous ?... J'ai des poulets, des pigeons, un râble[1] de lièvre excellent, des lapins, c'est le canton des bons lapins. Aimeriez-vous mieux un oiseau de rivière ? » Jacques
2690 ordonna le souper de son maître comme pour lui, selon son usage. On servit, et tout en dévorant, le maître disait à Jacques : « Eh ! que diable faisais-tu là-bas ? »

JACQUES. – Peut-être un bien, peut-être un mal, qui le sait ?

LE MAÎTRE. – Et quel bien ou quel mal faisais-tu là-bas ?

2695 JACQUES. – J'empêchais cette femme de se faire assommer ellemême par deux hommes qui sont là-bas et qui ont cassé tout au moins un bras à sa servante.

LE MAÎTRE. – Et peut-être ç'aurait été pour elle un bien que d'être assommée.

2700 JACQUES. – Par dix raisons meilleures les unes que les autres. Un des plus grands bonheurs qui me soient arrivés de ma vie, à moi qui vous parle...

LE MAÎTRE. – C'est d'avoir été assommé ?... (À boire.)

JACQUES. – Oui, monsieur, assommé, assommé sur le grand
2705 chemin, la nuit, en revenant du village, comme je vous le disais, après avoir fait selon moi la sottise, selon vous, la belle œuvre de donner mon argent.

LE MAÎTRE. – Je me rappelle... (À boire.) Et l'origine de la querelle que tu apaisais là-bas, et du mauvais traitement fait à la
2710 fille ou à la servante de l'hôtesse ?

---

1. *Râble* : partie charnue qui s'étend des côtes à la naissance de la queue chez certains quadrupèdes.

JACQUES. – Ma foi, je l'ignore.

LE MAÎTRE. – Tu ignores le fond d'une affaire, et tu t'en mêles ! Jacques, cela n'est ni selon la prudence, ni selon la justice, ni selon tes principes... (À boire.)

2715 JACQUES. – Je ne sais ce que c'est que des principes, sinon des règles qu'on prescrit aux autres pour soi. Je pense d'une façon, et je ne saurais m'empêcher de faire d'une autre. Tous les sermons ressemblent aux préambules des édits du roi[1] ; tous les prédicateurs voudraient qu'on pratiquât leurs leçons, parce que 2720 nous nous en trouverions mieux peut-être, mais eux à coup sûr. La vertu...

LE MAÎTRE. – La vertu, Jacques, c'est une bonne chose, les méchants et les bons en disent du bien... (À boire.)

JACQUES. – Car ils y trouvent les uns et les autres leur compte.

2725 LE MAÎTRE. – Et comment fut-ce un si grand bonheur pour toi d'être assommé ?

JACQUES. – Il est tard, vous avez bien soupé et moi aussi, nous sommes fatigués tous les deux, croyez-moi, couchons-nous.

LE MAÎTRE. – Cela ne se peut, et l'hôtesse nous doit encore 2730 quelque chose. En attendant, reprends l'histoire de tes amours.

JACQUES. – Où en étais-je ? Je vous prie, mon maître, pour cette fois-ci, et pour toutes les autres, de me remettre sur la voie.

LE MAÎTRE. – Je m'en charge, et, pour entrer en ma fonction de souffleur[2], tu étais dans ton lit, sans argent, fort empêché de 2735 ta personne, tandis que la doctoresse et ses enfants mangeaient ta rôtie au sucre.

JACQUES. – Alors on entendit un carrosse s'arrêter à la porte de la maison. Un valet entre et demande : "N'est-ce pas ici que loge un pauvre homme, un soldat qui marche avec une béquille, 2740 qui revint hier au soir du village prochain ?

---

1. Préambules des édits du roi : introductions des actes législatifs du roi.
2. Souffleur : au théâtre, personne dont le métier est de chuchoter les répliques aux acteurs ayant oublié leur texte.

– Oui, répondit la doctoresse; que lui voulez-vous?

– Le prendre dans ce carrosse et l'emmener avec nous.

– Il est dans ce lit, tirez les rideaux et parlez-lui."»

Jacques en était là lorsque l'hôtesse entra et leur dit : «Que voulez-vous pour dessert?

LE MAÎTRE. – Ce que vous avez.»

L'hôtesse, sans se donner la peine de descendre, cria de la chambre : «Nanon, apportez des fruits, des biscuits, des confitures.»

À ce mot de Nanon, Jacques dit à part lui : «Ah! c'est sa fille qu'on a maltraitée, on se mettrait en colère à moins...»

Et le maître dit à l'hôtesse : «Vous étiez bien fâchée tout à l'heure?

L'HÔTESSE. – Et qui est-ce qui ne se fâcherait pas? La pauvre créature ne leur avait rien fait; elle était à peine entrée dans leur chambre, que je l'entends jeter des cris, mais des cris!... Dieu merci, je suis un peu rassurée; le chirurgien prétend que ce ne sera rien; elle a cependant deux énormes contusions, l'une à la tête, l'autre à l'épaule.

LE MAÎTRE. – Y a-t-il longtemps que vous l'avez?

L'HÔTESSE. – Une quinzaine au plus. Elle avait été abandonnée à la poste[1] voisine.

LE MAÎTRE. – Comment, abandonnée!

L'HÔTESSE. – Eh! mon Dieu, oui! C'est qu'il y a des gens qui sont plus durs que des pierres. Elle a pensé être noyée en passant la rivière qui coule ici près; elle est arrivée ici comme par miracle, et je l'ai reçue par charité.

LE MAÎTRE. – Quel âge a-t-elle?

L'HÔTESSE. – Je lui crois plus d'un an et demi...»

À ce mot, Jacques part d'un éclat de rire et s'écrie : «C'est une chienne?

L'HÔTESSE. – La plus belle bête du monde; je ne donnerais pas ma Nicole pour dix louis. Ma pauvre Nicole!

---

1. *Poste* : relais de chevaux pour les voyageurs.

LE MAÎTRE. – Madame a le cœur bon.

L'HÔTESSE. – Vous l'avez dit ; je tiens à mes bêtes et à mes gens.

2775 LE MAÎTRE. – C'est fort bien fait. Et qui sont ceux qui ont si fort maltraité votre Nicole ?

L'HÔTESSE. – Deux bourgeois de la ville prochaine[1]. Ils se parlent sans cesse à l'oreille, ils s'imaginent qu'on ne sait ce qu'ils se disent, et qu'on ignore leur aventure. Il n'y a pas plus de trois 2780 heures qu'ils sont ici, et il ne me manque pas un mot de toute leur affaire. Elle est plaisante, et si vous n'étiez pas plus pressé de vous coucher que moi, je vous la raconterais tout comme leur domestique l'a dite à ma servante, qui s'est trouvée par hasard être sa payse[2], qui l'a redite à mon mari, qui me l'a redite. La 2785 belle-mère du plus jeune des deux a passé par ici il n'y a pas plus de trois mois ; elle s'en allait assez malgré elle dans un couvent de province où elle n'a pas fait vieux os ; elle y est morte, et voilà pourquoi nos deux jeunes gens sont en deuil... Mais voilà que, sans m'en apercevoir, j'enfile[3] leur histoire. Bonsoir, messieurs, 2790 et bonne nuit. Vous avez trouvé le vin bon ?

LE MAÎTRE. – Très bon.

L'HÔTESSE. – Vous avez été contents de votre souper[4] ?

LE MAÎTRE. – Très contents. Vos épinards étaient un peu salés.

2795 L'HÔTESSE. – J'ai quelquefois la main lourde. Vous serez bien couchés et dans des draps de lessive[5], ils ne servent jamais ici deux fois. »

Cela dit, l'hôtesse se retira, et Jacques et son maître se mirent au lit en riant du quiproquo qui leur avait fait prendre une

---

1. *Deux bourgeois de la ville prochaine* : habitants de la ville la plus proche.

2. *Payse* : compatriote ; être « pays », c'est être né dans la même région ou la même localité.

3. *J'enfile* : je débite.

4. *Souper* : repas du soir.

5. *De lessive* : propres.

2800 chienne pour la fille ou la servante de la maison, et de la passion de l'hôtesse pour une chienne perdue qu'elle possédait depuis quinze jours. Jacques dit à son maître, en attachant le serre-tête[1] à son bonnet de nuit : « Je gagerais bien que de tout ce qui a vie dans l'auberge, cette femme n'aime que sa Nicole. » Son maître

2805 lui répondit : « Cela se peut, Jacques ; mais dormons. »

Tandis que Jacques et son maître reposent, je vais m'acquitter de ma promesse par le récit de l'homme de la prison qui raclait de la basse, ou plutôt de son camarade, le sieur Gousse.

« Ce troisième, me dit-il, est un intendant de grande maison. Il

2810 était devenu amoureux d'une pâtissière de la rue de l'Université. Le pâtissier[2] était un bon homme qui regardait de plus près à son four qu'à la conduite de sa femme. Si ce n'était pas sa jalousie, c'était son assiduité qui gênait nos deux amants. Que firent-ils pour se délivrer de cette contrainte ? L'intendant présenta à son

2815 maître un placet[3] où le pâtissier était traduit comme un homme de mauvaises mœurs, un ivrogne qui ne sortait pas de la taverne, un brutal qui frappait sa femme, la plus honnête et la plus malheureuse des femmes. Sur ce placet il obtint une lettre de cachet, et cette lettre de cachet[4], qui disposait de la liberté du mari, fut

2820 mise entre les mains d'un exempt[5] pour être exécutée sans délai. Il arriva par hasard que cet exempt était l'ami du pâtissier. Ils allaient de temps en temps chez le marchand de vin ; le pâtissier fournissait les petits pâtés, l'exempt payait la bouteille. Celui-ci muni de la lettre de cachet passe devant la porte du pâtissier et lui

---

1. *Serre-tête* : bandeau, ruban.

2. *Pâtissier* : « Celui ou celle qui fait des pâtés et autres pièces de four » (*Dictionnaire de l'Académie*, 1762).

3. *Un placet* : une demande écrite au roi ou à un ministre pour obtenir justice (du latin *placet*, « il plaît, il est jugé bon »).

4. *Lettre de cachet* : écrit (portant le cachet du roi et la signature d'un secrétaire d'État) contenant un ordre d'emprisonnement ou d'exil immédiat, sans jugement.

5. *Exempt* : officier de police.

2825 fait le signe convenu. Les voilà tous les deux occupés à manger et à arroser les petits pâtés, et l'exempt demandant à son camarade comment allait son commerce?

"Fort bien.

– S'il n'avait aucune mauvaise affaire?

2830 – Aucune.

– S'il n'avait point d'ennemis?

– Il ne s'en connaissait pas.

– Comment il vivait avec ses parents, ses voisins, sa femme?

– En amitié et en paix.

2835 – D'où peut donc venir, ajouta l'exempt, l'ordre que j'ai de t'arrêter? Si je faisais mon devoir je te mettrais la main sur le collet, il y aurait là un carrosse tout prêt et je te conduirais au lieu prescrit par cette lettre de cachet. Tiens, lis."

Le pâtissier lut et pâlit. L'exempt lui dit : "Rassure-toi, avisons 2840 seulement ensemble à ce que nous avons de mieux à faire pour ma sûreté et pour la tienne. Qui est-ce qui fréquente[1] chez toi?

– Personne.

– Ta femme est coquette et jolie.

– Je la laisse faire à sa tête.

2845 – Personne ne la couche-t-il en joue[2]?

– Ma foi non, si ce n'est un certain intendant qui vient quelquefois lui serrer les mains et lui débiter des sornettes, mais c'est dans ma boutique, devant moi, en présence de mes garçons, et je crois qu'il ne se passe rien entre eux qui ne soit en tout bien et 2850 en tout honneur.

– Tu es un bon homme[3].

– Cela se peut, mais le mieux de tout point est de croire sa femme honnête, et c'est ce que je fais.

---

1. Fréquente : vient fréquemment.

2. Personne ne la couche-t-il en joue? : personne n'a-t-il des visées sur elle?

3. Un bon homme : un homme d'une « simplicité excessive et crédule » (*Dictionnaire Littré*, 1860-1876).

– Et cet intendant à qui est-il ?

2855 – À M. de Saint-Florentin [1].

– Et de quels bureaux crois-tu que vienne la lettre de cachet ?

– Des bureaux de M. de Saint-Florentin, peut-être ?

– Tu l'as dit.

– Oh ! manger ma pâtisserie, baiser [2] ma femme et me faire
2860 enfermer, cela est trop noir et je ne saurais le croire.

– Tu es un bon homme ! depuis quelques jours comment trouves-tu ta femme ?

– Plutôt triste que gaie.

– Et l'intendant, y a-t-il longtemps que tu ne l'as vu ?

2865 – Hier, je crois, oui, c'était hier.

– N'as-tu rien remarqué ?

– Je suis fort peu remarquant, mais il m'a semblé qu'en se
séparant ils se faisaient quelques signes de la tête, comme quand
l'un dit oui et que l'autre dit non.

2870 – Quelle était la tête qui disait oui ?

– Celle de l'intendant.

– Ils sont innocents ou ils sont complices. Écoute, mon ami,
ne rentre pas chez toi, sauve-toi en quelque lieu de sûreté, au
Temple [3], dans l'Abbaye [4], où tu voudras, et cependant laisse-moi
2875 faire. Surtout souviens-toi bien...

– De ne pas me montrer et de me taire.

– C'est cela."

Au même moment la maison du pâtissier est entourée d'espions. Des mouchards sous toutes sortes de vêtements s'adressent

---

1. *Phélypéaux de Saint-Florentin* (1705-1777) : ministre d'État de 1761
à 1775. Il fit embastiller l'éditeur Le Breton en 1766 pour avoir distribué à
Versailles les dix derniers volumes de l'*Encyclopédie*.
2. *Baiser* : donner des baisers à.
3. *Temple* : ancienne résidence des Templiers à Paris ; son enceinte était alors un
lieu de franchise (un refuge) pour les délinquants et les débiteurs insolvables.
4. L'abbaye de Saint-Germain-des-Prés, qui dépendait directement du pape,
permettait, comme le Temple, de bénéficier d'un droit d'asile.

2880 à la pâtissière, et lui demandent son mari ; elle répond à l'un qu'il est malade, à un autre qu'il est parti pour une fête, à un troisième pour une noce. Quand il reviendra ? Elle n'en sait rien.

Le troisième jour, sur les deux heures du matin, on vient avertir l'exempt qu'on avait vu un homme, le nez enveloppé 2885 dans un manteau, ouvrir doucement la porte de la rue et se glisser doucement dans la maison du pâtissier. Aussitôt l'exempt, accompagné d'un commissaire, d'un serrurier, d'un fiacre et de quelques archers [1], se transporte sur les lieux. La porte est crochetée, l'exempt et le commissaire montent à petit bruit. On frappe 2890 à la chambre de la pâtissière, point de réponse ; on frappe encore, point de réponse ; à la troisième fois on demande du dedans : "Qui est-ce ?

– Ouvrez.

– Qui est-ce ?

2895 – Ouvrez, c'est de la part du roi.

– Bon, disait l'intendant à la pâtissière avec laquelle il était couché, il n'y a point de danger, c'est l'exempt qui vient pour exécuter son ordre. Ouvrez, je me nommerai, il se retirera et tout sera fini."

2900 La pâtissière, en chemise, ouvre et se remet dans son lit.

L'EXEMPT. – Où est votre mari ?

LA PÂTISSIÈRE. – Il n'y est pas.

L'EXEMPT, *écartant le rideau*. – Qui est-ce qui est donc là ?

L'INTENDANT. – C'est moi ; je suis l'intendant de M. de Saint-2905 Florentin.

L'EXEMPT. – Vous mentez, vous êtes le pâtissier, car le pâtissier est celui qui couche avec la pâtissière. Levez-vous, habillez-vous et suivez-moi.

Il fallut obéir, on le conduisit ici. Le ministre, instruit de la scé-2910 lératesse de son intendant, a approuvé la conduite de l'exempt, qui doit venir ce soir à la chute du jour le prendre dans cette

---

1. **Archers** : agents de police, sous l'Ancien Régime.

prison pour le transférer à Bicêtre, où, grâce à l'économie des administrateurs, il mangera son quarteron[1] de mauvais pain, son once[2] de vache, et raclera de sa basse du matin au soir...» Si j'allais aussi mettre ma tête sur un oreiller, en attendant le réveil de Jacques et de son maître, qu'en pensez-vous?

Le lendemain Jacques se leva de grand matin, mit la tête à la fenêtre pour voir quel temps il faisait, vit qu'il faisait un temps détestable, se recoucha et nous laissa dormir son maître et moi tant qu'il nous plut.

Jacques, son maître et les autres voyageurs qui s'étaient arrêtés au même gîte crurent que le ciel s'éclaircirait sur le midi; il n'en fut rien, et la pluie de l'orage ayant gonflé le ruisseau qui séparait le faubourg de la ville au point qu'il eût été dangereux de le passer, tous ceux dont la route conduisait de ce côté prirent le parti de perdre une journée et d'attendre. Les uns se mirent à causer; d'autres à aller et venir, à mettre le nez à la porte, à regarder le ciel et à rentrer en jurant[3] et frappant du pied; plusieurs à politiquer[4] et à boire; beaucoup à jouer, le reste à fumer, à dormir et à ne rien faire. Le maître dit à Jacques: «J'espère que Jacques va reprendre le récit de ses amours, et que le ciel, qui veut que j'aie la satisfaction d'en entendre la fin, nous retient ici par le mauvais temps.

JACQUES. – Le ciel qui veut! On ne sait jamais ce que le ciel veut ou ne veut pas, et il n'en sait peut-être rien lui-même. Mon pauvre capitaine, qui n'est plus, me l'a répété cent fois, et plus j'ai vécu, plus j'ai reconnu qu'il avait raison. À vous, mon maître.

LE MAÎTRE. – J'entends. Tu en étais au carrosse et au valet, à qui la doctoresse a dit d'ouvrir ton rideau et de te parler.

---

1. *Son quarteron* : ses cent vingt grammes (par jour) de mauvais pain. Le quarteron représentait un quart de livre; à Paris celle-ci faisait environ quatre cent quatre-vingt-dix grammes.
2. *Son once* : ses trente grammes (par jour) de viande. L'once représentait 1/16 de la livre de Paris.
3. *Jurant* : pestant.
4. *Politiquer* : parler de la politique.

JACQUES. – Ce valet s'approche de mon lit, et me dit : "Allons,
2940 camarade, debout, habillez-vous et partons." Je lui répondis
d'entre les draps et la couverture dont j'avais la tête enveloppée,
sans le voir, sans en être vu : "Camarade, laissez-moi dormir et
partez." Le valet me réplique qu'il a des ordres de son maître et
qu'il faut qu'il les exécute.

2945 "Et votre maître qui ordonne d'un homme[1] qu'il ne connaît
pas, a-t-il ordonné de payer ce que je dois ici ?

– C'est une affaire faite. Dépêchez-vous, tout le monde vous
attend au château où je vous réponds que vous serez mieux qu'ici
si la suite répond à la curiosité qu'on a de vous."

2950 Je me laisse persuader ; je me lève, je m'habille, on me prend
sous les bras. J'avais fait mes adieux à la doctoresse et j'allais
monter en carrosse, lorsque cette femme s'approchant de moi,
me tire par la manche, et me prie de passer dans un coin de la
chambre, qu'elle avait un mot à me dire. "Là, notre ami, ajouta-
2955 t-elle, vous n'avez point, je crois, à vous plaindre de nous ; le
docteur vous a sauvé une jambe, moi, je vous ai bien soigné, et
j'espère qu'au château vous ne nous oublierez pas.

– Qu'y pourrais-je pour vous ?

– Demander que ce fût mon mari qui vînt pour vous y pan-
2960 ser ; il y a un monde là ! C'est la meilleure pratique du canton ; le
seigneur est un homme généreux, on est grassement payé, il ne
tiendrait qu'à vous de faire notre fortune. Mon mari a bien tenté
à plusieurs reprises de s'y fourrer[2], mais inutilement.

– Mais, madame la doctoresse, n'y a-t-il pas un chirurgien au
2965 château ?

– Assurément.

– Et si cet autre était votre mari, seriez-vous bien aise qu'on le
desservît[3] et qu'il fût expulsé ?

---

1. *Qui ordonne d'un homme* : qui dispose d'un homme.
2. *Fourrer* : introduire.
3. *Qu'on le desservît* : qu'on lui nuisît.

– Ce chirurgien est un homme à qui vous ne devez rien, et je
2970 crois que vous devez quelque chose à mon mari ; si vous allez à
deux pieds comme ci-devant, c'est son ouvrage.

– Et parce que votre mari m'a fait du bien, il faut que je fasse
du mal à un autre ! Encore si la place était vacante…"»

Jacques allait continuer, lorsque l'hôtesse entra tenant entre
2975 ses bras Nicole emmaillotée, la baisant, la plaignant, la caressant,
lui parlant comme à son enfant. «Ma pauvre Nicole, elle n'a eu
qu'un cri de toute la nuit. Et vous, messieurs, avez-vous bien
dormi ?

LE MAÎTRE. – Très bien.

2980 L'HÔTESSE. – Le temps est pris de tout côté.

JACQUES. – Nous en sommes assez fâchés.

L'HÔTESSE. – Ces messieurs vont-ils loin ?

JACQUES. – Nous n'en savons rien.

L'HÔTESSE. – Ces messieurs suivent quelqu'un.

2985 JACQUES. – Nous ne suivons personne.

L'HÔTESSE. – Ils vont ou ils s'arrêtent, selon les affaires qu'ils
ont sur la route.

JACQUES. – Nous n'en avons aucune.

L'HÔTESSE. – Ces messieurs voyagent pour leur plaisir.

2990 JACQUES. – Ou pour leur peine.

L'HÔTESSE. – Je souhaite que ce soit le premier.

JACQUES. – Votre souhait n'y fera pas un zeste [1], ce sera selon
qu'il est écrit là-haut.

L'HÔTESSE. – Oh ! c'est un mariage ?

2995 JACQUES. – Peut-être qu'oui, peut-être que non.

L'HÔTESSE. – Messieurs, prenez-y garde. Cet homme qui est
là-bas, et qui a si rudement traité ma pauvre Nicole, en a fait un
bien saugrenu [2]. Viens, ma pauvre bête, viens que je te baise [3] ; je

---

1. *N'y fera pas un zeste* : n'y changera rien.
2. *Saugrenu* : bizarre (et ridicule).
3. *Que je te baise* : que je t'embrasse.

te promets que cela n'arrivera plus. Voyez comme elle tremble de
3000 tous ses membres!

LE MAÎTRE. – Et qu'a donc de si singulier le mariage de cet
homme?»

À cette question du maître de Jacques l'hôtesse dit : «J'entends
du bruit là-bas, je vais donner mes ordres, et je reviens vous
3005 conter tout cela...» Son mari las de crier : «Ma femme? ma
femme?» monte et avec lui son compère qu'il ne voyait pas.
L'hôte dit à sa femme : «Eh! que diable faites-vous là?...» Puis
se retournant et apercevant son compère : «M'apportez-vous
de l'argent?

3010 LE COMPÈRE. – Non, compère, vous savez bien que je n'en ai
point.

L'HÔTE. – Tu n'en as point? Je saurai bien en faire avec ta
charrue, tes chevaux, tes bœufs et ton lit. Comment, gredin[1]!...

LE COMPÈRE. – Je ne suis point un gredin.

3015 L'HÔTE. – Et qu'es-tu donc? Tu es dans la misère, tu ne sais
où prendre de quoi ensemencer tes champs; ton propriétaire,
las de te faire des avances, ne te veut plus rien donner. Tu viens
à moi, cette femme intercède, cette maudite bavarde, qui est la
cause de toutes les sottises de ma vie, me résout à te prêter, je te
3020 prête, tu promets de me rendre, tu me manques dix fois. Oh! je
te promets, moi, que je ne te manquerai pas. Sors d'ici.»

Jacques et son maître se préparaient à plaider pour ce pauvre
diable, mais l'hôtesse en posant le doigt sur sa bouche leur fit
signe de se taire.

3025 L'HÔTE. – Sors d'ici.

LE COMPÈRE. –Tout ce que vous dites est vrai, il l'est aussi que
les huissiers sont chez moi et que dans un moment nous serons
réduits à la besace[2], ma fille, mon garçon et moi.

---

1. *Gredin* : «Se dit figurément d'une personne qui n'a ni bien, ni naissance,
ni bonnes qualités» (*Dictionnaire de l'Académie*, 1762).
2. *Réduits à la besace* : ruinés.

L'HÔTE. – C'est le sort que tu mérites. Qu'es-tu venu faire ici
3030 ce matin ? Je quitte le remplissage de mon vin, je remonte de ma
cave et je ne te trouve point. Sors d'ici, te dis-je.

LE COMPÈRE. – Compère, j'étais venu, j'ai craint la réception
que vous me faites ; je m'en suis retourné et je m'en vais.

L'HÔTE. – Tu feras bien.

3035 LE COMPÈRE. – Voilà donc ma pauvre Marguerite, qui est si
sage et si jolie, qui s'en ira en condition [1] à Paris.

L'HÔTE. – En condition ! à Paris ! Tu en veux donc faire une
malheureuse [2] ?

LE COMPÈRE. – Ce n'est pas moi qui le veux, c'est l'homme
3040 dur à qui je parle.

L'HÔTE. – Moi, un homme dur ? Je ne le suis point, je ne le fus
jamais et tu le sais bien.

LE COMPÈRE. – Je ne suis plus en état de nourrir ma fille ni
mon garçon ; ma fille servira, mon garçon s'engagera [3].

3045 L'HÔTE. – Et c'est moi qui en serais la cause ! Cela ne sera pas.
Tu es un cruel homme, tant que je vivrai tu seras mon supplice.
Çà, voyons ce qu'il te faut.

LE COMPÈRE. – Il ne me faut rien. Je suis désolé de vous devoir
et je ne vous devrai de ma vie. Vous faites plus de mal par vos
3050 injures que de bien par vos services. Si j'avais de l'argent, je vous
le jetterais au visage, mais je n'en ai point. Ma fille deviendra tout
ce qu'il plaira à Dieu, mon garçon se fera tuer s'il le faut, moi, je
mendierai, mais ce ne sera pas à votre porte. Plus, plus d'obligations à un vilain homme comme vous. Empochez bien l'argent
3055 de mes bœufs, de mes chevaux et de mes ustensiles, grand bien
vous fasse. Vous êtes né pour faire des ingrats et je ne veux pas
l'être. Adieu.

L'HÔTE. – Ma femme, il s'en va, arrête-le donc.

---

1. *En condition* : comme servante.
2. *Une malheureuse* : ici, une prostituée.
3. *S'engagera* : s'engagera dans l'armée.

L'Hôtesse. – Allons, compère, avisons aux moyens de vous
3060 secourir.

Le Compère. – Je ne veux point de ses secours, ils sont trop
chers.»

L'hôte répétait tout bas à sa femme : «Ne le laisse pas aller,
arrête-le donc. Sa fille à Paris ! son garçon à l'armée ! lui à la porte
3065 de la paroisse ! je ne saurais souffrir cela.»

Cependant sa femme faisait des efforts inutiles ; le paysan
qui avait de l'âme [1], ne voulait rien accepter et se faisait tenir à
quatre [2]. L'hôte, les larmes aux yeux, s'adressait à Jacques et à son
maître, et leur disait : «Messieurs, tâchez de le fléchir.» Jacques et
3070 son maître se mêlèrent de la partie, tous à la fois conjuraient [3] le
paysan. Si j'ai jamais vu… – Si vous avez jamais vu ! Mais vous
n'y étiez pas. Dites, si l'on a jamais vu ! – Eh bien, soit. Si l'on a
jamais vu un homme confondu d'un refus [4], transporté [5] qu'on
voulût bien accepter son argent, c'était cet hôte ; il embrassait sa
3075 femme, il embrassait Jacques et son maître, il criait : «Qu'on aille
bien vite chasser de chez lui ces exécrables huissiers.

Le Compère. – Convenez aussi…

L'Hôte. – Je conviens que je gâte tout, mais, compère, que
veux-tu, comme je suis, me voilà. Nature m'a fait l'homme le plus
3080 dur et le plus tendre, je ne sais ni accorder, ni refuser.

Le Compère. – Ne pourriez-vous pas être autrement ?

L'Hôte. – Je suis à l'âge où l'on ne se corrige guère ; mais si les
premiers qui se sont adressés à moi m'avaient rabroué [6] comme tu
as fait, peut-être en serais-je devenu meilleur. Compère, je te remercie

---

1. *De l'âme* : de la fierté.

2. *Se faisait tenir à quatre* : «On dit qu'un homme se fait *tenir à quatre*, quand
il veut absolument quelque chose, qu'on tâche d'empêcher» (*Dictionnaire de
Trévoux*, 1771).

3. *Conjuraient* : suppliaient.

4. *Confondu d'un refus* : consterné par un refus.

5. *Transporté* : hors de lui-même.

6. *Rabroué* : traité rudement.

3085 de ta leçon, peut-être en profiterai-je… Ma femme, va vite, descends
et donne-lui ce qu'il lui faut. Que diable, marche donc, mordieu !
marche donc, tu vas !… Ma femme, je te prie de te presser un peu
et de ne le pas faire attendre, tu reviendras ensuite retrouver ces
messieurs avec lesquels il me semble que tu te trouves bien… »

3090 La femme et le compère descendirent, l'hôte resta encore un
moment, et lorsqu'il s'en fut allé Jacques dit à son maître : «Voilà
un singulier homme ! Le ciel qui avait envoyé ce mauvais temps
qui nous retient ici, parce qu'il voulait que vous entendissiez mes
amours, que veut-il à présent ? »

3095 Le maître en s'étendant dans son fauteuil, bâillant, frappant
sur sa tabatière, répondit : «Jacques, nous avons plus d'un jour à
vivre ensemble, à moins que…

JACQUES. – C'est-à-dire que pour aujourd'hui le ciel veut que
je me taise ou que ce soit l'hôtesse qui parle ; c'est une bavarde
3100 qui ne demande pas mieux, qu'elle parle donc.

LE MAÎTRE. – Tu prends de l'humeur [1].

JACQUES. – C'est que j'aime à parler aussi.

LE MAÎTRE. – Ton tour viendra.

JACQUES. – Ou ne viendra pas. »

3105 Je vous entends, lecteur ; voilà, dites-vous, le vrai dénouement
du *Bourru bienfaisant* [2]. Je le pense. J'aurais introduit dans cette
pièce, si j'en avais été l'auteur, un personnage qu'on aurait pris
pour épisodique, et qui ne l'aurait point été. Ce personnage se
serait montré quelquefois, et sa présence aurait été motivée. La
3110 première fois il serait venu demander grâce ; mais la crainte d'un
mauvais accueil l'aurait fait sortir avant l'arrivée de Géronte.
Pressé par l'irruption des huissiers dans sa maison, il aurait

---

1. *Tu prends de l'humeur* : tu es en train de t'énerver.
2. *Le Bourru bienfaisant* : présentée en 1771 à la Comédie-Française, cette
pièce du grand dramaturge exilé en France Carlo Goldoni (1707-1793) est
une synthèse de toute sa production (cent quinze comédies, dix-huit tragi-
comédies), qui se caractérise en particulier par l'invention d'un comique
pathétique.

eu la seconde fois le courage d'attendre Géronte, mais celui-ci aurait refusé de le voir. Enfin, je l'aurais amené au dénouement
3115 où il aurait fait exactement le rôle du paysan avec l'aubergiste; il aurait eu comme le paysan une fille qu'il allait placer chez une marchande de modes[1], un fils qu'il allait retirer des écoles pour entrer en condition, lui, il se serait déterminé à mendier jusqu'à ce qu'il se fût ennuyé de vivre. On aurait vu le Bourru bienfaisant
3120 aux pieds de cet homme, on aurait entendu le Bourru bienfaisant gourmandé[2] comme il le méritait, il aurait été forcé de s'adresser à toute la famille qui l'aurait environné, pour fléchir son débiteur et le contraindre à accepter de nouveaux secours. Le Bourru bienfaisant aurait été puni, il aurait promis de se corriger, mais dans le
3125 moment même il serait revenu à son caractère en s'impatientant contre les personnages en scène qui se seraient fait des politesses pour rentrer dans la maison, il aurait dit brusquement : *Que le diable emporte les cérém...* mais il se serait arrêté court au milieu du mot, et d'un ton radouci il aurait dit à ses nièces : «Allons,
3130 mes nièces, donnez-moi la main et passons.» – Et pour que ce personnage eût été lié au fond, vous en auriez fait un protégé du neveu de Géronte? – Fort bien. – Et ç'aurait été à la prière du neveu que l'oncle aurait prêté son argent? – À merveille! – Et ce prêt aurait été un grief[3] de l'oncle contre son neveu? – C'est cela
3135 même. – Et le dénouement de cette pièce agréable n'aurait pas été une répétition générale avec toute la famille en corps de ce qu'il a fait auparavant avec chacun d'eux en particulier? – Vous avez raison. – Et si je rencontre jamais M. Goldoni, je lui réciterai la scène de l'auberge. – Et vous ferez bien, il est plus habile homme
3140 qu'il ne faut pour en tirer bon parti.

L'hôtesse remonta, toujours Nicole entre ses bras, et dit : «J'espère que vous aurez un bon dîner; le braconnier vient d'ar-

---

1. *Marchande de modes* : marchande d'accessoires à la mode (servant à orner les vêtements).
2. *Gourmandé* : grondé.
3. *Grief* : sujet de plainte.

river ; le garde du seigneur ne tardera pas…» Et, tout en parlant ainsi, elle prenait une chaise. La voilà assise, et son récit qui commence.

3145

L'HÔTESSE. – Il faut se méfier des valets, les maîtres n'ont point de pires ennemis.

JACQUES. – Madame, vous ne savez ce que vous dites, il y en a de bons, il y en a de mauvais, et l'on compterait peut-être plus de bons valets que de bons maîtres.

3150

LE MAÎTRE. – Jacques, vous ne vous écoutez pas, et vous commettez précisément la même indiscrétion qui vous a choqué.

JACQUES. – C'est que les maîtres…

LE MAÎTRE. – C'est que les valets…

3155

Eh bien, lecteur, à quoi tient-il que je n'élève une violente querelle entre ces trois personnages ? que l'hôtesse ne soit prise par les épaules, et jetée hors de la chambre par Jacques ; que Jacques ne soit pris par les épaules et chassé par son maître ; que l'un ne s'en aille d'un côté, l'autre d'un autre ; et que vous n'entendiez ni l'histoire de l'hôtesse, ni la suite des amours de Jacques ? Rassurez-vous, je n'en ferai rien. L'hôtesse reprit donc :

3160

«Il faut convenir que s'il y a de bien méchants hommes, il y a de bien méchantes femmes.

3165

JACQUES. – Et qu'il ne faut pas aller loin pour les trouver.

L'HÔTESSE. – De quoi vous mêlez-vous ? Je suis femme, il me convient de dire des femmes tout ce qu'il me plaira, je n'ai que faire de votre approbation.

JACQUES. – Mon approbation en vaut bien une autre.

3170

L'HÔTESSE. – Vous avez là, monsieur, un valet qui fait l'entendu et qui vous manque[1]. J'ai des valets aussi, mais je voudrais bien qu'ils s'avisassent !…

LE MAÎTRE. – Jacques, taisez-vous et laissez parler madame.»

---

1. *Qui fait l'entendu et qui vous manque* : qui fait le malin et qui vous manque de respect.

L'hôtesse, encouragée par ce propos du maître de Jacques, se lève, entreprend[1] Jacques, porte ses deux poings sur ses deux côtés, oublie qu'elle tient Nicole, la lâche et voilà Nicole sur le carreau, froissée[2] et se débattant dans son maillot[3], aboyant à tue-tête, l'hôtesse mêlant ses cris aux aboiements de Nicole, Jacques mêlant ses éclats de rire aux aboiements de Nicole et aux cris de l'hôtesse, et le maître de Jacques ouvrant sa tabatière, reniflant sa prise de tabac et ne pouvant s'empêcher de sourire. Voilà toute l'hôtellerie en tumulte. «Nanon? Nanon? vite, vite, apportez la bouteille à l'eau-de-vie... Ma pauvre Nicole est morte... Démaillotez-la... Que vous êtes gauche!

– Je fais de mon mieux.

– Comme elle crie! Ôtez-vous de là, laissez-moi faire... Elle est morte!... Ris bien, grand nigaud, il y a, en effet, de quoi rire... Ma pauvre Nicole est morte!

– Non, madame, non, je crois qu'elle en reviendra, la voilà qui remue...»

Et Nanon, de frotter d'eau-de-vie le nez de la chienne et de lui en faire avaler; et l'hôtesse de se lamenter, de se déchaîner contre les valets impertinents; et Nanon, de dire: «Tenez, madame, elle ouvre les yeux, la voilà qui vous regarde.

– La pauvre bête! comme cela parle! qui n'en serait touché?

– Madame, caressez-la donc un peu, répondez-lui donc quelque chose.

– Viens, ma pauvre Nicole, crie, mon enfant, crie, si cela peut te soulager. Il y a un sort pour les bêtes comme pour les gens; il envoie le bonheur à des fainéants, hargneux, braillards et gourmands, le malheur à une autre qui sera la meilleure créature du monde.

– Madame a bien raison, il n'y a point de justice ici-bas.

---

1. *Entreprend* : provoque.
2. *Froissée* : contusionnée, meurtrie, blessée.
3. *Maillot* : à l'époque, pièce de tissu serrant étroitement le corps d'un nourrisson.

– Taisez-vous, remmaillotez-la, portez-la sous mon oreiller, et
3205 songez qu'au moindre cri qu'elle fera je m'en prends à vous.
Viens, pauvre bête, que je t'embrasse encore une fois avant qu'on
t'emporte ; approchez-la donc, sotte que vous êtes. Ces chiens,
cela est si bon, cela vaut mieux...

JACQUES. – Que père, mère, frères, sœurs, enfants, valets,
3210 époux...

L'HÔTESSE. – Mais oui, ne pensez pas rire, cela est innocent,
cela vous est fidèle, cela ne vous fait jamais de mal, au lieu que
le reste...

JACQUES. – Vive les chiens ! il n'y a rien de plus parfait sous
3215 le ciel.

L'HÔTESSE. – S'il y a quelque chose de plus parfait, du moins
ce n'est pas l'homme. Je voudrais bien que vous connussiez celui
du meunier, c'est l'amoureux de ma Nicole ; il n'y en a pas un
parmi vous, tous tant que vous êtes, qu'il ne fît rougir de honte.
3220 Il vient, dès la pointe du jour, de plus d'une lieue, il se plante
devant cette fenêtre, ce sont des soupirs, et des soupirs à faire
pitié. Quelque temps qu'il fasse, il reste, la pluie lui tombe sur le
corps, son corps s'enfonce dans le sable, à peine lui voit-on les
oreilles et le bout du nez[1]. En feriez-vous autant pour la femme
3225 que vous aimeriez le plus ?

LE MAÎTRE. – Cela est très galant.

JACQUES. – Mais aussi où est la femme aussi digne de ces soins
que votre Nicole ?...»

La passion de l'hôtesse pour les bêtes n'était pourtant pas sa
3230 passion dominante comme on pourrait l'imaginer, c'était celle
de parler. Plus on avait de plaisir et de patience à l'écouter, plus
on avait de mérite ; aussi ne se fit-elle pas prier pour reprendre
l'histoire interrompue du mariage singulier, elle y mit seulement
pour condition que Jacques se tairait. Le maître promit du silence

---

1. Cette historiette du chien fou d'amour figure dans une lettre écrite par
Diderot à Sophie Volland, datée du 8 novembre 1760.

■ « Il y a un sort pour les bêtes comme pour les gens » (p. 155).

3235 pour Jacques. Jacques s'étala nonchalamment[1] dans un coin, les yeux fermés, son bonnet renfoncé sur ses oreilles et le dos à demi tourné à l'hôtesse. Le maître toussa, cracha, se moucha, tira sa montre, vit l'heure qu'il était, tira sa tabatière, frappa sur le couvercle, prit sa prise de tabac ; et l'hôtesse se mit en devoir de
3240 goûter le plaisir délicieux de pérorer[2].

L'hôtesse allait débuter, lorsqu'elle entendit sa chienne crier.

– Nanon ? voyez donc à cette pauvre bête... Cela me trouble, je ne sais plus où j'en étais.

JACQUES. – Vous n'avez encore rien dit.

3245 L'HÔTESSE. – Ces deux hommes avec lesquels j'étais en querelle pour ma pauvre Nicole lorsque vous êtes arrivé, monsieur...

JACQUES. – Dites messieurs.

L'HÔTESSE. – Et pourquoi ?

JACQUES. – C'est qu'on nous a traités jusqu'à présent avec
3250 cette politesse, et que j'y suis fait. Mon maître m'appelle Jacques, les autres, monsieur Jacques.

L'HÔTESSE. – Je ne vous appelle ni Jacques, ni monsieur Jacques, je ne vous parle pas... [*(Madame ? – Qu'est-ce ? – La carte*[3] *du numéro cinq. – Voyez sur le coin de la cheminée.)* [4]]

3255 Ces deux hommes sont bons gentilshommes ; ils viennent de Paris et s'en vont à la terre du plus âgé.

JACQUES. – Qui sait cela ?

L'HÔTESSE. – Eux, qui le disent.

JACQUES. – Belle raison !

3260 Le maître fit un signe à l'hôtesse, sur lequel elle comprit que Jacques avait la cervelle brouillée. L'hôtesse répondit au signe du maître par un mouvement compatissant des épaules et ajouta : « À son âge ! Cela est très fâcheux.

JACQUES. – Très fâcheux de ne savoir jamais où l'on va.

---

1. *Nonchalamment* : paresseusement, négligeamment.
2. *Pérorer* : discourir (devant un public).
3. *La carte* : l'addition.
4. Fin de la livraison n° 5 de la *Correspondance littéraire* d'avril 1779.

■ «Jacques mêlant ses éclats de rire aux aboiements de Nicole» (p. 155).

3265   L'HÔTESSE. – Le plus âgé des deux s'appelle le marquis des Arcis. C'était un homme de plaisir, très aimable, croyant peu à la vertu des femmes...

JACQUES. – Il avait raison.

L'HÔTESSE. – Monsieur Jacques, vous m'interrompez.

3270   JACQUES. – Madame l'hôtesse du Grand-Cerf, je ne vous parle pas.

L'HÔTESSE. – M. le marquis en trouva pourtant une assez bizarre pour lui tenir rigueur[1]. Elle s'appelait Mme de La Pommeraye. C'était une veuve qui avait des mœurs, de la naissance, de la
3275   fortune et de la hauteur. M. des Arcis rompit avec toutes ses connaissances, s'attacha uniquement à Mme de La Pommeraye, lui fit sa cour avec la plus grande assiduité, tâcha par tous les sacrifices imaginables de lui prouver qu'il l'aimait, lui proposa même de l'épouser ; mais cette femme avait été si malheureuse
3280   avec un premier mari, [qu'elle... *(Madame ? – Qu'est-ce ? – La clef du coffre à l'avoine. – Voyez au clou, et si elle n'y est pas, voyez au coffre)*] qu'elle aurait mieux aimé s'exposer à toutes sortes de malheurs qu'au danger d'un second mariage.

JACQUES. – Ah ! si cela avait été écrit là-haut !

3285   L'HÔTESSE. – Cette femme vivait très retirée. Le marquis était un ancien ami de son mari, elle l'avait reçu et elle continuait de le recevoir. Si on lui pardonnait son goût effréné pour la galanterie, c'était ce qu'on appelle un homme d'honneur. La poursuite constante[2] du marquis, secondée de ses qualités personnelles, de
3290   sa jeunesse, de sa figure[3], des apparences de la passion la plus vraie, de la solitude, du penchant[4] à la tendresse, en un mot de tout ce qui nous livre à la séduction des hommes... [*(Madame ? – Qu'est-ce ? – C'est le courrier. – Mettez-le à la chambre verte, et*

---

1. *Lui tenir rigueur* : le lui reprocher.
2. *La poursuite constante* : les assiduités amoureuses.
3. *Sa figure* : son (beau) visage.
4. *Penchant* : disposition.

servez-le à l'ordinaire[1])] eut son effet, et Mme de La Pommeraye,
3295 après avoir lutté plusieurs mois contre le marquis, contre elle-
même, exigé selon l'usage les serments les plus solennels, rendit
heureux le marquis qui aurait joui du sort le plus doux, s'il avait
pu conserver pour sa maîtresse les sentiments qu'il avait jurés
et qu'on avait pour lui. Tenez, monsieur, il n'y a que les femmes
3300 qui sachent aimer, les hommes n'y entendent rien... [*(Madame?*
– Qu'est-ce? – Le Frère Quêteur. – Donnez-lui douze sous pour
ces messieurs qui sont ici, six sous pour moi, et qu'il aille dans
les autres chambres.)] Au bout de quelques années, le marquis
commença à trouver la vie de Mme de La Pommeraye trop unie[2].
3305 Il lui proposa de se répandre dans la société[3], elle y consentit; à
recevoir quelques femmes et quelques hommes et elle y consentit;
à avoir un dîner-souper[4], et elle y consentit. Peu à peu il passa
un jour, deux jours sans la voir; peu à peu il manqua au dîner-
souper qu'il avait arrangé; peu à peu il abrégea ses visites; il eut
3310 des affaires qui l'appelaient; lorsqu'il arrivait, il disait un mot,
s'étalait dans un fauteuil, prenait une brochure[5], la jetait, parlait à
son chien ou s'endormait. Le soir, sa santé qui devenait misérable
voulait qu'il se retirât de bonne heure, c'était l'avis de Tronchin[6].
"C'est un grand homme que Tronchin! Ma foi, je ne doute pas qu'il
3315 ne tire d'affaires notre amie dont les autres désespéraient." Et tout
en parlant ainsi, il prenait sa canne et son chapeau et s'en allait,
oubliant quelquefois de l'embrasser. Mme de La Pommeraye...
[*(Madame? – Qu'est-ce? – Le tonnelier. – Qu'il descende à la cave,*

---

1. *À l'ordinaire* : comme d'habitude.
2. Ce conte présente des ressemblances avec celui de *Mme de La Carlière* (que
Diderot rédigea en 1772), veuve ayant cru aux promesses de fidélité de son
amant et se vengeant ensuite durement de son inconstance.
3. *Se répandre dans la société* : s'impliquer dans la vie mondaine.
4. *Dîner-souper* : repas de midi pris tard et qui donc tient lieu en même
temps de repas du soir.
5. *Brochure* : petit ouvrage broché (et non relié comme l'est un livre).
6. *Théodore Tronchin* (1709-1781) : médecin suisse réputé, collaborateur
de l'*Encyclopédie*, ami de Diderot (qui l'admirait).

et qu'il visite les deux pièces [1] *du coin.*) Mme de La Pommeraye]
3320 pressentit qu'elle n'était plus aimée ; il fallait s'en assurer, et voici
comment elle s'y prit… [*(Madame ? – J'y vais, j'y vais.)* »

L'hôtesse, fatiguée de ces interruptions, descendit et prit apparemment les moyens de les faire cesser.

L'HÔTESSE. –] Un jour, après dîner, elle dit au marquis : « Mon
3325 ami, vous rêvez ?

– Vous rêvez aussi, marquise.

– Il est vrai, et même assez tristement.

– Qu'avez-vous ?

– Rien.

3330 – Cela n'est pas vrai. Allons, marquise, dit-il en bâillant, racontez-moi cela, cela vous désennuiera et moi.

– Est-ce que vous vous ennuyez ?

– Non ; c'est qu'il y a des jours…

– Où l'on s'ennuie.

3335 – Vous vous trompez, mon amie ; je vous jure que vous vous
trompez ; c'est qu'en effet il y a des jours !… On ne sait à quoi
cela tient.

– Mon ami, il y a longtemps que je suis tentée de vous faire
une confidence, mais je crains de vous affliger.

3340 – Vous pourriez m'affliger, vous ?

– Peut-être, mais le Ciel m'est témoin de mon innocence…
[*(Madame ? Madame ? Madame ? – Pour qui et pour quoi que ce
soit je vous ai défendu de m'appeler, appelez mon mari. – Il est
absent.)* – Messieurs, je vous demande pardon, je suis à vous dans
3345 un moment. »

Voilà l'hôtesse descendue, remontée et reprenant son récit.

L'HÔTESSE. – « Mais] cela s'est fait sans mon consentement, à
mon insu, par une malédiction à laquelle toute l'espèce humaine
est apparemment assujettie, puisque moi, moi-même, je n'y ai
3350 pas échappé.

---

1. *Pièces* : fûts, tonneaux.

– Ah! c'est de vous?... J'avais peur... De quoi s'agit-il?

– Marquis, il s'agit... je suis désolée; je vais vous désoler, et, tout bien considéré, je crois qu'il vaut mieux que je me taise.

– Non, mon amie, parlez; auriez-vous au fond de votre cœur un secret pour moi? La première de nos conventions ne fut-elle pas que nos âmes s'ouvriraient l'une à l'autre sans réserve?

– Il est vrai et voilà ce qui me pèse; c'est un reproche qui met le comble à un beaucoup plus important que je me fais[1]. Est-ce que vous ne vous apercevez pas que je n'ai plus la même gaieté? J'ai perdu l'appétit, je ne bois et je ne mange que par raison; je ne saurais dormir. Nos sociétés[2] les plus intimes me déplaisent. La nuit, je m'interroge et je me dis : Est-ce qu'il est moins aimable? Non. Est-ce que vous avez à vous en plaindre? Non. Auriez-vous à lui reprocher quelques liaisons suspectes? Non. Est-ce que sa tendresse pour vous est diminuée? Non. Pourquoi, votre ami étant le même, votre cœur est-il donc changé? car il l'est, vous ne pouvez vous le cacher. Vous ne l'attendez plus avec la même impatience, vous n'avez plus le même plaisir à le voir, cette inquiétude quand il tardait à revenir, cette douce émotion au bruit de sa voiture, quand on l'annonçait, quand il paraissait, vous ne l'éprouvez plus.

– Comment, madame!...»

Alors la marquise de La Pommeraye se couvrit les yeux, pencha la tête et se tut un moment, après lequel elle ajouta : «Marquis, je me suis attendue à tout votre étonnement, à toutes les choses amères que vous m'allez dire. Marquis! épargnez-moi... Non, ne m'épargnez pas, dites-les-moi, je les écouterai avec résignation, parce que je les mérite. Oui, mon cher marquis, il est vrai... oui, je suis... mais, n'est-ce pas un assez grand malheur que la chose soit arrivée, sans y ajouter encore la honte, le mépris d'être fausse

---

1. *Qui met le comble à un beaucoup plus important que je me fais* : qui amène à son plus haut degré un autre reproche beaucoup plus important que je me fais.

2. *Sociétés* : rencontres.

en vous le dissimulant ? Vous êtes le même, mais votre amie est changée, votre amie vous révère[1], vous estime autant et plus que jamais ; mais… mais une femme accoutumée[2] comme elle à examiner de près ce qui se passe dans les replis les plus secrets de
3385 son âme et à ne s'en imposer sur rien[3], ne peut se cacher que l'amour en est sorti. La découverte est affreuse, mais elle n'en est pas moins réelle. La marquise de La Pommeraye, moi, moi, inconstante, légère !… Marquis, entrez en fureur, cherchez les noms les plus odieux[4], je me les suis donnés d'avance, donnez-
3390 les-moi, je suis prête à les accepter tous, tous, excepté celui de femme fausse, que vous m'épargnerez, je l'espère, car en vérité je ne le suis pas… [*(Ma femme ? – Qu'est-ce ? – Rien…)* – On n'a pas un moment de repos dans cette maison, même les jours qu'on n'a presque point de monde et que l'on croit n'avoir rien
3395 à faire. Qu'une femme de mon état[5] est à plaindre, surtout avec une bête de mari !…] Cela dit, Mme de La Pommeraye se renversa sur son fauteuil et se mit à pleurer. Le marquis se précipita à ses genoux et lui dit : «Vous êtes une femme charmante, une femme adorable, une femme comme il n'y en a point. Votre franchise,
3400 votre honnêteté me confond et devrait me faire mourir de honte. Ah ! quelle supériorité ce moment vous donne sur moi ! Que je vous vois grande et que je me trouve petit ! C'est vous qui avez parlé la première, et c'est moi qui fus coupable le premier. Mon amie, votre sincérité m'entraîne, je serais un monstre si elle ne
3405 m'entraînait pas, et je vous avouerai que l'histoire de votre cœur est mot à mot l'histoire du mien. Tout ce que vous vous êtes dit je me le suis dit, mais je me taisais, je souffrais, et je ne sais quand j'aurais eu le courage de parler.

– Vrai, mon ami ?

---

1. *Révère* : respecte.
2. *Accoutumée* : habituée.
3. *Et à ne s'en imposer sur rien* : et à ne pas se mentir à elle-même.
4. *Odieux* : méchants.
5. *État* : profession, position sociale.

3410   – Rien de plus vrai, et il ne nous reste qu'à nous féliciter réciproquement d'avoir perdu en même temps le sentiment fragile et
trompeur qui nous unissait.

– En effet, quel malheur que mon amour eût duré lorsque le
vôtre aurait cessé !

3415   – Ou que ce fût en moi qu'il eût cessé le premier.

– Vous avez raison, je le sens.

– Jamais vous ne m'avez paru aussi aimable, aussi belle que
dans ce moment, et si l'expérience du passé ne m'avait rendu circonspect, je croirais vous aimer plus que jamais... » Et le marquis
3420 en lui parlant ainsi lui prenait les mains, et les lui baisait... [*(Ma
femme ? – Qu'est-ce ? – Le marchand de paille. – Vois sur le registre.
– Et le registre ? – Reste, reste, je l'ai.)*] Mme de La Pommeraye
renfermant en elle-même le dépit mortel dont elle était déchirée,
reprit la parole et dit au marquis : « Mais, marquis, qu'allons-nous
3425 devenir ?

– Nous ne nous en sommes imposé ni l'un ni l'autre ; vous
avez droit à toute mon estime, je ne crois pas avoir entièrement
perdu le droit que j'avais à la vôtre ; nous continuerons de nous
voir, nous nous livrerons à la confiance de la plus tendre amitié.
3430 Nous nous serons épargné tous ces ennuis, toutes ces perfidies,
tous ces reproches, toute cette humeur, qui accompagnent communément les passions qui finissent, nous serons uniques dans
notre espèce. Vous recouvrerez toute votre liberté, vous me ren-
drez la mienne ; nous voyagerons dans le monde, je serai le confi-
3435 dent de vos conquêtes, je ne vous cèlerai [1] rien des miennes, si j'en
fais quelques-unes, ce dont je doute fort, car vous m'avez rendu
difficile. Cela sera délicieux. Vous m'aiderez de vos conseils, je ne
vous refuserai pas les miens dans les circonstances périlleuses où
vous croirez en avoir besoin [2]. Qui sait ce qui peut arriver ? »

---

1. Cèlerai : cacherai.
2. Ce pacte de complicité mondaine préfigure celui que proposera le vicomte
de Valmont à la marquise de Merteuil dans la lettre IV des *Liaisons* .../...

3440   JACQUES. – Personne.

LE MARQUIS. – « Il est très vraisemblable que plus j'irai, plus vous gagnerez aux comparaisons, et que je vous reviendrai plus passionné, plus tendre, plus convaincu que jamais que Mme de La Pommeraye était la seule femme faite pour mon bonheur, et
3445 après ce retour, il y a tout à parier que je vous resterai jusqu'à la fin de ma vie.

– S'il arrivait qu'à votre retour vous ne me trouvassiez plus ? car enfin, marquis, on n'est pas toujours juste, et il ne serait pas impossible que je ne me prisse de goût, de fantaisie, de passion
3450 même pour un autre qui ne vous vaudrait pas.

– J'en serais assurément désolé, mais je n'aurais point à me plaindre, je ne m'en prendrais qu'au sort qui nous aurait séparés lorsque nous étions unis, et qui nous rapprocherait lorsque nous ne pourrions plus l'être…»

3455   Après cette conversation, ils se mirent à moraliser sur l'inconstance du cœur humain, sur la frivolité des serments, sur les liens du mariage… *(Madame ? – Qu'est-ce ? – Le coche* [1].*)* «Messieurs, dit l'hôtesse, il faut que je vous quitte. Ce soir, lorsque toutes mes affaires seront faites, je reviendrai et je vous achèverai cette
3460 aventure, si vous en êtes curieux…» *(Madame ?… Ma femme ?… Notre hôtesse ?… – On y va, on y va.)*

L'hôtesse partie, le maître dit à son valet : «Jacques, as-tu remarqué une chose ?

JACQUES. – Quelle ?

3465   LE MAÎTRE. – C'est que cette femme raconte beaucoup mieux qu'il ne convient à une femme d'auberge.

[JACQUES. – Il est vrai. Les fréquentes interruptions des gens de sa maison m'ont impatienté plusieurs fois.

LE MAÎTRE. – Et moi aussi.»]

…/… *dangereuses* (1782) de Choderlos de Laclos (1741-1803), roman épistolaire qui peint les mœurs dépravées de la noblesse.
1. Coche : grande voiture tirée par quatre ou six chevaux, transportant un groupe de voyageurs ; diligence.

3470   Et vous, lecteur, parlez sans dissimulation[1] ; car, vous voyez
que nous sommes en beau train de franchise, voulez-vous que
nous laissions là cette élégante et prolixe[2] bavarde d'hôtesse,
et que nous reprenions les amours de Jacques ? Pour moi je ne
tiens à rien. Lorsque cette femme remontera, Jacques le bavard
3475 ne demande pas mieux que de reprendre son rôle, et que de lui
fermer la porte au nez, il en sera quitte pour lui dire par le trou
de la serrure : « Bonsoir, madame, mon maître dort, je vais me
coucher : il faut remettre le reste à notre passage. »

    « Le premier serment que se firent deux êtres de chair, ce fut au
3480 pied d'un rocher qui tombait en poussière ; ils attestèrent de leur
constance un ciel qui n'est pas un instant le même ; tout passait
en eux et autour d'eux, et ils croyaient leurs cœurs affranchis de
vicissitudes[3]. Ô enfants toujours enfants !… » Je ne sais de qui
sont ces réflexions, de Jacques, de son maître ou de moi, il est
3485 certain qu'elles sont de l'un des trois, et qu'elles furent précé-
dées et suivies de beaucoup d'autres qui nous auraient menés
Jacques, son maître et moi jusqu'au souper, jusqu'après le souper,
jusqu'au retour de l'hôtesse, <si Jacques n'eût dit à son maître :
« Tenez, monsieur, toutes ces grandes sentences que vous venez
3490 de débiter à propos de botte[4] ne valent pas une vieille fable des
écraignes[5] de mon village.

    Le Maître. – Et quelle est cette fable ?

    Jacques. – C'est la fable de la Gaine et du Coutelet[6]. Un jour
la Gaine et le Coutelet se prirent de querelle ; le Coutelet dit à

---

1. *Sans dissimulation* : sans rien me cacher, à cœur ouvert.
2. *Prolixe* : ici, trop.
3. *Affranchis de vicissitudes* : à l'abri, exempts de changements.
4. *À propos de botte* : hors de tout propos, pour rien (pour le plaisir d'interrompre).
5. *Écraignes* : veillées (terme dialectal bourguignon désignant des huttes
de vigneron). Partout dans les villages, des récits oraux avaient lieu pendant
les soirées d'hiver et s'accompagnaient de menus travaux (vannerie, tricot,
filage, etc.).
6. *Gaine* : étui (du latin *vagina*, « fourreau ») ; *coutelet* : petit couteau.

la Gaine : "Gaine, ma mie, vous êtes une friponne, car tous les
jours, vous recevez de nouveaux coutelets…" La Gaine répondit
au Coutelet : "Mon ami Coutelet, vous êtes un fripon, car tous les
jours vous changez de gaine. – Gaine, ce n'est pas là ce que vous
m'avez promis. – Coutelet, vous m'avez trompée le premier…"
Ce débat s'était élevé à table ; cil[1] qui était assis entre la Gaine
et le Coutelet prit la parole et leur dit : "Vous, Gaine, et vous,
Coutelet, vous fîtes bien de changer, puisque changement vous
duisait[2], mais vous eûtes tort de vous promettre que vous ne changeriez pas. Coutelet, ne voyais-tu pas que Dieu te fit pour aller à
plusieurs gaines ; et toi, Gaine, pour recevoir plus d'un coutelet ?
Vous regardiez comme fous certains coutelets qui faisaient vœu
de se passer à forfait[3] de gaines, et comme folles certaines gaines
qui faisaient vœu de se fermer pour tout coutelet ; et vous ne pensiez pas que vous étiez presque aussi fous lorsque vous juriez, toi
Gaine, de t'en tenir à un seul coutelet ; toi Coutelet, de t'en tenir
à une seule gaine…"»

Si le maître n'eût dit à Jacques : «Ta fable n'est pas trop morale,
mais elle est gaie.> Tu ne sais pas la singulière idée qui me passe
par la tête. Je te marie avec notre hôtesse et je cherche comment
un mari aurait fait, lorsqu'il aime à parler, avec une femme qui
ne déparle pas.

Jacques. – Comme j'ai fait les douze premières années de ma
vie que j'ai passées chez mon grand-père et ma grand-mère.

Le Maître. – Comment s'appelaient-ils ? Quelle était leur
profession ?

Jacques. – Ils étaient brocanteurs. Mon grand-père Jason eut
plusieurs enfants. Toute la famille était sérieuse ; ils se levaient, ils
s'habillaient, ils allaient à leurs affaires ; ils revenaient, ils dînaient,
ils retournaient sans avoir dit un mot. Le soir ils se jetaient sur

---

1. *Cil* : celui.
2. *Duisait* : faisait plaisir. Le verbe « duire » était déjà un archaïsme au XVIII siècle.
Ce mini-récit est une imitation (un pastiche) des fabliaux médiévaux.
3. *À forfait* : pour un prix fixé d'avance.

3525 des chaises; la mère et les filles filaient, cousaient, tricotaient sans mot dire, les garçons se reposaient, le père lisait l'Ancien Testament.

LE MAÎTRE. – Et toi, que faisais-tu ?

JACQUES. – Je courais dans la chambre avec un bâillon[1].

3530 LE MAÎTRE. – Avec un bâillon !

JACQUES. – Oui, avec un bâillon, et c'est à ce maudit bâillon que je dois la rage de parler. La semaine se passait quelquefois sans qu'on eût ouvert la bouche dans la maison des Jason. Pendant toute sa vie, qui fut longue, ma grand-mère n'avait dit que *Chapeaux*

3535 *à vendre*, et mon grand-père, qu'on voyait dans les inventaires[2], droit, les mains sous sa redingote[3], n'avait dit qu'*un sou*. Il y avait des jours où il était tenté de ne pas croire à la Bible.

LE MAÎTRE. – Et pourquoi ?

JACQUES. – À cause des redites, qu'il regardait comme un

3540 bavardage indigne de l'Esprit saint. Il disait que les rediseurs sont des sots qui prennent ceux qui les écoutent pour des sots.

LE MAÎTRE. – Jacques, si pour te dédommager du long silence que tu as gardé pendant les douze années du bâillon chez ton grand-père et pendant que l'hôtesse a parlé...

3545 JACQUES. – Je reprenais l'histoire de mes amours ?

LE MAÎTRE. – Non, mais une autre sur laquelle tu m'as laissé... celle du camarade de ton capitaine.

JACQUES. – Oh ! mon maître, la cruelle mémoire que vous avez !

3550 LE MAÎTRE. – Mon Jacques ! mon petit Jacques !...

JACQUES. – De quoi riez-vous ?

LE MAÎTRE. – De ce qui me fera rire plus d'une fois, c'est de te voir dans ta jeunesse chez ton grand-père avec le bâillon.

---

1. *Bâillon* : «Petite barre de bois ou de fer qu'on met entre les dents pour empêcher de parler ou d'appeler» (*Dictionnaire de Littré*, 1860-1876).

2. *Inventaires* : ventes publiques de meubles.

3. *Redingote* : ample veste croisée, à longues basques (pans ouverts partant de la taille jusqu'aux hanches).

JACQUES. – Ma grand-mère me l'ôtait lorsqu'il n'y avait plus
3555 personne, et lorsque mon grand-père s'en apercevait, il n'en était
pas plus content, il lui disait : "Continuez, et cet enfant sera le
plus effréné bavard qui ait encore existé." Sa prédiction s'est
accomplie.

LE MAÎTRE. – Allons, mon Jacques, mon petit Jacques, l'histoire
3560 du camarade de ton capitaine.

JACQUES. – Je ne m'y refuserai pas, mais vous ne la croirez
point.

LE MAÎTRE. – Elle est donc bien merveilleuse ?

JACQUES. – Non, c'est qu'elle est déjà arrivée à un autre, à un
3565 militaire français appelé, je crois, M. de Guerchy[1].

LE MAÎTRE. – Eh bien, je dirai comme un poète français, qui
avait fait une assez bonne épigramme[2], disait à quelqu'un qui se
l'attribuait en sa présence : "Pourquoi monsieur ne l'aurait-il pas
faite ? je l'ai bien faite, moi..." Pourquoi l'histoire de Jacques ne
3570 serait-elle pas arrivée au camarade de son capitaine, puisqu'elle
est bien arrivée au militaire français de Guerchy ? Mais, en me
la racontant, tu feras d'une pierre deux coups, tu m'apprendras
l'aventure de ces deux personnages, car je l'ignore.

JACQUES. – Tant mieux ! mais jurez-le-moi.

3575 LE MAÎTRE. – Je te le jure.»

Lecteur, je serais bien tenté d'exiger de vous le même serment, mais je vous ferai seulement remarquer dans le caractère
de Jacques une bizarrerie qu'il tenait apparemment de son grand-
père Jason, le brocanteur silencieux, c'est que Jacques, au rebours[3]
3580 des bavards, quoi qu'il aimât beaucoup à dire, avait en aversion
les redites[4]. Aussi disait-il quelquefois à son maître : «Monsieur

---

1. *Claude Louis de Régnier, comte de Guerchy* (1715-1767) : «militaire
français», héros de la bataille de Fontenoy.
2. *Épigramme* : bref poème satirique mettant en valeur l'esprit et le sens de
l'improvisation de celui qui le crée.
3. *Au rebours* : au contraire.
4. *Avait en aversion les redites* : détestait les répétitions inutiles.

me prépare le plus triste avenir, que deviendrai-je quand je n'aurai plus rien à dire ?

– Tu recommenceras.

3585 – Jacques recommencer ! Le contraire est écrit là-haut, et s'il m'arrivait de recommencer, je ne pourrais m'empêcher de m'écrier : "Ah ! si ton grand-père t'entendait !...", et je regretterais le bâillon. – Tu veux dire celui qu'il te mettait ?

JACQUES. – Dans le temps qu'on jouait aux jeux de hasard aux
3590 foires de Saint-Germain et de Saint-Laurent[1].

LE MAÎTRE. – Mais c'est à Paris, et le camarade de ton capitaine était commandant d'une place frontière.

JACQUES. – Pour Dieu, monsieur, laissez-moi dire... Plusieurs officiers entrèrent dans une boutique, et y trouvèrent un autre offi-
3595 cier qui causait avec la maîtresse de la boutique. L'un d'eux proposa à celui-ci de jouer au passe-dix[2], car il faut que vous sachiez qu'après la mort de mon capitaine son camarade, devenu riche, était aussi devenu joueur. Lui donc, ou M. de Guerchy, accepte. Le sort met le cornet[3] à la main de son adversaire qui passe[4],
3600 passe, passe, que cela ne finissait point. Le jeu s'était échauffé[5] et l'on avait joué le tout, le tout du tout, les petites moitiés, les grandes moitiés, le grand tout, le grand tout du tout[6], lorsqu'un des assistants s'avisa de dire à M. de Guerchy, ou au camarade

---

1. *Foires de Saint-Germain et de Saint-laurent* : il s'agit des deux grandes foires parisiennes de l'époque. L'une était abritée et avait lieu autour de Pâques, près de l'abbaye Saint-Germain-des-Prés ; l'autre, en plein air, se déroulait en été, à proximité du couvent des Récollets. Outre des commerçants et artisans, il y avait des montreurs d'animaux, des marionnettistes, des danseurs de corde, des spectacles de théâtre, des petits opéras, etc.

2. *Jouer au passe-dix* : «C'est jouer à trois dés et parier que les trois ensemble passeront dix points» (*Dictionnaire de Trévoux*, 1771).

3. *Cornet* : godet qui sert à agiter et à jeter les dés.

4. *Passe* : dépasse dix points, donc gagne.

5. *Le jeu s'était échauffé* : la partie était devenue passionnée.

6. Variétés de paris. Par exemple, parier *le tout*, c'est doubler la mise, *le tout du tout*, c'est la quadrupler.

de mon capitaine, qu'il ferait bien de s'en tenir là et de cesser
de jouer, parce que l'on en savait plus que lui[1]. Sur ce propos,
qui n'était qu'une plaisanterie, le camarade de mon capitaine, ou
M. de Guerchy, crut qu'il avait affaire à un filou ; il mit subtilement
la main à sa poche, en tira un couteau bien pointu, et lorsque son
antagoniste[2] porta la main sur les dés pour les placer dans le cornet, il lui plante le couteau dans la main, et la lui cloue sur la table
en lui disant : "Si les dés sont pipés[3], vous êtes un fripon ; s'ils sont
bons, j'ai tort…" Les dés se trouvèrent bons. M. de Guerchy dit :
"J'en suis très fâché et j'offre telle réparation qu'on voudra…" Ce
ne fut pas le propos du camarade de mon capitaine ; il dit : "J'ai
perdu mon argent ; j'ai percé la main à un galant homme : mais en
revanche j'ai recouvré le plaisir de me battre tant qu'il me plaira…"
L'officier cloué se retire et va se faire panser. Lorsqu'il est guéri il
vient trouver l'officier cloueur et lui demande raison[4], celui-ci, ou
M. de Guerchy, trouve la demande juste. L'autre, le camarade de
mon capitaine, jette les bras à son cou et lui dit : "Je vous attendais
avec une impatience que je ne saurais vous exprimer…" Ils vont
sur le pré[5] ; le cloueur, M. de Guerchy, ou le camarade de mon
capitaine, reçoit un bon coup d'épée à travers le corps, le cloué
le relève, le fait porter chez lui et lui dit : "Monsieur, nous nous
reverrons." M. de Guerchy ne répondit rien ; le camarade de mon
capitaine lui répondit : "Monsieur, j'y compte bien." Ils se battent
une seconde, une troisième, jusqu'à huit ou dix fois, et toujours
le cloueur reste sur place. C'étaient tous les deux des officiers de
distinction[6], tous les deux gens de mérite ; leur aventure fit grand

---

1. *Parce que l'on en savait plus que lui* : parce que l'adversaire était mieux
informé que lui sur les secrets de ce jeu.
2. *Antagoniste* : adversaire.
3. *Pipés* : truqués.
4. *Lui demande raison* : lui demande réparation (de l'offense) par un
duel.
5. *Sur le pré* : sur le terrain de duel.
6. *De distinction* : de haut rang.

■ « Si les dés sont pipés, vous êtes un fripon ; s'ils sont bons, j'ai tort... » (p. 172).

3630 bruit, le ministère s'en mêla. L'on retint l'un à Paris, et l'on fixa l'autre à son poste. M. de Guerchy se soumit aux ordres de la cour, le camarade de mon capitaine en fut désolé ; et telle est la différence de deux hommes braves par caractère, mais dont l'un est sage, et l'autre a un grain de folie.

3635 Jusqu'ici l'aventure de M. de Guerchy et du camarade de mon capitaine leur est commune, c'est la même, et voilà la raison pour laquelle je les ai nommés tous deux, entendez-vous mon maître ? Ici je vais les séparer, et je ne vous parlerai plus que du camarade de mon capitaine, parce que le reste n'appartient qu'à lui. Ah !
3640 Monsieur, c'est ici que vous allez voir combien nous sommes peu maîtres de nos destinées et combien il y a de choses bizarres écrites sur le grand rouleau.

Le camarade de mon capitaine, ou le cloueur, sollicite la permission de faire un tour dans sa province, il l'obtient. Sa route
3645 était par Paris. Il prend place dans une voiture publique. À trois heures du matin, cette voiture passe devant l'Opéra, on sortait du bal. Trois ou quatre jeunes étourdis masqués projettent d'aller déjeuner avec les voyageurs ; on arrive au point du jour à la déjeunée. Qui fut bien étonné ? Ce fut le cloué de reconnaître
3650 son cloueur. Celui-ci présente la main, l'embrasse et lui témoigne combien il est enchanté d'une aussi heureuse rencontre ; à l'instant ils passent derrière une grange, mettent l'épée à la main, l'un en redingote, l'autre en domino[1] ; le cloueur, ou le camarade de mon capitaine, est encore jeté sur le carreau[2]. Son adversaire
3655 envoie à son secours, se met à table avec ses amis et le reste de la carrossée, boit et mange gaiement. » Les uns se disposaient à suivre leur route, et les autres à retourner dans la capitale en masque[3] et sur des chevaux de poste, lorsque l'hôtesse reparut et mit fin au récit de Jacques.

---

1. *Domino* : habit de bal masqué ou costumé qui consiste en une robe flottante à capuchon.

2. *Jeté sur le carreau* : mis à terre.

3. *En masque* : masqués.

3660 　La voilà remontée, et je vous préviens, lecteur, qu'il n'est plus en mon pouvoir de la renvoyer. – Pourquoi donc ? – C'est qu'elle se présente avec deux bouteilles de champagne, une dans chaque main, et qu'il est écrit là-haut que tout orateur qui se présentera à Jacques avec cet exorde [1] s'en fera nécessairement écouter.

3665 　Elle entre, pose ses deux bouteilles sur la table et dit : «Allons, monsieur Jacques, faisons la paix...» L'hôtesse n'était pas de la première jeunesse ; c'était une femme grande et replète [2], ingambe [3], de bonne mine, pleine d'embonpoint, la bouche un peu grande, mais de belles dents, des joues larges, des yeux à fleur de tête [4],

3670 le front carré, la plus belle peau, la physionomie [5] ouverte, vive et gaie, [une poitrine à s'y rouler pendant deux jours,] les bras un peu forts, mais les mains superbes, des mains à peindre ou à modeler. Jacques la prit par le milieu du corps, et l'embrassa fortement, sa rancune n'avait jamais tenu contre du bon vin et une

3675 belle femme ; cela était écrit là-haut de lui, de vous, lecteur, de moi et de beaucoup d'autres. «Monsieur, dit-elle au maître, est-ce que vous nous laisserez aller tout seuls ? Voyez, eussiez-vous encore cent lieues à faire, vous n'en boirez pas de meilleur de toute la route...» En parlant ainsi elle avait placé une des deux bouteilles

3680 entre ses genoux et elle en tirait le bouchon, ce fut avec une adresse singulière qu'elle en couvrit le goulot avec le pouce, sans laisser échapper une goutte de vin. «Allons, dit-elle à Jacques ; vite, vite votre verre.» Jacques approche son verre ; l'hôtesse en écartant son pouce un peu de côté donne vent à la bouteille, et

3685 voilà le visage de Jacques tout couvert de mousse. Jacques s'était prêté à cette espièglerie [6] ; et l'hôtesse de rire, et Jacques et son

---

1. *Exorde* : préambule.
2. *Replète* : ronde, potelée.
3. *Ingambe* : alerte, en forme.
4. *À fleur de tête* : saillants, peu enfoncés dans leurs orbites.
5. *Physionomie* : air.
6. *Espièglerie* : gaminerie, farce. La «dive Bacbuc» fait la même chose, p. 294.

maître de rire. On but quelques rasades[1] les unes sur les autres pour s'assurer de la sagesse de la bouteille, puis l'hôtesse dit : «Dieu merci, ils sont tous dans leurs lits, on ne m'interrompra plus, et je puis reprendre mon récit.» Jacques en la regardant avec des yeux dont le vin de Champagne avait augmenté la vivacité naturelle, lui dit ou à son maître : «Notre hôtesse a été belle comme un ange, qu'en pensez-vous, monsieur ?

Le Maître. – A été ! Pardieu, Jacques, c'est qu'elle l'est encore.

Jacques. – Monsieur, vous avez raison, c'est que je ne la compare pas à une autre femme, mais à elle-même quand elle était jeune.

L'Hôtesse. – Je ne vaux pas grand-chose à présent, c'est lorsqu'on m'aurait prise entre les deux premiers doigts de chaque main qu'il me fallait voir. On se détournait de quatre lieues pour séjourner ici. Mais laissons là les bonnes et les mauvaises têtes que j'ai tournées et revenons à Mme de La Pommeraye.

Jacques. – Si nous buvions d'abord un coup aux mauvaises têtes que vous avez tournées, ou à ma santé ?

L'Hôtesse. – Très volontiers ; il y en avait qui en valaient la peine, en comptant ou sans compter la vôtre. Savez-vous que j'ai été pendant dix ans la ressource[2] des militaires, en tout bien et tout honneur ? J'en ai obligé nombre[3] qui auraient eu bien de la peine à faire leur campagne[4] sans moi. Ce sont des braves gens, je n'ai à me plaindre d'aucun, ni eux de moi. Jamais de billets ; ils m'ont quelquefois fait attendre, au bout de deux, de trois, de quatre ans mon argent m'est revenu…»

Et puis la voilà qui se met à faire l'énumération des officiers qui lui avaient fait l'honneur de puiser dans sa bourse, et M. un tel, colonel du régiment de ***, et M. un tel, capitaine au régiment de ***, et voilà Jacques qui se met à faire un cri : «Mon capitaine ! mon pauvre capitaine ! vous l'avez connu ?

---

1. *Rasades* : verres remplis à ras bords.
2. *Ressource* : secours.
3. *J'en ai obligé nombre* : j'ai rendu service à beaucoup.
4. *Campagne* : guerre.

L'HÔTESSE. – Si je l'ai connu! un grand homme, bien fait, un peu sec, l'air noble et sévère, le jarret bien tendu[1], deux petits points rouges à la tempe droite. Vous avez donc servi?

3720 JACQUES. – Si j'ai servi!

L'HÔTESSE. – Je vous en aime davantage; il doit vous rester de bonnes qualités de votre premier état. Buvons à la santé de votre capitaine.

JACQUES. – S'il est encore vivant.

3725 L'HÔTESSE. – Mort ou vivant, qu'est-ce que cela fait? Est-ce qu'un militaire n'est pas fait pour être tué? Est-ce qu'il ne doit pas être enragé, après dix sièges et cinq ou six batailles, de mourir au milieu de cette canaille de gens noirs[2]… Mais revenons à notre histoire, et buvons encore un coup.

3730 LE MAÎTRE. – Ma foi, notre hôtesse, vous avez raison.

L'HÔTESSE. – Je suis bien aise que vous pensiez ainsi.

LE MAÎTRE. – Car votre vin est excellent.

L'HÔTESSE. – Ah! c'est de mon vin que vous parliez? Eh bien! vous aviez encore raison. Vous vous rappelez où nous en 3735 étions?

LE MAÎTRE. – Oui, à la conclusion de la plus perfide des confidences[3].

L'HÔTESSE. – M. le marquis des Arcis et Mme de La Pommeraye s'embrassèrent, enchantés l'un de l'autre, et se séparèrent. Plus 3740 la dame s'était contrainte[4] en sa présence, plus sa douleur fut violente quand il fut parti. "Il n'est donc que trop vrai, s'écria-t-elle, il ne m'aime plus!" Je ne vous ferai point le détail de toutes nos extravagances quand on nous délaisse, vous en seriez trop vains[5]. Je vous ai dit que cette femme avait de la fierté, mais

---

1. **Le jarret bien tendu** : vigoureux.
2. **Gens noirs** : prêtres. «Les gens d'Église […] s'habillent de noir par modestie» (*Dictionnaire de Trévoux*, 1771).
3. Fin de la livraison n° 6 de la *Correspondance littéraire* de mai 1779.
4. **Contrainte** : contenue.
5. **Vains** : fiers.

3745 elle était bien autrement vindicative[1]. Lorsque les premières
fureurs furent calmées et qu'elle jouit de toute la tranquillité de
son indignation, elle songea à se venger, mais à se venger d'une
manière cruelle, d'une manière à effrayer tous ceux qui seraient
tentés à l'avenir de séduire et de tromper une honnête femme.
3750 Elle s'est vengée, elle s'est cruellement vengée, sa vengeance a
éclaté[2] et n'a corrigé personne; nous n'en avons pas été depuis
moins vilainement séduites et trompées.

JACQUES. – Bon pour les autres; mais vous!...

L'HÔTESSE. – Hélas! moi toute la première. Oh! que nous
3755 sommes sottes! Encore si ces vilains hommes gagnaient au
change! Mais laissons cela. Que fera-t-elle? Elle n'en sait encore
rien; elle y rêvera, elle y rêve.

JACQUES. – Si tandis qu'elle y rêve...

L'HÔTESSE. – C'est bien dit... Mais nos deux bouteilles sont
3760 vides... *(Jean? – Madame. – Deux bouteilles, de celles qui sont
tout au fond, derrière les fagots[3]. – J'entends...)* – À force d'y
rêver, voici ce qui lui vint en idée. Mme de La Pommeraye avait
autrefois connu une femme de province qu'un procès avait appelée à Paris, avec sa fille jeune, belle et bien élevée. Elle avait appris
3765 que cette femme ruinée par la perte de son procès, en avait été
réduite à tenir tripot[4]. On s'assemblait chez elle, on jouait, on
soupait, et communément un ou deux des convives restaient,
passaient la nuit avec madame et mademoiselle, à leur choix. Elle
mit un de ses gens en quête de ces créatures; on les déterra[5], on
3770 les invita à faire visite à Mme de La Pommeraye qu'elles se rap-
pelaient à peine. Ces femmes, qui avaient pris le nom de Mme et

---

1. *Bien autrement vindicative* : bien plus encore rancunière (portée à la
vengeance).
2. *A éclaté* : a fait de l'éclat, a été connue du public.
3. *Derrière les fagots* : cachées (et bien vieillies).
4. *Tripot* : maison de jeu qu'on autorisait aux femmes nobles ruinées afin de
les aider à rétablir leur fortune.
5. *Déterra* : dénicha.

de Mlle d'Aisnon, ne se firent pas attendre ; dès le lendemain la mère se rendit chez Mme de La Pommeraye. Après les premiers compliments, Mme de La Pommeraye demanda à la d'Aisnon ce qu'elle avait fait, et ce qu'elle faisait depuis la perte de son procès.

"Pour vous parler avec sincérité, lui répondit la d'Aisnon, je fais un métier périlleux, infâme, peu lucratif, et qui me déplaît, mais la nécessité contraint [1] la loi. J'étais presque résolue à mettre ma fille à l'Opéra [2], mais elle n'a qu'une petite voix de chambre et n'a jamais été qu'une danseuse médiocre. Je l'ai promenée pendant et après mon procès chez des magistrats, chez des grands, chez des prélats [3], chez des financiers, qui s'en sont accommodés pour un terme [4] et qui l'ont laissée là. Ce n'est pas qu'elle ne soit belle comme un ange, qu'elle n'ait de la finesse, de la grâce, mais aucun esprit de libertinage [5], rien de ces talents propres à réveiller la langueur d'hommes blasés [6]. Je donne à jouer et à souper, et le soir qui veut rester reste. Mais ce qui nous a le plus nui, c'est qu'elle s'était entêtée d'un petit abbé de qualité [7], impie, incrédule, dissolu, hypocrite, antiphilosophe [8], que je ne vous nommerai pas ; mais c'est le dernier de ceux qui pour arriver à l'épiscopat ont pris la route qui est en même temps la plus sûre et qui demande le moins de talent. Je ne sais ce qu'il faisait entendre à ma fille, à qui il venait lire tous les matins les feuillets de

---

1. *Contraint* : fait.
2. Pour en faire une prostituée de luxe. Tant qu'elles étaient à l'Opéra, de généreux admirateurs haut placés (dont le roi) protégeaient les danseuses et les chanteuses des risques encourus par les prostituées ordinaires.
3. *Prélats* : évêques, archevêques ou cardinaux.
4. *S'en sont accommodés pour un terme* : s'en sont contentés un trimestre.
5. *Libertinage* : débauche.
6. *La langueur d'hommes blasés* : l'apathie d'hommes ayant tout connu (en fait de plaisirs charnels).
7. *Abbé de qualité* : prêtre d'origine noble.
8. *Antiphilosophe* : adversaire des encyclopédistes, des penseurs des Lumières (parmi lesquels Diderot).

3795 son dîner, de son souper, de sa rhapsodie[1]. Sera-t-il évêque ? ne le
sera-t-il pas ? Heureusement ils se sont brouillés. Ma fille lui ayant
demandé un jour s'il connaissait ceux contre lesquels il écrivait,
et l'abbé lui ayant répondu que non ; s'il avait d'autres sentiments
que ceux qu'il ridiculisait, et l'abbé lui ayant répondu que non,
3800 elle se laissa emporter à sa vivacité et lui représenta que son rôle
était celui du plus méchant et du plus faux des hommes…"

Mme de La Pommeraye lui demanda si elles étaient fort
connues.

"Beaucoup trop, malheureusement.

3805 – À ce que je vois, vous ne tenez point à votre état ?

– Aucunement, et ma fille me proteste tous les jours que la
condition la plus malheureuse lui paraît préférable à la sienne ;
elle en est d'une mélancolie qui achève d'éloigner d'elle…

– Si je me mettais en tête de vous faire à l'une et à l'autre le
3810 sort le plus brillant, vous y consentiriez donc ?

– À bien moins.

– Mais il s'agit de savoir si vous pouvez me promettre de vous
conformer à la rigueur[2] des conseils que je vous donnerai.

– Quels qu'ils soient vous y pouvez compter.

3815 – Et vous serez à mes ordres quand il me plaira ?

– Nous les attendrons avec impatience.

– Cela me suffit, retournez-vous-en, vous ne tarderez pas à les
recevoir. En attendant, défaites-vous de vos meubles, vendez tout,
ne réservez[3] pas même vos robes, si vous en avez de voyantes,
3820 cela ne cadrerait point à mes vues[4]."»

Jacques, qui commençait à s'intéresser, dit à l'hôtesse : «Et si
nous buvions à la santé de Mme de La Pommeraye ?

L'HÔTESSE. – Volontiers.

---

1. Rhapsodie : «Un mauvais ramas [une mauvaise compilation], soit de vers,
soit de prose» (*Dictionnaire de l'Académie*, 1762).
2. Rigueur : précision et sévérité.
3. Ne réservez : ne conservez.
4. À mes vues : avec mes projets.

JACQUES. – Et à celle de Mme d'Aisnon ?

3825   L'HÔTESSE. – Tope.

JACQUES. – Et vous ne refuserez pas celle de Mlle d'Aisnon, qui a une jolie voix de chambre, peu de talent pour la danse, et une mélancolie qui la réduit à la triste nécessité d'accepter un nouvel amant tous les soirs ?

3830   L'HÔTESSE. – Ne riez pas ; c'est la plus cruelle chose. Si vous saviez le supplice quand on n'aime pas !…

JACQUES. – À Mlle d'Aisnon, à cause de son supplice.

L'HÔTESSE. – Allons.

JACQUES. – Notre hôtesse, aimez-vous votre mari ?

3835   L'HÔTESSE. – Pas autrement.

JACQUES. – Vous êtes donc bien à plaindre ; car il me semble d'une belle santé.

L'HÔTESSE. – Tout ce qui reluit n'est pas or.

JACQUES. – À la belle santé de notre hôte.

3840   L'HÔTESSE. – Buvez tout seul.

LE MAÎTRE. – Jacques, Jacques, mon ami, tu te presses beaucoup.

L'HÔTESSE. – Ne craignez rien, monsieur, il est loyal[1], et demain il n'y paraîtra pas.

3845   JACQUES. – Puisqu'il n'y paraîtra pas demain, et que je ne fais pas ce soir bien grand cas de ma raison, mon maître, ma belle hôtesse, encore une santé, une santé qui me tient fort à cœur, c'est celle de l'abbé de Mlle d'Aisnon.

L'HÔTESSE. – Fi donc ! monsieur Jacques ; un hypocrite, un
3850   ambitieux, un ignorant, un calomniateur, un intolérant ; car c'est comme cela qu'on appelle, je crois, ceux qui égorgeraient volontiers quiconque ne pense pas comme eux.

LE MAÎTRE. – C'est que vous ne savez pas, notre hôtesse, que Jacques que voilà est une espèce de philosophe, et qu'il
3855   fait un cas infini[2] de ces petits imbéciles qui se déshonorent

---

1. *Loyal* : de bonne qualité.
2. *Il fait un cas infini* : il estime beaucoup.

eux-mêmes et la cause qu'ils défendent si mal. Il dit que son capitaine les appelait le contrepoison des Huet, des Nicole, des Bossuet[1]. Il n'entendait rien à cela, ni vous non plus... Votre mari est couché?

3860   L'HÔTESSE. – Il y a belle heure.

LE MAÎTRE. – Et il vous laisse causer comme cela?

L'HÔTESSE. – Nos maris sont aguerris[2]... Mme de La Pommeraye monte dans son carrosse, court les faubourgs les plus éloignés du quartier de la d'Aisnon, loue un petit appartement en maison

3865 honnête, dans le voisinage de la paroisse, le fait meubler le plus succinctement qu'il est possible, invite la d'Aisnon et sa fille à dîner et les installe ou le jour même ou quelques jours après, leur laissant un précis[3] de la conduite qu'elles ont à tenir.

JACQUES. – Notre hôtesse, nous avons oublié la santé de

3870 Mme de La Pommeraye, celle du chevalier des Arcis; ah! cela n'est pas honnête.

L'HÔTESSE. – Allez, allez, monsieur Jacques, la cave n'est pas vide... Voici ce précis ou ce que j'en ai retenu :

"Vous ne fréquenterez point les promenades publiques, car il

3875 ne faut pas qu'on vous découvre.

"Vous ne recevrez personne, pas même vos voisins et vos voisines, parce qu'il faut que vous affectiez la plus profonde retraite[4].

"Vous prendrez dès demain l'habit de dévotes[5], parce qu'il

3880 faut qu'on vous croie telles.

---

1. Pierre Daniel Huet (1630-1721) : évêque d'Avranches et érudit ; **Pierre Nicole** (1625-1695) : moraliste et théologien de Port-Royal ; **Jacques Bénigne Bossuet** (1627-1704) : évêque de Meaux et auteur de célèbres *Oraisons funèbres* (1689). Ils sont l'antithèse du «petit abbé» gratte-papier.

2. Aguerris : habitués aux choses pénibles.

3. Précis : abrégé.

4. Affectiez la plus profonde retraite : simuliez le plus profond retrait du monde.

5. Dévotes : personnes très croyantes et pratiquantes. Le parti dévot était massivement antiphilosophe.

"Vous n'aurez chez vous que des livres de dévotion, parce qu'il ne faut rien autour de vous qui puisse nous trahir.

"Vous serez de la plus grande assiduité aux offices[1] de la paroisse, jours de fête et jours ouvrables[2].

3885 "Vous vous intriguerez[3] pour avoir entrée au parloir de quelque couvent ; le bavardage de ces recluses[4] ne nous sera pas inutile.

"Vous ferez connaissance étroite avec le curé et les prêtres de la paroisse, parce que je puis avoir besoin de leur témoignage.

3890 "Vous n'en recevrez d'habitude aucun[5].

"Vous irez à confesse et vous approcherez des sacrements[6] au moins deux fois le mois.

"Vous reprendrez votre nom de famille, parce qu'il est honnête, et qu'on fera tôt ou tard des informations[7] dans votre pro-
3895 vince.

"Vous ferez de temps en temps quelques petites aumônes et vous n'en recevrez point, sous quelque prétexte que ce puisse être. Il faut qu'on ne vous croie ni pauvre ni riche.

"Vous filerez, vous coudrez, vous tricoterez, vous broderez, et
3900 vous donnerez aux dames de charité votre ouvrage à vendre.

"Vous vivrez de la plus grande sobriété, deux petites portions[8] d'auberge, et puis c'est tout.

"Votre fille ne sortira jamais sans vous, ni vous sans elle. De tous les moyens d'édifier[9] à peu de frais vous n'en négligerez
3905 aucun.

---

1. *Offices* : messes, vêpres, etc.

2. *Jours de fête et jours ouvrables* : tous les jours de la semaine.

3. *Vous vous intriguerez* : vous manœuvrerez, vous vous arrangerez.

4. *Recluses* : religieuses cloîtrées.

5. *Vous n'en recevrez d'habitude aucun* : vous n'en accueillerez aucun chez vous régulièrement.

6. *Vous approcherez des sacrements* : vous communierez.

7. *On fera […] des informations* : on fera […] des enquêtes sur vous.

8. *Portions* : plats cuisinés.

9. *Édifier* : porter autrui à la vertu et à la piété par l'exemple.

"Surtout jamais chez vous, je vous le répète, ni prêtres, ni moines, ni dévotes.

"Vous irez dans les rues les yeux baissés ; à l'église, vous ne verrez que Dieu.

3910 "J'en conviens, cette vie est austère, mais elle ne durera pas et je vous en promets la plus signalée[1] récompense. Voyez, consultez-vous ; si cette contrainte vous paraît au-dessus de vos forces, avouez-le-moi, je n'en serai ni offensée, ni surprise. J'oubliais de vous dire qu'il serait à propos que vous vous fissiez au verbiage[2] 3915 de la mysticité[3], et que l'histoire de l'Ancien et du Nouveau Testament vous devînt familière, afin qu'on vous prenne pour des dévotes d'ancienne date. Faites-vous jansénistes ou molinistes[4], comme il vous plaira, mais le mieux sera d'avoir l'opinion de votre curé. Ne manquez pas, à tort et à travers, dans toute 3920 occasion, de vous déchaîner[5] contre les philosophes ; criez que Voltaire est l'Antéchrist, sachez par cœur l'ouvrage de votre petit abbé, et colportez-le, s'il le faut…"

---

1. Signalée : remarquable.

2. Verbiage : langage.

3. Mysticité : «Recherche profonde en fait de spiritualité» (*Dictionnaire de l'Académie*, 1762).

4. Molinistes : partisans du jésuite espagnol Luis Molina (1536-1600). Les jésuites et les jansénistes s'opposaient économiquement, politiquement et théologiquement sur la question de la grâce. Voir Pascal, *Les Provinciales* (1656-1657), lettre II : «Leur différend [le différend des jésuites et des jansénistes] touchant la grâce suffisante est en ce que les jésuites prétendent qu'il y a une grâce donnée généralement à tous les hommes, soumise de telle sorte au libre arbitre, qu'il la rend efficace ou inefficace à son choix, sans aucun nouveau secours de Dieu, et sans qu'il manque rien de sa part pour agir effectivement ; ce qui fait qu'ils l'appellent suffisante, parce qu'elle seule suffit pour agir ; et que les jansénistes au contraire veulent qu'il n'y ait aucune grâce actuellement suffisante qui ne soit aussi efficace, c'est-à-dire que toutes celles qui ne déterminent point la volonté à agir effectivement, sont insuffisantes pour agir, parce qu'ils disent qu'on n'agit jamais sans grâce efficace.»

5. Déchaîner : mettre en colère.

Mme de La Pommeraye ajouta : "Je ne vous verrai point chez vous, je ne suis pas digne du commerce [1] d'aussi saintes femmes, mais n'en ayez aucune inquiétude, vous viendrez ici clandestinement quelquefois et nous nous dédommagerons en petit comité de votre régime pénitent. Mais, tout en jouant la dévotion, n'allez pas vous en empêtrer [2]. Quant aux dépenses de votre petit ménage c'est mon affaire. Si mon projet réussit, vous n'aurez plus besoin de moi ; s'il manque sans qu'il y ait de votre faute, je suis assez riche pour vous assurer un sort honnête et meilleur que l'état que vous m'avez sacrifié. Mais surtout soumission, soumission absolue, illimitée à mes volontés, sans quoi je ne réponds de rien pour le présent et ne m'engage à rien pour l'avenir."

LE MAÎTRE, *en frappant sur sa tabatière et regardant à sa montre l'heure qu'il est.* – Voilà une terrible tête de femme ! Dieu me garde d'en rencontrer une pareille !

L'HÔTESSE. – Patience, patience, vous ne la connaissez pas encore.

JACQUES. – En attendant, ma belle, ma charmante hôtesse, si nous disions un mot à la bouteille ?

L'HÔTESSE. – Monsieur Jacques, mon vin de Champagne m'embellit à vos yeux.

LE MAÎTRE. – Je suis pressé depuis si longtemps de vous faire une question, peut-être indiscrète, que je n'y saurais plus tenir.

L'HÔTESSE. – Faites votre question.

LE MAÎTRE. – Je suis sûr que vous n'êtes pas née dans une hôtellerie.

L'HÔTESSE. – Il est vrai.

LE MAÎTRE. – Que vous y avez été conduite d'un état plus élevé par des circonstances extraordinaires.

L'HÔTESSE. – J'en conviens.

---

1. Commerce : fréquentation.
2. Vous en empêtrer : vous y enferrer.

LE MAÎTRE. – Et si nous suspendions un moment l'histoire de
3955 Mme de La Pommeraye…

L'HÔTESSE. – Cela ne se peut. Je raconte volontiers les aventures des autres, mais non pas les miennes. Sachez seulement que j'ai été élevée à Saint-Cyr[1], où j'ai peu lu l'Évangile et beaucoup de romans. De l'abbaye royale à l'auberge que je tiens il y a loin.

3960 LE MAÎTRE. – Il suffit ; prenez que je ne vous aie rien dit.

L'HÔTESSE. – Tandis que nos deux dévotes édifiaient, et que la bonne odeur de leur piété et de la sainteté de leurs mœurs se répandait à la ronde, Mme de La Pommeraye observait avec le marquis les démonstrations[2] extérieures de l'estime, de l'amitié,
3965 de la confiance la plus parfaite. Toujours bien venu, jamais ni grondé, ni boudé, même après de longues absences, il lui racontait toutes ses petites bonnes fortunes[3], et elle paraissait s'en amuser franchement. Elle lui donnait ses conseils dans les occasions d'un succès difficile, elle lui jetait quelquefois des
3970 mots de mariage, mais c'était d'un ton si désintéressé qu'on ne pouvait la soupçonner de parler pour elle. Si le marquis lui adressait quelques-uns de ces propos tendres ou galants dont on ne peut guère se dispenser avec une femme qu'on a connue, ou elle en souriait, ou elle les laissait tomber. À l'en croire, son
3975 cœur était paisible et, ce qu'elle n'aurait jamais imaginé, elle éprouvait qu'un ami tel que lui suffisait au bonheur de la vie ; et puis elle n'était plus de la première jeunesse et ses goûts étaient bien émoussés[4].

"Quoi ! vous n'avez rien à me confier ?

---

1. *Saint-Cyr* : pensionnat réservé à l'éducation des jeunes filles nobles mais pauvres, fondé en 1685 par une favorite de Louis XIV, la marquise de Maintenon (1635-1719) ; il fut ensuite transformé en école militaire par Napoléon Ier. L'hôtesse n'est donc pas une fille du peuple et connaît ses classiques…

2. *Démonstrations* : marques, témoignages.

3. *Bonnes fortunes* : succès amoureux.

4. *Émoussés* : affaiblis.

3980   – Non.

– Mais le petit comte, mon ami, qui vous pressait si vivement de[1] mon règne ?

– Je lui ai fermé ma porte et je ne le vois plus.

– C'est d'une bizarrerie ! Et pourquoi l'avoir éloigné ?

3985   – C'est qu'il ne me plaît pas.

– Ah ! madame, je crois vous deviner, vous m'aimez encore.

– Cela se peut.

– Vous comptez sur un retour.

– Pourquoi non ?

3990   – Et vous vous ménagez tous les avantages d'une conduite sans reproche.

– Je le crois.

– Et si j'avais le bonheur ou le malheur de reprendre, vous vous feriez au moins un mérite du silence que vous garderiez sur 3995   mes torts.

– Vous me voyez bien délicate et bien généreuse.

– Mon amie, après ce que vous avez fait, il n'est aucune sorte d'héroïsme dont vous ne soyez capable.

– Je ne suis pas trop fâchée que vous le pensiez.

4000   – Ma foi, je cours le plus grand danger avec vous, j'en suis sûr."

JACQUES. – Et moi aussi.

L'HÔTESSE. – Il y avait environ trois mois qu'ils en étaient au même point, lorsque Mme de La Pommeraye crut qu'il était temps 4005   de mettre en jeu ses grands ressorts[2]. Un jour d'été qu'il faisait beau et qu'elle attendait le marquis à dîner, elle fit dire à la d'Aisnon et à sa fille de se rendre au Jardin du Roi. Le marquis vint, on servit de bonne heure, on dîna, on dîna gaiement. Après dîner, Mme de La Pommeraye propose une promenade au marquis, s'il n'avait

---

1. *De* : à l'époque de.
2. *Mettre en jeu ses grands ressorts* : recourir aux grands ressorts du piège qu'elle a conçu.

4010 rien de plus agréable à faire. Il n'y avait ce jour-là ni opéra, ni
comédie[1], ce fut le marquis qui en fit la remarque ; et pour se
dédommager d'un spectacle amusant par un spectacle utile, le
hasard voulut que ce fût lui-même qui invitât la marquise à aller
voir le Cabinet du Roi[2]. Il ne fut pas refusé, comme vous pensez
4015 bien. Voilà les chevaux mis, les voilà partis, les voilà arrivés au
Jardin du Roi et les voilà mêlés dans la foule, regardant tout et ne
voyant rien, comme les autres...»

Lecteur, j'avais oublié de vous peindre le site[3] des trois personnages dont il s'agit ici, Jacques, son maître et l'hôtesse ; faute
4020 de cette attention, vous les avez entendus parler, mais vous ne
les avez point vus ; il vaut mieux tard que jamais. Le maître, à
gauche, en bonnet de nuit, en robe de chambre, était étalé nonchalamment dans un grand fauteuil de tapisserie, son mouchoir
jeté sur le bras du fauteuil, et sa tabatière à la main. L'hôtesse, sur
4025 le fond, en face de la porte, proche de la table, son verre devant
elle. Jacques, sans chapeau, à sa droite, les deux coudes appuyés
sur la table, et la tête penchée entre deux bouteilles ; deux autres
étaient à terre à côté de lui...

«Au sortir du Cabinet, le marquis et sa bonne amie se pro-
4030 menèrent dans le jardin. Ils suivaient la première allée qui est à
droite en entrant, proche[4] l'école des arbres, lorsque Mme de
La Pommeraye fit un cri de surprise, en disant : "Je ne me trompe
pas, je crois que ce sont elles ; oui, ce sont elles-mêmes..." Aussitôt
on quitte le marquis, et l'on s'avance à la rencontre de nos deux

---

1. Pièce représentée à la Comédie-Française.
2. *Cabinet du Roi* : bâtiment (fondé par Louis XIV en 1667) abritant des
collections d'histoire naturelle ; voir l'article «Cabinet d'histoire naturelle» de
l'*Encyclopédie*, rédigé par Diderot.
3. *Site* : «Terme de peinture, qui signifie "situation". Les "sites" du Titien»
(*Dictionnaire de l'Académie*, 1762). Rappelons que Diderot a inventé la critique d'art en faisant pour la *Correspondance littéraire*, entre 1759 et 1781,
l'analyse de neuf expositions (organisées au Louvre, dans le salon Carré)
baptisées *Salons*.
4. *Proche* : à proximité de.

₄₀₃₅ dévotes. La d'Aisnon fille était à ravir sous ce vêtement simple qui, n'attirant point le regard, fixe l'attention tout entière sur la personne. "Ah! c'est vous, madame?

– Oui, c'est moi.

– Et comment vous portez-vous, et qu'êtes-vous devenue
₄₀₄₀ depuis une éternité?

– Vous savez nos malheurs, il a fallu s'y résigner, et vivre retirées comme il convenait à notre petite fortune, sortir du monde quand on ne peut plus s'y montrer décemment[1].

– Mais moi, me délaisser, moi qui ne suis pas du monde, et
₄₀₄₅ qui ai toujours le bon esprit de le trouver aussi maussade[2] qu'il l'est!

– Un des inconvénients de l'infortune[3], c'est la méfiance qu'elle inspire; les indigents craignent d'être importuns.

– Vous, importunes pour moi! ce soupçon est une bonne
₄₀₅₀ injure.

– Madame, j'en suis tout à fait innocente, je vous ai rappelée dix fois à maman, mais elle me disait : Mme de La Pommeraye... personne, ma fille, ne pense plus à nous.

– Quelle injustice! Asseyons-nous, nous causerons. Voilà M. le
₄₀₅₅ marquis des Arcis, c'est mon ami et sa présence ne vous gênera pas. Comme mademoiselle est grandie! comme elle est embellie depuis que nous ne nous sommes vues!

– Notre position a cela d'avantageux qu'elle nous prive de tout ce qui nuit à la santé. Voyez son visage, voyez ses bras; voilà
₄₀₆₀ ce qu'on doit à la vie frugale[4] et réglée, au sommeil, au travail, à la bonne conscience, et c'est quelque chose..."

On s'assit, on s'entretint d'amitié[5]. La d'Aisnon mère parla bien, la d'Aisnon fille parla peu. Le ton de la dévotion fut celui de

---

1. *Décemment* : convenablement.

2. *Maussade* : terne, ennuyeux.

3. *Infortune* : revers de fortune et absence de fortune.

4. *Frugale* : sobre, simple, austère.

5. *On s'entretint d'amitié* : on s'entretint avec amitié.

l'une et de l'autre, mais avec aisance et sans pruderie[1]. Longtemps
avant la chute du jour nos deux dévotes se levèrent. On leur
représenta qu'il était encore de bonne heure ; la d'Aisnon mère
dit assez haut, à l'oreille de Mme de La Pommeraye, qu'elles
avaient encore un exercice[2] de piété à remplir et qu'il leur était
impossible de rester plus longtemps. Elles étaient déjà à quelque
distance, lorsque Mme de La Pommeraye se reprocha de ne leur
avoir pas demandé leur demeure et de ne leur avoir pas appris la
sienne : "C'est une faute, ajouta-t-elle, que je n'aurais pas commise
autrefois." Le marquis courut pour la réparer ; elles acceptèrent
l'adresse de Mme de La Pommeraye, mais, quelles que furent les
instances[3] du marquis, il ne put obtenir la leur. Il n'osa pas leur
offrir sa voiture, en avouant à Mme de La Pommeraye qu'il en
avait été tenté.

Le marquis ne manqua pas de demander à Mme de
La Pommeraye ce que c'étaient que ces deux femmes.

"Ce sont des créatures plus heureuses que nous. Voyez la belle
santé dont elles jouissent ! la sérénité qui règne sur leur visage !
l'innocence et la décence qui dictent leurs propos ! On ne voit
point cela, on n'entend point cela dans nos cercles. Nous[4] plaignons les dévots, les dévôts nous plaignent, et à tout prendre, je
penche à croire qu'ils ont raison.

– Mais, marquise, est-ce que vous seriez tentée de devenir
dévote ?

– Pourquoi pas ?

– Prenez-y garde, je ne voudrais pas que notre rupture, si c'en
est une, vous menât jusque-là.

– Et vous aimeriez mieux que je rouvrisse ma porte au petit
comte ?

– Beaucoup mieux.

---

1. Pruderie : pudibonderie.

2. Exercice : devoir.

3. Instances : insistances.

4. Nous : les mondains, les gens du monde.

– Et vous me le conseilleriez ?

4095 – Sans balancer…"

Mme de La Pommeraye dit au marquis ce qu'elle savait du nom, de la province, du premier état et du procès des deux dévotes, en y mettant tout l'intérêt et tout le pathétique possible, puis elle ajouta : "Ce sont deux femmes d'un mérite rare, la fille sur-

4100 tout. Vous concevez qu'avec une figure comme la sienne on ne manque de rien ici quand on veut en faire ressource[1], mais elles ont préféré une honnête modicité[2] à une aisance honteuse ; ce qui leur reste est si mince, qu'en vérité je ne sais comment elles font pour subsister. Cela travaille nuit et jour. Supporter l'indigence

4105 quand on y est né, c'est ce qu'une multitude d'hommes savent faire ; mais passer de l'opulence au plus étroit nécessaire, s'en contenter, y trouver la félicité, c'est ce que je ne comprends pas. Voilà à quoi sert la religion ; nos philosophes auront beau dire, la religion est une bonne chose.

4110 – Surtout pour les malheureux.

– Et qui est-ce qui ne l'est pas, plus ou moins ?

– Je veux mourir si vous ne devenez dévote.

– Le grand malheur ! Cette vie est si peu de chose quand on la compare à une éternité à venir !

4115 – Mais vous parlez déjà comme un missionnaire[3].

– Je parle comme une femme persuadée. Là, marquis, répondez-moi vrai, toutes nos richesses ne seraient-elles pas de bien pauvres guenilles à nos yeux, si nous étions plus pénétrés de l'attente des biens et de la crainte des peines d'une autre vie ?

4120 Corrompre une jeune fille ou une femme attachée à son mari, avec la croyance qu'on peut mourir entre ses bras, et tomber tout à coup dans des supplices sans fin, convenez que ce serait le plus incroyable délire.

---

1. *Faire ressource* : tirer parti (tirer de l'argent).
2. *Une honnête modicité* : d'honnêtes petits revenus.
3. *Missionnaire* : prêtre ayant pour mission de propager sa religion.

– Cela se fait pourtant tous les jours.

4125 – C'est qu'on n'a point de foi, c'est qu'on s'étourdit[1].

– C'est que nos opinions religieuses ont peu d'influence sur nos mœurs. Mais, mon amie, je vous jure que vous vous acheminez à toutes jambes au confessionnal.

– C'est bien ce que je pourrais faire de mieux.

4130 – Allez, vous êtes folle ; vous avez encore une vingtaine d'années de jolis péchés à faire, n'y manquez pas, ensuite vous vous en repentirez et vous irez vous en vanter aux pieds du prêtre, si cela vous convient… Mais voilà une conversation d'un tour bien sérieux ; votre imagination se noircit furieusement, et c'est

4135 l'effet de cette abominable solitude où vous vous êtes renfoncée[2]. Croyez-moi, rappelez au plus tôt le petit comte, vous ne verrez plus ni diable, ni enfer ; et vous serez charmante comme auparavant. Vous craignez que je ne vous le reproche si nous nous raccommodons jamais, mais d'abord nous ne nous raccommode-

4140 rons peut-être pas, et par une appréhension[3] bien ou mal fondée vous vous privez du plaisir le plus doux ; en vérité l'honneur de valoir mieux que moi ne vaut pas ce sacrifice.

– Vous dites bien vrai, aussi n'est-ce pas là ce qui me retient…"

Ils dirent encore beaucoup d'autres choses que je ne me rap-

4145 pelle pas.

JACQUES. – Notre hôtesse, buvons un coup, cela rafraîchit la mémoire.

L'HÔTESSE. – Buvons un coup… Après quelques tours d'allées Mme de La Pommeraye et le marquis remontèrent en voiture.

4150 Mme de La Pommeraye dit : "Comme cela me vieillit ! Quand cela vint à Paris, cela n'était pas plus haut qu'un chou.

– Vous parlez de la fille de cette dame que nous avons trouvée à la promenade ?

---

1. *Qu'on s'étourdit* : qu'on s'empêche d'y penser.
2. *Renfoncée* : enfoncée profondément.
3. *Appréhension* : crainte.

– Oui. C'est comme dans un jardin où les roses fanées font
place aux roses nouvelles ; l'avez-vous regardée ?

– Je n'y ai pas manqué.

– Comment la trouvez-vous ?

– C'est la tête d'une Vierge de Raphaël sur le corps de sa
Galatée[1] ; et puis une douceur dans la voix !

– Une modestie dans le regard !

– Une bienséance dans le maintien !

– Une décence dans le propos qui ne m'a frappée dans aucune
jeune fille comme dans celle-là. Voilà l'effet de l'éducation.

– Lorsqu'il est préparé par un beau naturel."

Le marquis déposa Mme de La Pommeraye à sa porte, et
Mme de La Pommeraye n'eut rien de plus pressé que de témoi-
gner à nos deux dévotes combien elle était satisfaite de la manière
dont elles avaient rempli leur rôle.

JACQUES. – Si elles continuent comme elles ont débuté, monsieur
le marquis des Arcis, fussiez-vous le diable, vous ne vous en tirerez
pas.

LE MAÎTRE. – Je voudrais bien savoir quel est leur projet.

JACQUES. – Moi, j'en serais bien fâché, cela gâterait tout.

L'HÔTESSE. – De ce jour, le marquis devint plus assidu chez
Mme de La Pommeraye qui s'en aperçut sans lui en demander
la raison. Elle ne lui parlait jamais la première des deux dévotes,
elle attendait qu'il entamât ce texte[2], ce que le marquis faisait
toujours d'impatience et avec une indifférence mal simulée.

LE MARQUIS. – Avez-vous vu vos amies ?

MADAME DE LA POMMERAYE. – Non.

LE MARQUIS. – Savez-vous que cela n'est pas trop bien ? Vous
êtes riche, elles sont dans le malaise[3], et vous ne les invitez pas
même à manger quelquefois.

---

1. *Raffaello Sanzio, dit Raphaël* (1483-1520) : peintre italien, célèbre pour
ses madones ; *Le Triomphe de Galatée* (1511) est un de ses chefs-d'œuvre.
2. *Ce texte* : ce sujet.
3. *Malaise* : besoin.

MADAME DE LA POMMERAYE. – Je me croyais un peu mieux connue de monsieur le marquis. L'amour autrefois me prêtait des vertus, aujourd'hui l'amitié me prête des défauts. Je les ai invitées dix fois sans avoir pu les obtenir une. Elles refusent de venir chez moi par des idées singulières, et quand je les visite il faut que je laisse mon carrosse à l'entrée de la rue et que j'aille en déshabillé[1], sans rouge et sans diamants. Il ne faut pas trop s'étonner de leur circonspection[2] : un faux rapport suffirait pour aliéner l'esprit[3] d'un certain nombre de personnes bienfaisantes et les priver de leurs secours. Marquis! le bien apparemment coûte beaucoup à faire.

LE MARQUIS. – Surtout aux dévots.

MADAME DE LA POMMERAYE. – Puisque le plus léger prétexte suffit pour les en dispenser. Si l'on savait que j'y prends intérêt, bientôt on dirait, Mme de La Pommeraye les protège ; elles n'ont besoin de rien ; et voilà les charités[4] supprimées.

LE MARQUIS. – Les charités !

MADAME DE LA POMMERAYE. – Oui, monsieur, les charités !

LE MARQUIS. – Vous les connaissez, et elles en sont aux charités ?

MADAME DE LA POMMERAYE. – Encore une fois, marquis, je vois bien que vous ne m'aimez plus et qu'une bonne partie de votre estime s'en est allée avec votre tendresse. Et qui est-ce qui vous a dit que, si ces femmes étaient dans le besoin des aumônes[5] de la paroisse, c'était de ma faute ?

---

1. *J'aille en déshabillé* : j'y aille habillée simplement et sans maquillage (*sans rouge*). Le *déshabillé* est alors un «habit de couleur que les femmes portent chez elles, et qui est opposé aux habits noirs qu'elles portent, quand elles vont faire des visites de cérémonie» (*Dictionnaire de Furetière*, 1690).
2. *Circonspection* : prudence, précaution.
3. *Pour aliéner l'esprit* : pour leur rendre hostile l'état d'esprit.
4. *Charités* : aumônes, secours financiers.
5. *Étaient dans le besoin des aumônes* : dépendaient pour vivre des dons charitables (faits aux pauvres).

LE MARQUIS. – Pardon, madame, mille pardons, j'ai tort. Mais
4210 quelle raison de se refuser à la bienveillance d'une amie ?

MADAME DE LA POMMERAYE. – Ah ! marquis, nous sommes bien
loin, nous autres gens du monde, de connaître les délicatesses
scrupuleuses des âmes timorées[1] ! Elles ne croient pas pouvoir
accepter les secours de toute personne indistinctement.

4215 LE MARQUIS. – C'est nous ôter le meilleur moyen d'expier nos
folles dissipations[2].

MADAME DE LA POMMERAYE. – Point du tout. Je suppose,
par exemple, que monsieur le marquis des Arcis fût touché de
compassion pour elles, que ne fait-il passer ses secours par des
4220 mains plus dignes ?

LE MARQUIS. – Et moins sûres.

MADAME DE LA POMMERAYE. – Cela se peut.

LE MARQUIS. – Dites-moi, si je leur envoyais une vingtaine de
louis, croyez-vous qu'elles les refuseraient ?

4225 MADAME DE LA POMMERAYE. – J'en suis sûre ; et ce refus vous
semblerait déplacé dans une mère qui a un enfant charmant ?

LE MARQUIS. – Savez-vous que j'ai été tenté de les aller voir ?

MADAME DE LA POMMERAYE. – Je le crois. Marquis ! marquis !
prenez garde à vous ; voilà un mouvement de compassion bien
4230 subit[3] et bien suspect.

LE MARQUIS. – Quoi qu'il en soit, m'auraient-elles reçu ?

MADAME DE LA POMMERAYE. – Non, certes. Avec l'éclat[4] de
votre voiture, de vos habits, de vos gens et les charmes de la jeune
personne, il n'en fallait pas davantage pour apprêter au caquet[5]
4235 des voisins, des voisines, et les perdre.

LE MARQUIS. – Vous me chagrinez ; car, certes, ce n'était pas
mon dessein. Il faut donc renoncer à les secourir et à les voir ?

---

1. Timorées : pieuses (du bas-latin *timoratus*, « qui craint Dieu »).
2. Dissipations : inconduites.
3. Subit : soudain.
4. Éclat : magnificence.
5. Apprêter au caquet : susciter les commérages.

MADAME DE LA POMMERAYE. – Je le crois.

LE MARQUIS. – Mais si je leur faisais passer mes secours par ▲
4240 votre moyen ?

MADAME DE LA POMMERAYE. – Je ne crois pas ces secours-là assez purs pour m'en charger.

LE MARQUIS. – Voilà qui est cruel !

MADAME DE LA POMMERAYE. – Oui, cruel, c'est le mot.

4245 LE MARQUIS. – Quelle vision ! marquise, vous vous moquez. Une jeune fille que je n'ai jamais vue qu'une fois.

MADAME DE LA POMMERAYE. – Mais du petit nombre de celles qu'on n'oublie pas quand on les a vues.

LE MARQUIS. – Il est vrai que ces figures-là vous suivent.

4250 MADAME DE LA POMMERAYE. – Marquis, prenez garde à vous, vous vous préparez des chagrins, et j'aime mieux avoir à vous en garantir que d'avoir à vous en consoler. N'allez pas confondre celles-ci avec celles que vous avez connues : cela ne se ressemble pas ; on ne les tente pas, on ne les séduit pas, on n'en approche
4255 pas, elles n'écoutent pas, on n'en vient pas à bout.

Après cette conversation, le marquis se rappela tout à coup qu'il avait une affaire pressée, il se leva brusquement et sortit soucieux.

Pendant un assez long intervalle de temps le marquis ne passa
4260 presque pas un jour sans voir Mme de La Pommeraye, mais il arrivait, il s'asseyait, il gardait le silence, Mme de La Pommeraye parlait seule ; le marquis au bout d'un quart d'heure se levait et s'en allait.

Il fit ensuite une éclipse de près d'un mois après laquelle il
4265 reparut, mais triste, mais mélancolique, mais défait. La marquise en le voyant lui dit : "Comme vous voilà fait ! d'où sortez-vous ? Est-ce que vous avez passé tout ce temps en petite maison[1] ?

---

1. *Petite maison* : «Nom donné autrefois à une maison ordinairement située dans un quartier peu fréquenté et destinée à des rendez-vous avec des maîtresses» (*Dictionnaire de Littré*, 1876).

LE MARQUIS. – Ma foi, à peu près. De désespoir, je me suis précipité dans un libertinage affreux.

4270   MADAME DE LA POMMERAYE. – Comment de désespoir ?

LE MARQUIS. – Oui, de désespoir…"

Après ce mot, il se mit à se promener en long et en large sans mot dire ; il allait aux fenêtres, il regardait le ciel, il s'arrêtait devant Mme de La Pommeraye, il allait à la porte, il appelait

4275 ses gens à qui il n'avait rien à dire, il les renvoyait, il rentrait, il revenait à Mme de La Pommeraye qui travaillait sans l'apercevoir, il voulait parler, il n'osait ; enfin Mme de La Pommeraye en eut pitié et lui dit : "Qu'avez-vous ? On est un mois sans vous voir, vous reparaissez avec un visage de déterré et vous rôdez comme

4280 une âme en peine.

LE MARQUIS. – Je n'y puis plus tenir, il faut que je vous dise tout. J'ai été vivement frappé de[1] la fille de votre amie, j'ai tout, mais tout fait pour l'oublier, et plus j'ai fait, plus je m'en suis souvenu. Cette créature angélique m'obsède ; rendez-moi un

4285 service important.

MADAME DE LA POMMERAYE. – Quel ?

LE MARQUIS. – Il faut absolument que je la revoie et que je vous en aie l'obligation. J'ai mis mes grisons[2] en campagne. Toute leur venue, toute leur allée est de chez elles à l'église et de l'église

4290 chez elles. Dix fois je me suis présenté à pied sur leur chemin, elles ne m'ont seulement pas aperçu ; je me suis planté sur leur porte inutilement. Elles m'ont d'abord rendu libertin comme un sapajou[3], puis dévot comme un ange, je n'ai pas manqué la messe une fois depuis quinze jours. Ah ! mon amie, quelle figure !

4295 qu'elle est belle !"

---

1. _Frappé de_ : marqué par, impressionné par.
2. _Grisons_ : espions. Un grison est un «homme de livrée [domestique] qu'on fait habiller de gris pour l'employer à des commissions secrètes» (_Dictionnaire de l'Académie_, 1762).
3. _Sapajou_ : singe.

Mme de La Pommeraye savait tout cela. "C'est-à-dire, répondit-elle au marquis, qu'après avoir tout mis en œuvre pour guérir, vous n'avez rien omis pour devenir fou, et que c'est ce dernier parti qui vous a réussi?

4300   Le Marquis. – Et réussi je ne saurais vous exprimer à quel point. N'aurez-vous pas compassion de moi et ne vous devrai-je pas le bonheur de la revoir?

Madame de La Pommeraye. – La chose est difficile, et je m'en occuperai, mais à une condition, c'est que vous laisserez ces
4305 infortunées en repos et que vous cesserez de les tourmenter. Je ne vous célerai point qu'elles m'ont écrit de [1] votre persécution avec amertume, et voilà leur lettre."

La lettre qu'on donnait à lire au marquis avait été concertée [2] entre elles. C'était la d'Aisnon fille qui paraissait l'avoir écrite
4310 par ordre de sa mère, et l'on y avait mis d'honnête, de doux, de touchant, d'élégance et d'esprit, tout ce qui pouvait renverser la tête du marquis; aussi en accompagnait-il chaque mot d'une exclamation; pas une phrase qu'il ne relût; il pleurait de joie, il disait à Mme de La Pommeraye: "Convenez donc, madame,
4315 qu'on n'écrit pas mieux que cela.

Madame de La Pommeraye. – J'en conviens.

Le Marquis. – Et qu'à chaque ligne on se sent pénétré d'admiration et de respect pour des femmes de ce caractère.

Madame de La Pommeraye. – Cela devrait être.

4320   Le Marquis. – Je vous tiendrai ma parole, mais songez, je vous en supplie, à ne pas manquer à la vôtre.

Madame de La Pommeraye. – En vérité, marquis, je suis aussi folle que vous. Il faut que vous ayez conservé un terrible empire [3] sur moi; cela m'effraye.

4325   Le Marquis. – Quand la verrai-je?

---

1. *De* : au sujet de.
2. *Concertée* : combinée, préparée.
3. *Empire* : pouvoir.

MADAME DE LA POMMERAYE. – Je n'en sais rien. Il faut s'occuper premièrement du moyen d'arranger la chose, et d'éviter tout soupçon. Elles ne peuvent ignorer vos vues ; voyez la couleur que ma complaisance[1] aurait à leurs yeux, si elles s'imaginaient que j'agis de concert avec vous... Mais, marquis, entre nous, qu'ai-je besoin de cet embarras-là ? Que m'importe que vous aimiez, que vous n'aimiez pas ? que vous extravaguiez ? Démêlez votre fusée vous-même[2]. Le rôle que vous me faites faire est aussi trop singulier.

LE MARQUIS. – Mon amie, si vous m'abandonnez, je suis perdu ! Je ne vous parlerai point de moi, puisque je vous offenserais ; mais je vous conjurerai par ces intéressantes et dignes créatures qui vous sont si chères. Vous me connaissez ! épargnez-leur toutes les folies dont je suis capable. J'irai chez elles, oui, j'irai, je vous en préviens, je forcerai leur porte, j'entrerai malgré elles, je m'assiérai, je ne sais ce que je dirai, ce que je ferai, car que n'avez-vous point à craindre de l'état violent où je suis ?..."

– Vous remarquerez, messieurs, dit l'hôtesse, que depuis le commencement de cette aventure jusqu'à ce moment le marquis des Arcis n'avait pas dit un mot qui ne fût un coup de poignard dirigé au cœur de Mme de La Pommeraye. Elle étouffait d'indignation et de rage ; aussi répondit-elle au marquis, d'une voix tremblante et entrecoupée :

"Mais vous avez raison. Ah ! si j'avais été aimée comme cela, peut-être que... Passons là-dessus... Ce n'est pas pour vous que j'agirai, mais je me flatte[3] du moins, monsieur le marquis, que vous me donnerez du temps.

LE MARQUIS. – Le moins, le moins que je pourrai."

---

1. Sous entendu « à votre égard ».
2. *Démêlez votre fusée vous-même* : débrouillez-vous seul. « On dit proverbialement et figurément "démêler une fusée" pour dire débrouiller une affaire, une intrigue » (*Dictionnaire de l'Académie*, 1762).
3. *Je me flatte* : j'ai l'espoir.

JACQUES. – Ah! notre hôtesse, quel diable de femme! Lucifer
4355 n'est pas pire. J'en tremble, et il faut que je boive un coup pour
me rassurer... Est-ce que vous me laisserez boire tout seul?

L'HÔTESSE. – Moi, je n'ai pas peur... Mme de La Pommeraye
disait : "Je souffre, mais je ne souffre pas seule. Cruel homme!
j'ignore quelle sera la durée de mon tourment, mais j'éterniserai
4360 le tien..." Elle tint le marquis près d'un mois dans l'attente de
l'entrevue qu'elle avait promise, c'est-à-dire qu'elle lui laissa
tout le temps de pâtir[1], de se bien enivrer, et que sous prétexte
d'adoucir la longueur du délai, elle lui permit de l'entretenir de
sa passion.

4365 LE MAÎTRE. – Et de la fortifier en en parlant.

JACQUES. – Quelle femme! quel diable de femme! Notre
hôtesse, ma frayeur redouble[2].

L'HÔTESSE. – Le marquis venait donc tous les jours causer avec
Mme de La Pommeraye, qui achevait de l'irriter[3], de l'endurcir et de
4370 le perdre par les discours les plus artificieux[4]. Il s'informait de la
patrie, de la naissance, de l'éducation, de la fortune et du désastre[5]
de ces femmes, il y revenait sans cesse, et ne se croyait jamais
assez instruit et touché. La marquise lui faisait remarquer le progrès de ses sentiments et lui en familiarisait le terme sous prétexte
4375 de lui en inspirer de l'effroi. "Marquis, lui disait-elle, prenez garde
à vous, cela vous mènera loin. Il pourrait arriver un jour que mon
amitié, dont vous faites un étrange abus, ne m'excusât ni à mes
yeux ni aux vôtres. Ce n'est pas que tous les jours on ne fasse de
plus grandes folies. Marquis, je crains fort que vous n'obteniez
4380 cette fille qu'à des conditions qui jusqu'à présent, n'ont pas été
de votre goût."

---

1. *Pâtir* : souffrir, languir.

2. Fin de la livraison n° 7 de la *Correspondance littéraire* de juin 1779.

3. *L'irriter* : l'enflammer.

4. *Artificieux* : fallacieux, trompeurs.

5. *Désastre* : revers de fortune, malheur.

Lorsque Mme de La Pommeraye crut le marquis bien préparé pour le succès de son dessein [1], elle arrangea avec les deux femmes qu'elles viendraient dîner chez elle ; et, avec le marquis, que, pour leur donner le change, il les surprendrait en habit de campagne, ce qui fut exécuté.

On en était au second service [2] lorsqu'on annonça le marquis. Le marquis, Mme de La Pommeraye et les deux d'Aisnon jouèrent supérieurement l'embarras. "Madame, dit-il à Mme de La Pommeraye, j'arrive de ma terre, il est trop tard pour aller chez moi où l'on ne m'attend que ce soir, et je me suis flatté que vous ne me refuseriez pas à dîner" ; et tout en parlant, il avait pris une chaise, et s'était mis à table. On avait disposé le couvert de manière qu'il se trouvât à côté de la mère et en face de la fille. Il remercia d'un clin d'œil Mme de La Pommeraye de cette attention délicate. Après le trouble du premier instant nos deux dévotes se rassurèrent. On causa, on fut même gai. Le marquis fut de la plus grande attention pour la mère, et de la politesse la plus réservée pour la fille. C'était un amusement secret, bien plaisant pour ces trois femmes, que le scrupule du marquis à ne rien dire, à ne se rien permettre qui pût les effaroucher. Elles eurent l'inhumanité de le faire parler dévotion pendant trois heures de suite, et Mme de La Pommeraye lui disait : "Vos discours font merveilleusement l'éloge de vos parents ; les premières leçons qu'on en reçoit ne s'effacent jamais. Vous entendez toutes les subtilités de l'amour divin comme si vous n'aviez été qu'à saint François de Sales [3] pour toute nourriture. N'auriez-vous pas été un peu quiétiste [4] ?

---

1. *Dessein* : projet.

2. *Service* : plat.

3. *François de Sales* (1567-1622) : humaniste, évêque et maître spirituel qui prônait la dévotion dans la vie quotidienne (*Introduction à la vie dévote*, 1604) et une purification de l'âme par la contemplation (*Traité de l'amour de Dieu*, 1616).

4. *Quiétiste* : partisan d'une doctrine mystique chrétienne hétérodoxe (condamnée par le pape Innocent XII en 1699) qui préconise, pour favoriser .../...

– Je ne m'en souviens plus…"

Il est inutile de dire que nos dévotes mirent dans la conver-
4410 sation tout ce qu'elles avaient de grâces, d'esprit, de séduction
et de finesse. On toucha en passant le chapitre des passions, et
Mlle Duquênoi (c'était son nom de famille) prétendit qu'il n'y
en avait qu'une seule de dangereuse. Le marquis fut de son avis.
Entre les six et sept heures les deux femmes se retirèrent, sans
4415 qu'il fût possible de les arrêter; Mme de La Pommeraye prétendant avec Mme Duquênoi qu'il fallait aller de préférence à son
devoir, sans quoi il n'y aurait presque point de journée dont
la douceur ne fût altérée par le remords. Les voilà parties au
grand regret du marquis, et le marquis en tête-à-tête avec Mme de
4420 La Pommeraye.

MADAME DE LA POMMERAYE. – Eh bien, marquis, ne faut-il pas
que je sois bien bonne ? Trouvez-moi à Paris une autre femme qui
en fasse autant.

LE MARQUIS, *en se jetant à ses genoux.* – J'en conviens, il n'y
4425 en a pas une qui vous ressemble. Votre bonté me confond : vous
êtes la seule véritable amie qu'il y ait au monde.

MADAME DE LA POMMERAYE. – Êtes-vous bien sûr de sentir
toujours également le prix de mon procédé[1] ?

LE MARQUIS. – Je serais un monstre d'ingratitude, si j'en
4430 rabattais[2].

MADAME DE LA POMMERAYE. – Changeons de texte. Quel est
l'état de votre cœur ?

LE MARQUIS. – Faut-il vous l'avouer franchement ? Il faut que
j'aie cette fille-là, ou que j'en périsse.

4435 MADAME DE LA POMMERAYE. – Vous l'aurez sans doute, mais il
faut savoir comme quoi.

…/… l'union de l'âme avec Dieu, un état continuel d'oraison dispensant de
pratique religieuse et une totale passivité menant à une quiétude absolue (du
latin *quies*, «repos»).
1. *Procédé* : agissements ; ce que je fais pour vous.
2. *J'en rabattais* : j'en diminuais le prix.

LE MARQUIS. – Nous verrons.

MADAME DE LA POMMERAYE. – Marquis! marquis! je vous connais, je les connais; tout est vu.

4440 Le marquis fut environ deux mois sans se montrer chez Mme de La Pommeraye, et voici ses démarches dans cet intervalle. Il fit connaissance avec le confesseur de la mère et de la fille. C'était un ami du petit abbé dont je vous ai parlé. Ce prêtre, après avoir mis toutes les difficultés hypocrites qu'on peut apporter à 4445 une intrigue malhonnête et vendu le plus chèrement qu'il lui fut possible la sainteté de son ministère [1], se prêta à tout ce que le marquis voulut.

La première scélératesse de l'homme de Dieu, ce fut d'aliéner la bienveillance du curé, et de lui persuader que ces deux proté- 4450 gées de Mme de La Pommeraye obtenaient de la paroisse une aumône dont elles privaient des indigents plus à plaindre qu'elles. Son but était de les amener à ses vues par la misère.

Ensuite il travailla au tribunal de la confession [2] à jeter la division entre la mère et la fille. Lorsqu'il entendait la mère se 4455 plaindre de sa fille, il aggravait les torts de celle-ci, et irritait le ressentiment [3] de l'autre. Si c'était la fille qui se plaignît de sa mère, il lui insinuait que la puissance des pères et des mères sur leurs enfants était limitée, et que si la persécution de sa mère était poussée jusqu'à un certain point, il ne serait peut-être pas 4460 impossible de la soustraire à une autorité tyrannique. Puis il lui donnait pour pénitence de revenir à confesse.

Une autre fois il lui parlait de ses charmes, mais lestement [4] : c'était un des plus dangereux présents que Dieu pût faire à une femme; de l'impression qu'en avait éprouvée un honnête homme 4465 qu'il ne nommait pas, mais qui n'était pas difficile à deviner. Il passait de là à la miséricorde infinie du Ciel et à son indulgence

---

1. *Ministère* : sacerdoce, emploi de prêtre.
2. *Au tribunal de la confession* : en utilisant le confessionnal.
3. *Irritait le ressentiment* : avivait la rancune.
4. *Lestement* : légèrement.

pour des fautes que certaines circonstances nécessitaient ; à la faiblesse de la nature, dont chacun trouve l'excuse en soi-même ; à la violence et à la généralité de certains penchants dont les hommes les plus saints n'étaient pas exempts. Il lui demandait ensuite si elle n'avait point de désirs, si le tempérament[1] ne lui parlait point en rêves, si la présence des hommes ne la troublait pas. Ensuite, il agitait la question si une femme devait céder ou résister à un homme passionné, et laisser mourir et damner celui pour qui le sang de Jésus-Christ a été versé, et il n'osait la décider. Puis il poussait de profonds soupirs, il levait les yeux au ciel, il priait pour la tranquillité des âmes en peine... La jeune fille le laissait aller. Sa mère et Mme de La Pommeraye à qui elle rendait fidèlement les propos du directeur lui suggéraient des confidences qui toutes tendaient à l'encourager.

JACQUES. – Votre Mme de La Pommeraye est une méchante femme.

LE MAÎTRE. – Jacques, c'est bientôt[2] dit. Sa méchanceté, d'où lui vient-elle ? du marquis des Arcis. Rends celui-ci tel qu'il avait juré et qu'il devait être, et trouve-moi quelque défaut à Mme de La Pommeraye. Quand nous serons en route, tu l'accuseras, et je me charge de la défendre. Pour ce prêtre vil et séducteur, je te l'abandonne.

JACQUES. – C'est un si méchant homme, que je crois que de[3] cette affaire-ci je n'irai plus à confesse. Et vous, notre hôtesse ?

L'HÔTESSE. – Pour moi je continuerai mes visites à mon vieux curé qui n'est pas curieux et qui n'entend que ce qu'on lui dit.

JACQUES. – Si nous buvions à la santé de votre curé ?

L'HÔTESSE. – Pour cette fois-ci je vous ferai raison, car c'est un bon homme qui, les dimanches et jours de fêtes, laisse danser les filles et les garçons, et qui permet aux hommes et aux femmes

---

1. *Tempérament* : corps.
2. *Bientôt* : vite.
3. *De* : à la suite de.

de venir chez moi[1], pourvu qu'ils n'en sortent pas ivres. À mon curé !

JACQUES. – À votre curé.

4500 L'HÔTESSE. – Nos femmes ne doutaient pas qu'incessamment[2] l'homme de Dieu ne hasardât de remettre une lettre à sa pénitente, ce qui fut fait ; mais avec quel ménagement[3] ! Il ne savait de qui elle était, il ne doutait point que ce ne fût de quelque âme bienfaisante et charitable qui avait découvert leur misère et qui leur
4505 proposait des secours ; il en remettait assez souvent des pareilles. "Au demeurant vous êtes sage, madame votre mère est prudente, et j'exige que vous ne l'ouvriez qu'en sa présence." Mlle Duquênoi accepta la lettre et la remit à sa mère qui la fit passer sur-le-champ à Mme de La Pommeraye. Celle-ci munie de ce papier fit venir le
4510 prêtre, l'accabla des reproches qu'il méritait et le menaça de le déférer à ses supérieurs si elle entendait encore parler de lui.

Après avoir fait sa leçon au prêtre, Mme de La Pommeraye appela le marquis chez elle, lui représenta combien sa conduite était peu digne d'un galant homme, jusqu'où elle pouvait être
4515 compromise, lui montra sa lettre et lui protesta que, malgré la tendre amitié qui les unissait, elle ne pouvait se dispenser de la produire au tribunal des lois ou de la remettre à Mme Duquênoi, s'il arrivait quelque aventure éclatante[4] à sa fille. "Ah ! marquis, lui dit-elle, l'amour vous corrompt, vous êtes mal né, puisque le
4520 faiseur de grandes choses[5] ne vous en inspire que d'avilissantes. Et que vous ont fait ces pauvres femmes pour ajouter l'ignominie à la misère ? Faut-il que, parce que cette fille est belle, et veut rester vertueuse, vous en deveniez le persécuteur ? Est-ce à vous à

---

1. Depuis le concile de Trente (1545-1563), les divertissements étaient formellement interdits dans les paroisses les dimanches et jours fériés. Ce curé est effectivement un « bon homme ».

2. *Incessamment* : sous peu.

3. *Quel ménagement !* : quelles précautions !

4. *Éclatante* : scandaleuse.

5. *Le faiseur de grandes choses* : périphrase désignant Dieu.

lui faire détester un des plus beaux présents du ciel ? Par où ai-je
4525 mérité, moi, d'être votre complice ? Allons, marquis, jetez-vous
à mes pieds, demandez-moi pardon et faites serment de laisser
mes tristes amies en repos…" Le marquis lui promit de ne rien
entreprendre sans son aveu[1] ; mais qu'il fallait qu'il eût cette fille
à quelque prix que ce fût.
4530   Le marquis ne fut point du tout fidèle à sa parole. La mère
était instruite, il ne balança pas à s'adresser à elle. Il avoua le
crime[2] de son projet, il offrit une somme considérable, des espérances que le temps pourrait amener, et sa lettre fut accompagnée
d'un écrin[3] de riches pierreries.
4535   Les trois femmes tinrent conseil. La mère et la fille incli-
naient à accepter, mais ce n'était pas là le compte de Mme de
La Pommeraye. Elle revint sur la parole qu'on lui avait donnée,
elle menaça de tout révéler, et au grand regret de nos deux dévotes dont la jeune détacha de ses oreilles des girandoles[4] qui lui
4540 allaient si bien, l'écrin et la lettre furent renvoyés avec une réponse
pleine de fierté et d'indignation.
     Mme de La Pommeraye se plaignit au marquis du peu de
fond[5] qu'il y avait à faire sur ses promesses. Le marquis s'excusa
sur l'impossibilité de lui proposer une commission aussi indé-
4545 cente. "Marquis, marquis, lui dit Mme de La Pommeraye, je vous
ai déjà prévenu et je vous le répète, vous n'en êtes pas où vous
voudriez ; mais il n'est plus temps de vous prêcher, ce seraient
paroles perdues, il n'y a plus de ressource."
     Le marquis avoua qu'il le pensait comme elle, et lui demanda
4550 la permission de faire une dernière tentative, c'était d'assurer des
rentes considérables sur les deux têtes, de partager sa fortune avec

---

1. *Aveu* : consentement.
2. *Crime* : péché par rapport à Dieu ; infraction par rapport à la loi.
3. *Écrin* : coffret.
4. *Girandoles* : boucles d'oreilles formées d'«un assemblage de diamants ou
d'autres pierres précieuses» (*Dictionnaire de l'Académie*, 1762).
5. *Fond* : confiance.

les deux femmes, et de les rendre propriétaires à vie d'une de ses maisons à la ville, et d'une autre à la campagne. "Faites, lui dit la marquise ; je n'interdis que la violence ; mais croyez, mon ami, que l'honneur et la vertu quand elle est vraie, n'ont point de prix aux yeux de ceux qui ont le bonheur de la posséder. Vos nouvelles offres ne réussiront pas mieux que les précédentes : je connais ces femmes et j'en ferais la gageure [1]."

Les nouvelles propositions sont faites. Autre conciliabule [2] des trois femmes. La mère et la fille attendaient en silence la décision de Mme de La Pommeraye. Celle-ci se promena un moment sans parler : « Non, dit-elle, cela ne suffit pas à mon cœur ulcéré [3]... » Et aussitôt elle prononça le refus ; et aussitôt ces deux femmes fondirent en larmes, se jetèrent à ses pieds, et lui représentèrent combien il était affreux pour elles de repousser une fortune immense qu'elles pouvaient accepter sans aucune fâcheuse conséquence. Mme de La Pommeraye leur répondit sèchement : "Est-ce que vous imaginez que ce que je fais je le fais pour vous ? Qui êtes-vous ? Que vous dois-je ? À quoi tient-il que je ne vous renvoie l'une et l'autre à votre tripot ? Si ce que l'on vous offre est trop pour vous, c'est trop peu pour moi. Écrivez, madame, la réponse que je vais vous dicter, et qu'elle parte sous mes yeux..." Ces femmes s'en retournèrent encore plus effrayées qu'affligées.

JACQUES. – Cette femme a le diable au corps ; et que veut-elle donc ? Quoi ! un refroidissement d'amour n'est pas assez puni par le sacrifice de la moitié d'une grande fortune ?

LE MAÎTRE. – Jacques, vous n'avez jamais été femme, encore moins honnête femme, et vous jugez d'après votre caractère qui n'est pas celui de Mme de La Pommeraye ! Veux-tu que je te dise ? J'ai bien peur que le mariage du marquis des Arcis et d'une catin ne soit écrit là-haut.

---

1. **Gageure** : pari.
2. **Conciliabule** : réunion secrète.
3. **Ulcéré** : mortellement blessé.

JACQUES. – S'il est écrit là-haut, il se fera.

L'HÔTESSE. – Le marquis ne tarda pas à reparaître chez Mme de La Pommeraye. "Eh bien, lui dit-elle, vos nouvelles offres ?

4585   LE MARQUIS. – Faites et rejetées. J'en suis désespéré. Je voudrais arracher cette malheureuse passion de mon cœur, je voudrais m'arracher le cœur et je ne saurais. Marquise, regardez-moi ; ne trouvez-vous pas qu'il y a entre cette jeune fille et moi quelques traits de ressemblance ?

4590   MADAME DE LA POMMERAYE. – Je ne vous en avais rien dit, mais je m'en étais aperçue. Il ne s'agit pas de cela : que résolvez-vous ?

LE MARQUIS. – Je ne puis me résoudre à rien. Il me prend des envies de me jeter dans une chaise de poste, et de courir tant que 4595 terre me portera ; un moment après la force m'abandonne, je suis comme anéanti, ma tête s'embarrasse : je deviens stupide, et ne sais que devenir.

MADAME DE LA POMMERAYE. – Je ne vous conseille pas de voyager, ce n'est pas la peine d'aller jusqu'à Villejuif[1] pour 4600 revenir."

Le lendemain le marquis écrivit à la marquise qu'il partait pour sa campagne[2], qu'il y resterait tant qu'il pourrait, et qu'il la suppliait de le servir auprès de ses amies si l'occasion s'en présentait. Son absence fut courte, il revint avec la résolution 4605 d'épouser.

JACQUES. – Ce pauvre marquis me fait pitié.

LE MAÎTRE. – Pas trop à moi.

L'HÔTESSE. – Il descendit à la porte de Mme de La Pommeraye. Elle était sortie. En rentrant elle trouva le marquis étendu dans un 4610 grand fauteuil, les yeux fermés et absorbé dans la plus profonde rêverie. "Ah ! marquis, vous voilà ! la campagne n'a pas eu de longs charmes pour vous.

---

1. *Villejuif* : ville du Val-de-Marne, au sud de Paris.
2. *Campagne* : maison de campagne.

– Non, lui répondit-il, je ne suis bien nulle part, et j'arrive déterminé à la plus haute sottise qu'un homme de mon état, de mon âge et de mon caractère puisse faire; mais il vaut mieux épouser que de souffrir. J'épouse.

MADAME DE LA POMMERAYE. – Marquis, l'affaire est grave, et demande de la réflexion.

LE MARQUIS. – Je n'en ai fait qu'une, mais elle est solide, c'est que je ne puis jamais être plus malheureux que je le suis.

MADAME DE LA POMMERAYE. – Vous pourriez vous tromper."

JACQUES. – La traîtresse!

LE MARQUIS. – Voici donc enfin, mon amie, une négociation dont je puis, ce me semble, vous charger honnêtement. Voyez la mère et la fille; interrogez la mère, sondez le cœur de la fille, et dites-leur mon dessein.

MADAME DE LA POMMERAYE. – Tout doucement, marquis. J'ai cru les connaître assez pour ce que j'en avais à faire, mais à présent qu'il s'agit du bonheur de mon ami, il me permettra d'y regarder de plus près. Je m'informerai dans leur province, et je vous promets de les suivre pas à pas pendant toute la durée de leur séjour à Paris.

LE MARQUIS. – Ces précautions me semblent assez superflues. Des femmes dans la misère et qui résistent aux appâts que je leur ai tendus, ne peuvent être que les créatures les plus rares. Avec mes offres je serais venu à bout d'une duchesse. D'ailleurs, ne m'avez-vous pas dit vous-même…

MADAME DE LA POMMERAYE. – Oui, j'ai dit tout ce qu'il vous plaira, mais avec tout cela, permettez que je me satisfasse.

JACQUES. – La chienne! la coquine! l'enragée! Et pourquoi aussi s'attacher à une pareille femme?

LE MAÎTRE. – Et pourquoi aussi la séduire et s'en détacher?

L'HÔTESSE. – Pourquoi cesser de l'aimer sans rime ni raison?

JACQUES, *en montrant le ciel du doigt.* – Ah! mon maître!

LE MARQUIS. – Pourquoi, marquise, ne vous mariez-vous pas aussi?

MADAME DE LA POMMERAYE. – À qui, s'il vous plaît ?

LE MARQUIS. – Au petit comte ; il a de l'esprit, de la naissance, de la fortune.

4650 MADAME DE LA POMMERAYE. – Et qui est-ce qui me répondra de sa fidélité ? C'est vous peut-être ?

LE MARQUIS. – Non ; mais il me semble qu'on se passe aisément de la fidélité d'un mari.

MADAME DE LA POMMERAYE. – D'accord, mais [si le mien était 4655 infidèle] je serais peut-être assez bizarre pour m'en offenser, et je suis vindicative.

LE MARQUIS. – Eh bien, vous vous vengeriez, cela s'en va sans dire. C'est que nous prendrions un hôtel commun[1], et que nous formerions tous quatre la plus agréable société.

4660 MADAME DE LA POMMERAYE. – Tout cela est fort beau, mais je ne me marie pas. Le seul homme que j'aurais peut-être été tentée d'épouser…

LE MARQUIS. – C'est moi ?

MADAME DE LA POMMERAYE. – Je puis vous l'avouer à présent 4665 sans conséquence.

LE MARQUIS. – Et pourquoi ne me l'avoir pas dit ?

MADAME DE LA POMMERAYE. – Par l'événement[2] j'ai bien fait. Celle que vous allez avoir vous convient de tout point mieux que moi.

4670 L'HÔTESSE. – Mme de La Pommeraye mit à ses informations toute l'exactitude et la célérité[3] qu'elle voulut. Elle produisit au marquis les attestations les plus flatteuses, il y en avait de Paris, il y en avait de la province. Elle exigea du marquis encore une quinzaine, afin qu'il s'examinât derechef[4]. Cette quinzaine

---

1. *Hôtel commun* : hôtel particulier que nous partagerions. Les hôtels étaient les demeures citadines des aristocrates.

2. *Par l'événement* : étant donné ce qui est arrivé.

3. *Célérité* : rapidité, vitesse.

4. *Derechef* : de nouveau.

4675 lui parut éternelle; enfin la marquise fut obligée de céder à ses instances et à ses prières. La première entrevue se fit chez ses amies; on y convient de tout, les bans se publient; le contrat se passe; le marquis fait présent à Mme de La Pommeraye d'un superbe diamant, et le mariage est consommé.

4680 JACQUES. – Quelle trame[1] et quelle vengeance!

LE MAÎTRE. – Elle est incompréhensible.

JACQUES. – Délivrez-moi du souci de la première nuit des noces, et jusqu'à présent je n'y vois pas un grand mal.

LE MAÎTRE. – Tais-toi, nigaud.

4685 JACQUES. – Je croyais...

L'HÔTESSE. – Croyez à ce que votre maître vient de vous dire...»

Et en parlant ainsi elle souriait, et en souriant, elle passait sa main sur le visage de Jacques, et lui serrait le nez[2]...

« Mais ce fut le lendemain...

4690 JACQUES. – Le lendemain ne fut-ce pas comme la veille?

L'HÔTESSE. – Pas tout à fait. Le lendemain, Mme de La Pommeraye écrivit au marquis un billet qui l'invitait à se rendre chez elle au plus tôt pour affaire importante. Le marquis ne se fit pas attendre.

4695 On le reçut avec un visage où l'indignation se peignait dans toute sa force; le discours qu'on lui tint ne fut pas long, le voici : "Marquis, lui dit-elle, apprenez à me connaître. Si les autres femmes s'estimaient assez pour éprouver mon ressentiment, vos semblables seraient moins communs. Vous aviez acquis 4700 une honnête femme que vous n'avez pas su conserver, cette femme, c'est moi, elle s'est vengée en vous en faisant épouser une digne de vous. Sortez de chez moi, et allez-vous-en rue

---

1. *Trame* : intrigue.

2. *Lui serrait le nez* : «proverbialement, en parlant d'un jeune homme qui se veut mêler de quelque chose au-dessus de son âge et de sa capacité, on dit par forme de reproche, qu'"il est si jeune, que si on lui tordait le nez, il en sortirait encore du lait"» (*Dictionnaire de l'Académie*, 1762). L'hôtesse ne dit pas ce proverbe mais le mime.

Traversière [1], à l'hôtel de Hambourg, où l'on vous apprendra le sale métier que votre femme et votre belle-mère ont exercé pen-
4705 dant dix ans sous le nom de d'Aisnon."

La surprise et la consternation de ce pauvre marquis ne peuvent se rendre [2]. Il ne savait qu'en penser, mais son incertitude ne dura que le temps d'aller d'un bout de la ville à l'autre. Il ne rentra point chez lui de tout le jour, il erra dans les rues. Sa belle-
4710 mère et sa femme eurent quelque soupçon de ce qui s'était passé. Au premier coup de marteau, la belle-mère se sauva dans son appartement, et s'y enferma à la clef, sa femme l'attendit seule. À l'approche de son époux elle lut sur son visage la fureur qui le possédait. Elle se jeta à ses pieds, la face collée contre le parquet
4715 sans mot dire. "Retirez-vous, lui dit-il, infâme! loin de moi..." Elle voulut se relever mais elle retomba sur son visage, les bras étendus à terre entre les pieds du marquis. "Monsieur, lui dit-elle, foulez-moi aux pieds, écrasez-moi, car je l'ai mérité. Faites de moi tout ce qu'il vous plaira, mais épargnez ma mère.
4720 – Retirez-vous, reprit le marquis, retirez-vous! c'est assez de l'infamie dont vous m'avez couvert, épargnez-moi un crime."

La pauvre créature resta dans l'attitude où elle était et ne lui répondit rien. Le marquis était assis dans un fauteuil, sa tête enveloppée de ses bras, et le corps à demi penché sur les pieds de son
4725 lit, hurlant par intervalles, sans la regarder : "Retirez-vous!..." Le silence et l'immobilité de la malheureuse le surprirent, il lui répéta d'une voix plus forte encore : "Qu'on se retire!... est-ce que vous ne m'entendez pas?..." Ensuite il se baissa, la poussa durement, et reconnaissant qu'elle était sans sentiment [3] et presque sans vie,
4730 il la prit par le milieu du corps, l'étendit sur un canapé, attacha un moment sur elle des regards où se peignaient alternativement la commisération et le courroux. Il sonna, des valets entrèrent;

---

1. Diderot a habité dans cette rue de Paris.
2. *Se rendre* : se traduire par des mots.
3. *Qu'elle était sans sentiment* : qu'elle avait perdu connaissance.

on appela ses femmes [1], à qui il dit : "Prenez votre maîtresse qui se trouve mal, portez-la dans son appartement, et secourez-la…"
4735 Peu d'instants après il envoya secrètement savoir de ses nouvelles. On lui dit qu'elle était revenue de son premier évanouissement, mais que, les défaillances se succédant rapidement, elles étaient si fréquentes et si longues qu'on ne pouvait lui répondre de rien. Une ou deux heures après il renvoya secrètement savoir de son
4740 état. On lui dit qu'elle suffoquait, et qu'il lui était survenu une espèce de hoquet qui se faisait entendre jusque dans les cours. À la troisième fois, c'était sur le matin, on lui rapporta qu'elle avait beaucoup pleuré, que le hoquet s'était calmé, et qu'elle paraissait s'assoupir [2].

4745 Le jour suivant, le marquis fit mettre ses chevaux à sa chaise [3] et disparut pendant quinze jours, sans qu'on sût ce qu'il était devenu. Cependant avant que de s'éloigner, il avait pourvu à tout ce qui était nécessaire à la mère et à la fille, avec ordre d'obéir à madame comme à lui-même.

4750 Pendant cet intervalle, ces deux femmes restèrent en présence l'une de l'autre sans presque se parler, la fille sanglotant, poussant quelquefois des cris, s'arrachant les cheveux, se tordant les bras, sans que sa mère osât s'approcher d'elle et la consoler. L'une montrait la figure du désespoir, l'autre la figure de l'endur-
4755 cissement. La fille vingt fois dit à sa mère : "Maman, sortons d'ici, sauvons-nous." Autant de fois la mère s'y opposa, et lui répondit : "Non, ma fille, il faut rester, il faut voir ce que cela deviendra ; cet homme ne nous tuera pas… – Eh ! plût à Dieu, lui répondait sa fille, qu'il l'eût déjà fait !…" Sa mère lui répliquait : "Vous feriez
4760 mieux de vous taire que de parler comme une sotte."

À son retour le marquis s'enferma dans son cabinet, et écrivit deux lettres, l'une à sa femme, l'autre à sa belle-mère. Celle-ci par-

---

1. *Ses femmes* : ses servantes.

2. *S'assoupir* : s'endormir.

3. *Chaise* : petite voiture à deux roues, légère et rapide.

tit dans la même journée et se rendit au couvent des Carmélites[1] de la ville prochaine, où elle est morte il y a quelques jours. Sa
4765 fille s'habilla, et se traîna dans l'appartement de son mari où il lui avait apparemment enjoint[2] de venir. Dès la porte, elle se jeta à genoux. "Levez-vous", lui dit le marquis…

Au lieu de se lever, elle s'avança vers lui sur ses genoux, elle tremblait de tous ses membres, elle était échevelée[3], elle avait le
4770 corps un peu penché, les bras portés de son côté, la tête relevée, le regard attaché sur ses yeux et le visage inondé de pleurs. "Il me semble, lui dit-elle, un sanglot séparant chacun de ses mots, que votre cœur justement irrité s'est radouci, et que peut-être avec le temps j'obtiendrai miséricorde. Monsieur, de grâce, ne
4775 vous hâtez point de me pardonner. Tant de filles honnêtes sont devenues de malhonnêtes femmes, que peut-être serai-je un exemple contraire. Je ne suis pas encore digne que vous vous rapprochiez de moi ; attendez, laissez-moi seulement l'espoir du pardon. Tenez-moi loin de vous, vous verrez ma conduite, vous la jugerez,
4780 trop heureuse mille fois, trop heureuse si vous daignez quelquefois m'appeler ! Marquez-moi le recoin obscur de votre maison où vous permettrez que j'habite, j'y resterai sans murmure. Ah ! si je pouvais m'arracher le nom et le titre qu'on m'a fait usurper[4] et mourir après, à l'instant vous seriez satisfait ! Je me suis laissé
4785 conduire par faiblesse, par séduction, par autorité, par menaces, à une action infâme, mais ne croyez pas, monsieur, que je sois méchante, je ne le suis pas, puisque je n'ai pas balancé à paraître devant vous quand vous m'avez appelée et que j'ose à présent lever les yeux sur vous et vous parler. Ah ! si vous pouviez lire au
4790 fond de mon cœur, et voir combien mes fautes passées sont loin de moi ; combien les mœurs de mes pareilles me sont étrangères ! La corruption s'est posée sur moi ; mais elle ne s'y est point

---

1. *Carmélites* : religieuses de l'ordre du Mont-Carmel.
2. *Enjoint* : ordonné.
3. *Échevelée* : les cheveux épars et en désordre.
4. *Usurper* : obtenir malhonnêtement.

attachée. Je me connais, et une justice que je me rends, c'est que par mes goûts, par mes sentiments, par mon caractère, j'étais née digne de vous appartenir. Ah! s'il m'eût été libre de vous voir, il n'y avait qu'un mot à dire, et je crois que j'en aurais eu le courage. Monsieur, disposez de moi comme il vous plaira; faites entrer vos gens, qu'ils me dépouillent, qu'ils me jettent la nuit dans la rue, je souscris à tout. Quel que soit le sort que vous me préparez, je m'y soumets; le fond d'une campagne, l'obscurité d'un cloître peut me dérober pour jamais à vos yeux, parlez et j'y vais. Votre bonheur n'est point sans ressource, et vous pourrez m'oublier…

– Levez-vous, lui dit doucement le marquis, je vous ai pardonné, au moment même de l'injure j'ai respecté ma femme en vous, il n'est pas sorti de ma bouche une parole qui l'ait humiliée, ou du moins je m'en repens, et je proteste qu'elle n'en entendra plus aucune qui l'humilie, si elle se souvient qu'on ne peut rendre un époux malheureux sans le devenir. Soyez honnête, soyez heureuse et faites que je le sois. Levez-vous, je vous en prie, ma femme, levez-vous et embrassez-moi; madame la marquise, levez-vous, vous n'êtes pas à votre place; madame des Arcis, levez-vous…"

Pendant qu'il parlait ainsi, elle était restée le visage caché dans ses mains et la tête appuyée sur les genoux du marquis; mais au mot de ma femme, au mot de madame des Arcis, elle se leva brusquement et se précipita sur le marquis; elle le tenait embrassé, à moitié suffoquée par la douleur et par la joie, puis elle se séparait de lui, se jetait à terre et lui baisait les pieds.

"Ah! lui disait le marquis, je vous ai pardonné; je vous l'ai dit, et je vois que vous n'en croyez rien…

– Il faut, lui répondait-elle, que cela soit, et que je ne le croie jamais."

Le marquis ajoutait : "En vérité, je crois que je ne me repens de rien, et que cette Pommeraye, au lieu de se venger, m'aura rendu un grand service. Ma femme, allez vous habiller tandis qu'on s'occupera à faire vos malles. Nous partons pour ma terre, où nous resterons jusqu'à ce que nous puissions reparaître ici sans conséquence pour vous et pour moi…"

Ils passèrent presque trois ans de suite absents de la capitale.

4830 JACQUES. – Et je gagerais bien que ces trois ans s'écoulèrent comme un jour, et que le marquis des Arcis fut un des meilleurs maris et eut une des meilleures femmes qu'il y eût au monde.

LE MAÎTRE. – Je serais de moitié[1] ; mais en vérité je ne sais pourquoi, car je n'ai point du tout été satisfait de cette fille pendant 4835 tout le cours des menées de la dame de Pommeraye et de sa mère. Pas un instant de crainte, pas le moindre signe d'incertitude, pas un remords ; je l'ai vue se prêter sans répugnance à cette longue horreur. Tout ce qu'on a voulu d'elle, elle n'a jamais hésité de le faire ; elle va à confesse, elle communie, elle joue la religion et ses 4840 ministres. Elle m'a semblé aussi fausse, aussi méprisable, aussi méchante que les deux autres… Notre hôtesse, vous narrez assez bien ; mais vous n'êtes pas encore profonde dans l'art dramatique. Si vous vouliez que cette jeune fille intéressât, il fallait lui donner de la franchise[2] et nous la montrer victime innocente et forcée de 4845 sa mère et de La Pommeraye, il fallait que les traitements les plus cruels l'entraînassent, malgré qu'elle en eût[3], à concourir à une suite de forfaits continus pendant une année : il fallait préparer ainsi le raccommodement de cette femme avec son mari. Quand on introduit un personnage sur la scène, il faut que son rôle soit 4850 un ; or je vous demanderai, notre charmante hôtesse, si la fille qui complote avec deux scélérates est bien la femme suppliante que nous avons vue aux pieds de son mari ? Vous avez péché contre les règles d'Aristote, d'Horace, de Vida et de Le Bossu[4].

---

1. *Je serais de moitié* : je serais tenté de partager ton opinion.

2. *Franchise* : droiture.

3. *Malgré qu'elle en eût* : même si ce n'était pas sa volonté.

4. Ce sont quatre théoriciens de la littérature ayant recommandé de créer des personnages possédant des caractères cohérents, unis : ***Aristote*** (385-322 av. J.-C.) dans sa *Poétique* (340 av. J.-C.) ; ***Horace*** (65-8 av. J.-C.), dans son *Épître aux Pisons* (20 av. J.-C.) ; ***Marc Jérôme Vida*** (1490-1556) …/…

■ « Elle le tenait embrassé, à moitié suffoquée par la douleur et par la joie »
(p. 215).

L'HÔTESSE. – Je ne connais ni bossu ni droit, je vous ai dit la
4855 chose comme elle s'est passée, sans en rien omettre, sans y rien
ajouter. Et qui sait ce qui se passait au fond du cœur de cette jeune
fille, et si, dans les moments où elle nous paraissait agir le plus
lestement, elle n'en était pas secrètement dévorée de chagrin ?

JACQUES. – Notre hôtesse, pour cette fois-ci, il faut que je sois
4860 de l'avis de mon maître qui me le pardonnera, car cela m'arrive
si rarement, de son Bossu, que je ne connais point, et de ces
autres messieurs qu'il a cités, et que je ne connais pas davantage.
Si Mlle Duquênoi, ci-devant[1] la d'Aisnon, avait été une jolie
enfant[2], il y aurait paru.

4865 L'HÔTESSE. – Jolie enfant ou non, tant y a que[3] c'est une
excellente femme ; que son mari est avec elle content comme un
roi, et qu'il ne la troquerait pas contre une autre.

JACQUES. – Je l'en félicite, il a été plus heureux[4] que sage.

L'HÔTESSE. – Et moi, je vous souhaite une bonne nuit. Il est
4870 tard, et il faut que je sois la dernière couchée et la première levée.
Quel maudit métier ! Bonsoir, messieurs, bonsoir. Je vous avais
promis, je ne sais plus à propos de quoi, l'histoire d'un mariage
saugrenu : et je crois vous avoir tenu parole. Monsieur Jacques,
je crois que vous n'aurez pas de peine à vous endormir ; car vos
4875 yeux sont plus qu'à demi fermés. Bonsoir, monsieur Jacques.

LE MAÎTRE. – Eh bien, notre hôtesse, il n'y a donc pas moyen
de savoir vos aventures ?

L'HÔTESSE. – Non.

JACQUES. – Vous avez un furieux[5] goût pour les contes !

…/…dans sa *Poétique* (traduite du latin en 1771) ; **René Le Bossu** (1631-
1680) dans son *Traité du poème épique* (1675).
1. Ci-devant : auparavant.
2. Jolie enfant : «Qui plaît plutôt par la gentillesse que par la beauté»
(*Dictionnaire de l'Académie*, 1762) ; irréprochable.
3. Tant y a que : il reste que.
4. Heureux : chanceux.
5. Furieux : très fort.

₄₈₈₀ LE MAÎTRE. – Il est vrai ; ils m'instruisent et m'amusent. Un bon conteur est un homme rare.

JACQUES. – Et voilà tout juste pourquoi je n'aime pas les contes, à moins que je ne les fasse.

LE MAÎTRE. – Tu aimes mieux parler mal que te taire.

₄₈₈₅ JACQUES. – Il est vrai.

LE MAÎTRE. – Et moi, j'aime mieux entendre mal parler que de ne rien entendre.

JACQUES. – Cela nous met tous deux fort à notre aise. »

Je ne sais où l'hôtesse, Jacques et son maître avaient mis leur ₄₈₉₀ esprit, pour n'avoir pas trouvé une seule fois des choses qu'il y avait à dire en faveur de Mlle Duquênoi. Est-ce que cette fille comprit rien aux artifices[1] de la dame de La Pommeraye, avant le dénouement ? Est-ce qu'elle n'aurait pas mieux aimé accepter les offres que la main du marquis et l'avoir pour amant que pour ₄₈₉₅ époux ? Est-ce qu'elle n'était pas continuellement sous les menaces et le despotisme[2] de la marquise ? Peut-on la blâmer de son horrible aversion[3] pour un état infâme[4] ? et si l'on prend le parti de l'en estimer davantage, peut-on exiger d'elle bien de la délicatesse, bien du scrupule dans le choix des moyens de s'en tirer ?

₄₉₀₀ Et vous croyez, lecteur, que l'apologie[5] de Mme de La Pommeraye est plus difficile à faire ? Il vous aurait peut-être été plus agréable d'entendre là-dessus Jacques et son maître ; mais ils avaient à parler de tant d'autres choses plus intéressantes, qu'ils auraient vraisemblablement négligé celle-ci. Permettez donc que ₄₉₀₅ je m'en occupe un moment.

Vous entrez en fureur au nom de Mme de La Pommeraye, et vous vous écriez : « Ah ! la femme horrible ! ah ! l'hypocrite ! ah ! la scélérate ! » Point d'exclamation, point de courroux, point de

---

1. *Artifices* : pièges.

2. *Despotisme* : pouvoir absolu.

3. *Aversion* : dégoût.

4. *Un état infâme* : le métier honteux qu'elle faisait.

5. *L'apologie* : l'éloge et la défense.

partialité : raisonnons. Il se fait tous les jours des actions plus
4910 noires, sans aucun génie. Vous pouvez haïr, vous pouvez redouter
Mme de La Pommeraye : mais vous ne la mépriserez pas. Sa vengeance est atroce, mais elle n'est souillée d'aucun motif d'intérêt.
On ne vous a pas dit qu'elle avait jeté au nez du marquis le beau
diamant dont il lui avait fait présent, mais elle le fit, je le sais par
4915 les voies les plus sûres. Il ne s'agit ni d'augmenter sa fortune, ni
d'acquérir quelques titres d'honneur. Quoi, si cette femme en
avait fait autant, pour obtenir à un mari la récompense de ses services, si elle s'était prostituée à un ministre ou même à un premier
commis[1] pour un cordon ou pour une colonelle[2] ; au dépositaire
4920 de la feuille des Bénéfices[3], pour une riche abbaye, cela vous
paraîtrait tout simple. L'usage[4] serait pour vous ; et lorsqu'elle se
venge d'une perfidie, vous vous révoltez contre elle au lieu de voir
que son ressentiment ne vous indigne que parce que vous êtes
incapable d'en éprouver un aussi profond, ou que vous ne faites
4925 presque aucun cas de la vertu des femmes. Avez-vous un peu
réfléchi sur les sacrifices que Mme de La Pommeraye avait faits au
marquis ? Je ne vous dirai pas que sa bourse lui avait été ouverte
en toute occasion, et que pendant plusieurs années il n'avait
eu d'autre maison, d'autre table que la sienne, cela vous ferait
4930 hocher de la tête ; mais elle s'était assujettie[5] à toutes ses fantaisies, à tous ses goûts, pour lui plaire elle avait renversé le plan de
sa vie. Elle jouissait de la plus haute considération dans le monde
par la pureté de ses mœurs : et elle s'était rabaissée sur la ligne

---

1. *Premier commis* : haut fonctionnaire.

2. *Pour un cordon ou pour une colonelle* : pour obtenir pour son mari un
ruban (insigne d'appartenance à un ordre) ou pour qu'il accède au poste de
major dans la première compagnie d'un régiment d'infanterie.

3. *Dépositaire de la feuille des Bénéfices* : gardien du registre des revenus
ecclésiastiques. Ce prélat (nommé par le roi) avait le pouvoir de nommer les
supérieurs des communautés religieuses (abbayes, etc.), à charge pour eux
d'en gérer au mieux les excédents de revenus ou bénéfices.

4. *L'usage* : les pratiques sociales courantes, les habitudes sociales.

5. *Assujettie* : soumise.

commune. On dit d'elle, lorsqu'elle eut agréé l'hommage du mar-
4935 quis des Arcis : «Enfin cette merveilleuse Mme de La Pommeraye
s'est donc faite comme une d'entre nous...» Elle avait remarqué
autour d'elle les souris [1] ironiques; elle avait entendu les plaisanteries, et souvent elle en avait rougi et baissé les yeux; elle avait
avalé tout le calice de l'amertume préparé aux femmes dont la
4940 conduite réglée [2] a fait trop longtemps la satire des mauvaises
mœurs de celles qui les entourent; elle avait supporté tout l'éclat
scandaleux par lequel on se venge des imprudentes bégueules [3]
qui affichent de l'honnêteté. Elle était vaine [4], et elle serait morte
de douleur plutôt que de promener dans le monde, après la honte
4945 de la vertu abandonnée, le ridicule d'une délaissée. Elle touchait
au moment [5] où la perte d'un amant ne se répare plus. Tel était
son caractère, que cet événement la condamnait à l'ennui et à
la solitude. Un homme en poignarde un autre pour un geste,
pour un démenti [6]; et il ne sera pas permis à une honnête femme
4950 perdue, déshonorée, trahie, de jeter le traître entre les bras d'une
courtisane [7]? Ah! lecteur, vous êtes bien léger dans vos éloges
et bien sévère dans votre blâme. Mais, me direz-vous, c'est plus
encore la manière que la chose que je reproche à la marquise. Je
ne me fais pas à un ressentiment d'une aussi longue tenue [8], à
4955 un tissu de fourberies, de mensonges qui dure près d'un an. Ni
moi non plus, ni Jacques, ni son maître, ni l'hôtesse. Mais vous
pardonnerez tout à un premier mouvement et je vous dirai que
si le premier mouvement des autres est court, celui de Mme de

---

1. Souris : sourires.

2. Réglée : disciplinée, sage.

3. Bégueules : femmes prudes.

4. Vaine : vaniteuse.

5. Elle touchait au moment : elle approchait de l'âge.

6. Démenti : «Reproche qu'on fait à quelqu'un d'avoir parlé faussement, avec cette formule injurieuse "vous en avez menti". Le soufflet suit ordinairement le *démenti* qu'on donne à un gentilhomme» (*Dictionnaire de Littré*, 1690).

7. Courtisane : prostituée.

8. Tenue : continuité.

La Pommeraye et des femmes de son caractère est long. Leur âme
reste quelquefois toute leur vie comme au premier moment de
l'injure ; et quel inconvénient, quelle injustice y a-t-il à cela ? Je
n'y vois que des trahisons moins communes, et j'approuverais
fort une loi qui condamnerait aux courtisanes celui qui aurait
séduit et abandonné une honnête femme : l'homme commun aux
femmes communes[1].

Tandis que je disserte, le maître de Jacques ronfle comme s'il
m'avait écouté, et Jacques, à qui les muscles des jambes refusaient
le service, rôde dans la chambre, en chemise et pieds nus, culbute
tout ce qu'il rencontre et réveille son maître qui lui dit d'entre ses
rideaux : « Jacques, tu es ivre.

– Ou peu s'en faut.

– À quelle heure as-tu résolu de te coucher ?

– Tout à l'heure[2], monsieur, c'est qu'il y a... c'est qu'il y a...

– Qu'est-ce qu'il y a ?

– Dans cette bouteille un reste qui s'éventerait... J'ai en horreur les bouteilles en vidange[3] ; cela me reviendrait en tête quand
je serais couché ; et il n'en faudrait pas davantage pour m'empêcher de fermer l'œil. Notre hôtesse est par ma foi une excellente
femme, et son champagne un excellent vin ; ce serait dommage de
le laisser éventer... le voilà bientôt à couvert[4]... et il ne s'éventera
plus... »

[Et tout en balbutiant, Jacques, en chemise et pieds nus, avait
sablé[5] deux ou trois rasades sans ponctuation, comme il s'expri-
mait, c'est-à-dire de la bouteille au verre, du verre à la bouche.] Il
y a deux versions sur ce qui suivit après qu'il eut éteint les lumières. Les uns prétendent qu'il se mit à tâtonner le long des murs
sans pouvoir retrouver son lit, et qu'il disait : « Ma foi, il n'y est

---

1. Fin de la livraison nº 8 de la *Correspondance littéraire* de juillet 1779.

2. *Tout à l'heure* : tout de suite.

3. *En vidange* : qui ne sont pas vides.

4. *Le voilà bientôt à couvert* : il sera d'ici peu à l'abri (dans l'estomac).

5. *Avait sablé* : avait avalé cul sec.

plus, ou, s'il y est, il est écrit là-haut que je ne le retrouverai pas ; dans l'un et l'autre cas, il faut s'en passer» ; et qu'il prit le parti de s'étendre sur des chaises. D'autres, qu'il était écrit là-haut qu'il s'embarrasserait les pieds dans les chaises, qu'il tomberait sur le carreau et qu'il y resterait. De ces deux versions, demain, après-demain, vous choisirez à tête reposée celle qui vous conviendra le mieux.

Nos deux voyageurs, qui s'étaient couchés tard et la tête un peu chaude de vin, dormirent la grasse matinée, Jacques à terre ou sur des chaises, selon la version que vous aurez préférée, son maître plus à son aise dans son lit. L'hôtesse monta et leur annonça que la journée ne serait pas belle ; mais que, quand le temps leur permettrait de continuer leur route, ils risqueraient leur vie ou seraient arrêtés par le gonflement des eaux du ruisseau qu'ils avaient à traverser, et que plusieurs hommes de cheval, qui n'avaient pas voulu l'en croire, avaient été forcés de rebrousser chemin. Le maître dit à Jacques : «Jacques, que ferons-nous ?» Jacques répondit : «Nous déjeunerons d'abord avec notre hôtesse, ce qui nous avisera.» L'hôtesse jura que c'était sagement pensé. On servit à déjeuner. L'hôtesse ne demandait pas mieux que d'être gaie, le maître de Jacques s'y serait prêté, mais Jacques commençait à souffrir, il mangea de mauvaise grâce, il but peu, il se tut ; ce dernier symptôme était surtout fâcheux ; c'était la suite de la mauvaise nuit qu'il avait passée et du mauvais lit qu'il avait eu. Il se plaignait de douleurs dans les membres, sa voix rauque annonçait un mal de gorge. Son maître lui conseilla de se coucher, il n'en voulut rien faire. L'hôtesse lui proposait une soupe à l'oignon. Il demanda qu'on fît du feu dans la chambre, car il ressentait du frisson, qu'on lui préparât de la tisane et qu'on lui apportât une bouteille de vin blanc, ce qui fut exécuté sur-le-champ. Voilà l'hôtesse partie, et Jacques en tête à tête avec son maître. Celui-ci allait à la fenêtre, disait : «Quel diable de temps !» regardait à sa montre, car c'était la seule en qui il eût confiance, quelle heure il était, prenait sa prise de tabac, recommençait la même chose d'heure en heure, s'écriant à chaque fois : «Quel diable de temps!» se tournant vers Jacques et ajoutant : «La belle occasion pour reprendre et achever l'histoire de tes amours! mais on parle mal d'amour et d'autre chose quand on souffre. Vois, tâte-toi, si tu peux continuer, continue, sinon, bois ta tisane et dors.»

Jacques prétendit que le silence lui était malsain, qu'il était un animal jaseur, et que le principal avantage de sa condition, celui qui le touchait le plus, c'était la liberté de se dédommager des douze années de bâillon qu'il avait passées chez son grand-père à qui Dieu fasse miséricorde.

LE MAÎTRE. – Parle donc, puisque cela nous fait plaisir à tous deux. Tu en étais à je ne sais quelle proposition malhonnête de la femme du chirurgien; il s'agissait, je crois, d'expulser celui qui servait au château et d'y installer son mari.

[JACQUES. – M'y voilà; mais un moment, s'il vous plaît. Humectons.

Jacques remplit un grand gobelet de tisane, y versa un peu de vin blanc et l'avala. C'était une recette qu'il tenait de son capitaine et que M. Tissot[1], qui la tenait de Jacques, recommande dans son traité des *Maladies populaires*. Le vin blanc, disaient Jacques et M. Tissot, fait pisser, est diurétique, corrige la fadeur de la tisane et soutient le ton[2] de l'estomac et des intestins. Son verre de tisane bu, Jacques continua :]

« Me voilà sorti de la maison du chirurgien, monté dans la voiture, arrivé au château et entouré de tous ceux qui l'habitaient.

LE MAÎTRE. – Est-ce que tu y étais connu?

JACQUES. – Assurément. Vous rappelleriez-vous une certaine femme à la cruche d'huile?

LE MAÎTRE. – Fort bien!

---

1. *Simon André Tissot* (1728-1797) : médecin suisse, auteur d'un ouvrage de vulgarisation médicale intitulé *Avis au peuple sur sa santé* (1761), où était recommandé le mélange de tisane et de vin blanc.
2. *Le ton* : l'état normal (vieux terme de médecine).

JACQUES. – Cette femme était la commissionnaire [1] de l'intendant et des domestiques. Jeanne avait prôné [2] dans le château l'acte de commisération que j'avais exercé envers elle ; ma bonne œuvre était parvenue aux oreilles du maître, on ne lui avait pas laissé ignorer les coups de pied et de poing dont elle avait été récompensée la nuit sur le grand chemin. Il avait ordonné qu'on me découvrît [3] et qu'on me transportât chez lui. M'y voilà. On me regarde, on m'interroge, on m'admire. Jeanne m'embrassait et me remerciait. "Qu'on le loge commodément, disait le maître à ses gens, et qu'on ne le laisse manquer de rien" ; au chirurgien de la maison : "Vous le visiterez avec assiduité…" Tout fut exécuté de point en point. Eh bien, mon maître, qui sait ce qui est écrit là-haut ? Qu'on dise à présent que c'est bien ou mal fait de donner son argent, que c'est un malheur d'être assommé. Sans ces deux événements M. Desglands n'aurait jamais entendu parler de Jacques.

LE MAÎTRE. – M. Desglands [4], seigneur de Miremont ! C'est au château de Miremont que tu es ? chez mon vieil ami, le père de M. Desforges, l'intendant de ma province ?

JACQUES. – Tout juste. Et la jeune brune à la taille légère, aux yeux noirs…

LE MAÎTRE. – Est Denise, la fille de Jeanne ?

JACQUES. – Elle-même.

LE MAÎTRE. – Tu as raison ; c'est une des plus belles et des plus honnêtes créatures qu'il y ait à vingt lieues à la ronde. Moi et la plupart de ceux qui fréquentaient le château de Desglands avaient tout mis en œuvre inutilement pour la séduire, et il n'y en avait pas un de nous qui n'eût fait de grandes sottises pour elle, à condition d'en faire une petite pour lui. »

Jacques cessant ici de parler, son maître lui dit : « À quoi penses-tu ? Que fais-tu ?

---

1. **Commissionnaire** : personne chargée de commissions.
2. **Prôné** : vanté.
3. **Découvrît** : trouvât.
4. Personnage fictif. Il en est de même des maîtres énumérés à la suite.

JACQUES. – Je fais ma prière.

LE MAÎTRE. – Est-ce que tu pries ?

JACQUES. – Quelquefois.

5085 LE MAÎTRE. – Et que dis-tu ?

JACQUES. – Je dis : "Toi qui as fait le grand rouleau, quel que tu sois, et dont le doigt a tracé toute l'écriture qui est là-haut, tu as su de tous les temps ce qu'il me fallait ; que ta volonté soit faite. Amen."

5090 LE MAÎTRE. – Est-ce que tu ne ferais pas tout aussi bien de te taire ?

JACQUES. – Peut-être qu'oui, peut-être que non. Je prie à tout hasard, et quoi qu'il m'advînt, je ne m'en réjouirais ni ne m'en plaindrais si je me possédais ; mais c'est que je suis inconséquent 5095 et violent, que j'oublie mes principes ou les leçons de mon capitaine et que je ris et pleure comme un sot.

LE MAÎTRE. – Est-ce que ton capitaine ne pleurait point, ne riait jamais ?

JACQUES. – Rarement… Jeanne m'amena sa fille un matin, 5100 et s'adressant d'abord à moi, elle me dit : "Monsieur, vous voilà dans un beau château où vous serez un peu mieux que chez votre chirurgien. Dans les commencements surtout, oh ! vous serez soigné à ravir ; mais je connais les domestiques, il y a assez longtemps que je le suis, peu à peu leur beau zèle[1] se ralentira. Les 5105 maîtres ne penseront plus à vous, et si votre maladie dure, vous serez oublié, mais si parfaitement oublié, que s'il vous prenait en fantaisie de mourir de faim, cela vous réussirait…" Puis se tournant vers sa fille : "Écoute, Denise, lui dit-elle, je veux que tu visites cet honnête homme-là quatre fois par jour : le matin, 5110 à l'heure du dîner, sur les cinq heures et à l'heure du souper. Je veux que tu lui obéisses comme à moi. Voilà qui est dit, et n'y manque pas."

LE MAÎTRE. – Sais-tu ce qui lui est arrivé à ce pauvre Desglands ?

---

1. *Zèle* : dévouement, empressement.

JACQUES. – Non, monsieur, mais si les souhaits que j'ai faits
pour sa prospérité n'ont pas été remplis, ce n'est pas faute
d'avoir été sincères. C'est lui qui me donna au [1] commandeur de
La Boulaye, qui périt en passant à Malte ; c'est le commandeur
de La Boulaye qui me donna à son frère aîné le capitaine qui est
peut-être mort à présent de la fistule [2] ; c'est ce capitaine qui me
donna à son frère le plus jeune, l'avocat général de Toulouse,
qui devint fou et que la famille fit enfermer. C'est M. Pascal,
avocat général de Toulouse, qui me donna au comte de Tourville,
qui aima mieux laisser croître sa barbe sous un habit de capucin
que d'exposer sa vie. C'est le comte de Tourville qui me donna
à la marquise du Belloy, qui s'est sauvée à Londres avec un
étranger. C'est la marquise du Belloy qui me donna à un de
ses cousins, qui s'est ruiné avec les femmes et qui a passé
aux îles. C'est ce cousin-là qui me donna à un M. Hérissant,
usurier de profession, qui faisait valoir l'argent de M. de Rusai,
docteur de Sorbonne, qui me fit entrer chez Mlle Isselin que
vous entreteniez, et qui me plaça chez vous, à qui je devrai un
morceau de pain sur mes vieux jours, car vous me l'avez promis
si je vous restais attaché : et il n'y a pas d'apparence que nous
nous séparions. Jacques a été fait pour vous, et vous fûtes fait
pour Jacques.

LE MAÎTRE. – Mais, Jacques, tu as parcouru bien des maisons
en assez peu de temps.

JACQUES. – Il est vrai ; on m'a renvoyé quelquefois.

LE MAÎTRE. – Pourquoi ?

JACQUES. – C'est que je suis né bavard, et que tous ces
gens-là voulaient qu'on se tût. Ce n'était pas comme vous,
qui me remercieriez [3] demain si je me taisais. J'avais tout juste
le vice qui vous convenait. Mais qu'est-ce donc qui est arrivé

---

1. *Me donna au* : me fit entrer au service du.

2. *Fistule* : maladie consistant en l'apparition d'un canal par lequel s'écoule
un liquide organique (urine ou pus).

3. *Remercieriez* : congédieriez.

à M. Desglands ? Dites-moi cela, tandis que je m'apprêterai un
5145 coup de tisane.

LE MAÎTRE. – Tu as demeuré dans son château et tu n'as jamais
entendu parler de son emplâtre[1] ?

JACQUES. – Non.

LE MAÎTRE. – Cette aventure-là sera pour la route ; l'autre est
5150 courte. Il avait fait sa fortune au jeu. Il s'attacha à une femme que
tu auras pu voir dans son château, femme d'esprit, mais sérieuse,
taciturne[2], originale et dure. Cette femme lui dit un jour : "Ou vous
m'aimez mieux que le jeu, et en ce cas donnez-moi votre parole
d'honneur que vous ne jouerez jamais ; ou vous aimez mieux
5155 le jeu que moi, et en ce cas ne me parlez plus de votre passion,
et jouez tant qu'il vous plaira." Desglands donna sa parole
d'honneur qu'il ne jouerait plus. – Ni gros ni petit jeu ? – Ni gros
ni petit jeu. Il y avait environ dix ans qu'ils vivaient ensemble
dans le château que tu connais, lorsque Desglands, appelé à la
5160 ville par une affaire d'intérêt, eut le malheur de rencontrer chez
son notaire une de ses anciennes connaissances de brelan[3], qui
l'entraîna à dîner dans un tripot où il perdit en une seule séance
tout ce qu'il possédait. Sa maîtresse fut inflexible. Elle était riche,
elle fit à Desglands une pension modique et se sépara de lui pour
5165 toujours.

JACQUES. – J'en suis fâché, c'était un galant homme.

LE MAÎTRE. – Comment va la gorge ?

JACQUES. – Mal.

LE MAÎTRE. – C'est que tu parles trop et que tu ne bois pas
5170 assez.

JACQUES. – C'est que je n'aime pas la tisane et que j'aime à
parler.

---

1. Emplâtre : «Onguent étendu sur un morceau de linge, de cuir, ou autre
chose, pour l'appliquer sur la partie malade et affligée» (*Dictionnaire de l'Académie*, 1762). Le tissu utilisé était souvent du taffetas noir.
2. Taciturne : parlant très peu.
3. Brelan : jeu de cartes, ancêtre du poker.

LE MAÎTRE. – Eh bien, Jacques, te voilà chez Desglands, près de Denise, et Denise autorisée par sa mère à te faire au moins quatre visites par jour. La coquine ! préférer un Jacques [1] !

JACQUES. – Un Jacques ! un Jacques, monsieur, est un homme comme un autre.

LE MAÎTRE. – Jacques, tu te trompes, un Jacques n'est point un homme comme un autre.

JACQUES. – C'est quelquefois mieux qu'un autre.

LE MAÎTRE. – Jacques, vous vous oubliez. Reprenez l'histoire de vos amours, et souvenez-vous que vous n'êtes et ne serez jamais qu'un Jacques.

JACQUES. – Si dans la chaumière où nous trouvâmes les coquins, Jacques n'avait pas valu un peu mieux que son maître...

LE MAÎTRE. – Jacques, vous êtes un insolent, vous abusez de ma bonté. Si j'ai fait la sottise de vous tirer de votre place, je saurai bien vous y remettre. Jacques, prenez votre bouteille et votre coquemar [2] et descendez là-bas.

JACQUES. – Cela vous plaît à dire, monsieur ; je me trouve bien ici et je ne descendrai pas là-bas.

LE MAÎTRE. – Je te dis que tu descendras.

JACQUES. – Je suis sûr que vous ne dites pas vrai. Comment, monsieur, après m'avoir accoutumé [3] pendant dix ans à vivre de pair à compagnon [4]...

LE MAÎTRE. – Il me plaît que cela cesse.

JACQUES. – Après avoir souffert toutes mes impertinences...

---

1. Jacques : ce prénom était le surnom des paysans d'Ancien Régime ; il peut devenir une injure dans la bouche d'un noble (signifiant « paysan stupide et borné »). Historiquement, la première « jacquerie » (mouvement de révolte paysanne) eut lieu en région parisienne, au XIVe siècle (été 1358), et fut d'une extrême violence à l'encontre des nobles (châteaux brûlés, seigneurs massacrés, femmes violées, etc.).
2. Coquemar : récipient destiné à faire bouillir de l'eau ; bouilloire.
3. Accoutumé : habitué.
4. De pair à compagnon : en égaux.

LE MAÎTRE. – Je n'en veux plus souffrir.

JACQUES. – Après m'avoir fait asseoir à table à côté de vous,
5200 m'avoir appelé votre ami...

LE MAÎTRE. – Vous ne savez ce que c'est que le nom d'ami
donné par un supérieur à son subalterne.

JACQUES. – Quand on sait que tous vos ordres ne sont que
des clous à soufflet[1], s'ils n'ont été ratifiés par Jacques ; après
5205 avoir si bien accolé votre nom au mien, que l'un ne va jamais
sans l'autre, et que tout le monde dit Jacques et son maître, tout
à coup il vous plaira de les séparer ! Non, monsieur, cela ne sera
pas. Il est écrit là-haut que tant que Jacques vivra, que tant que
son maître vivra, et même après qu'ils seront morts tous deux, on
5210 dira Jacques et son maître.

LE MAÎTRE. – Et je dis, Jacques, que vous descendrez, et que
vous descendrez sur-le-champ, parce que je vous l'ordonne.

JACQUES. – Monsieur, commandez-moi toute autre chose, si
vous voulez que je vous obéisse.»

5215 Ici, le maître de Jacques se leva, prit Jacques à la boutonnière
et lui dit gravement :

«Descendez.»

Jacques lui répondit froidement :

«Je ne descends pas.»

5220 Le maître le secouant fortement, lui dit :

«Descendez, maroufle ! obéissez-moi.»

Jacques lui répliquant plus froidement encore :

«Maroufle, tant qu'il vous plaira, mais le maroufle ne descendra pas. Tenez, monsieur, ce que j'ai à la tête, comme on dit, je ne
5225 l'ai pas au talon. Vous vous échauffez inutilement, Jacques restera
où il est, et ne descendra pas.»

Et puis Jacques et son maître, après s'être modérés jusqu'à
ce moment, s'échappent[2] tous les deux à la fois, et se mettent à
crier à tue-tête :

---

1. *Des clous à soufflet* : des paroles sans importance, en l'air.
2. *S'échappent* : s'emportent.

5230   «Tu descendras.

– Je ne descendrai pas.

– Tu descendras.

– Je ne descendrai pas.»

À ce bruit l'hôtesse monta et s'informa de ce que c'était;
5235   mais ce ne fut pas dans le premier instant qu'on lui répondit;
on continua à crier : «Tu descendras. Je ne descendrai pas.»
Ensuite le maître, le cœur gros[1], se promenant dans la chambre, disait en grommelant[2] : «A-t-on jamais rien vu de pareil?»
L'hôtesse ébahie[3] et debout : «Eh bien, messieurs, de quoi
5240   s'agit-il?»

Jacques, sans s'émouvoir, à l'hôtesse : «C'est mon maître à
qui la tête tourne, il est fou.

LE MAÎTRE. – C'est bête que tu veux dire?

JACQUES. – Tout comme il vous plaira.

5245   LE MAÎTRE, *à l'hôtesse.* – L'avez-vous entendu?

L'HÔTESSE. – Il a tort, mais la paix, la paix; parlez l'un ou
l'autre et que je sache ce dont il s'agit.

LE MAÎTRE, *à Jacques.* – Parle, maroufle.

JACQUES, *à son maître.* – Parlez vous-même.

5250   L'HÔTESSE, *à Jacques.* – Allons, monsieur Jacques, parlez, votre
maître vous l'ordonne; après tout un maître est un maître…»

Jacques expliqua la chose à l'hôtesse. L'hôtesse, après avoir
entendu, leur dit : «Messieurs, voulez-vous m'accepter pour arbitre?

5255   JACQUES ET SON MAÎTRE, *tous les deux à la fois.* – Très volontiers,
très volontiers, notre hôtesse.

L'HÔTESSE. – Et vous vous engagez d'honneur[4] à exécuter ma
sentence?

JACQUES ET SON MAÎTRE. – D'honneur, d'honneur…»

---

1. *Le cœur gros* : la rage au cœur, très en colère.

2. *Grommelant* : ronchonnant.

3. *Ébahie* : étonnée, stupéfaite.

4. *D'honneur* : sur l'honneur.

5260 Alors l'hôtesse s'asseyant sur la table, et prenant le ton et le grave maintien d'un magistrat, dit :

« Ouï [1] la déclaration de M. Jacques, et d'après des faits tendant à prouver que son maître est un bon, un très bon, un trop bon maître, et que Jacques n'est point un mauvais serviteur, quoiqu'un
5265 peu sujet à confondre la possession absolue et inamovible avec la concession passagère et gratuite, j'annule l'égalité qui s'est établie entre eux par laps de temps et la recrée sur-le-champ. Jacques descendra, et quand il aura descendu il remontera, il rentrera dans toutes les prérogatives dont il a joui jusqu'à ce jour. Son
5270 maître lui tendra la main et lui dira d'amitié : "Bonjour, Jacques, je suis bien aise de vous revoir…" Jacques lui répondra : "Et moi, monsieur, je suis enchanté de vous retrouver…" Et je défends qu'il soit jamais question entre eux de cette affaire et que la prérogative de maître et de serviteur soit agitée à l'avenir. Voulons que l'un
5275 ordonne et que l'autre obéisse, chacun de son mieux, et qu'il soit laissé entre ce que l'un peut et ce que l'autre doit la même obscurité que ci-devant. »

En achevant ce prononcé [2], qu'elle avait pillé dans quelque ouvrage du temps, publié à l'occasion d'une querelle toute
5280 pareille, et où l'on avait entendu, de l'une des extrémités d'un royaume à l'autre, le maître crier à son serviteur [3] : « Tu descendras ! » et le serviteur crier de son côté : « Je ne descendrai pas » ; « allons, dit-elle à Jacques, vous, donnez-moi le bras sans parlementer davantage… »

5285 Jacques s'écria douloureusement : « Il était donc écrit là-haut que je descendrais !… »

---

1. *Ouï* : ayant entendu.
2. *Ce prononcé* : cet arrêt, cette sentence (terme juridique).
3. Allusion aux querelles des années 1754-1756 et 1763-1774 entre le roi Louis XV et le parlement de Paris (corps de justice souverain sur les deux tiers du territoire), dont les attributions, purement judiciaires à l'origine, tendirent progressivement à s'élargir au domaine politique, ce qui déplaisait au roi.

L'Hôtesse, *à Jacques*. – Il était écrit là-haut qu'au moment où l'on prend maître, on descendra, on montera, on avancera, on reculera, on restera, et cela sans qu'il soit jamais libre aux pieds
5290 de se refuser aux ordres de la tête. Qu'on me donne le bras, et que mon ordre s'accomplisse...

Jacques donna le bras à l'hôtesse, mais à peine eurent-ils passé le seuil de la chambre, que le maître se précipita sur Jacques et l'embrassa, quitta Jacques pour embrasser l'hôtesse, et les
5295 embrassant l'un et l'autre, il disait : «Il est écrit là-haut que je ne me déferai jamais de cet original-là, et que tant que je vivrai il sera mon maître et que je serai son serviteur...» L'hôtesse ajouta : «Et qu'à vue de pays[1] vous ne vous en trouverez pas plus mal tous deux.»

5300 L'hôtesse, après avoir apaisé cette querelle qu'elle prit pour la première, et qui n'était pas la centième de la même espèce, et réinstallé Jacques à sa place, s'en alla à ses affaires et le maître dit à Jacques : «À présent que nous voilà de sens froid et en état de juger sainement, ne conviendras-tu pas ?

5305 JACQUES. – Je conviendrai que quand on a donné sa parole d'honneur il faut la tenir, et puisque nous avons promis au juge sur notre parole d'honneur de ne pas revenir sur cette affaire, qu'il n'en faut plus parler.

LE MAÎTRE. – Tu as raison.

5310 JACQUES. – Mais sans revenir sur cette affaire, ne pourrions-nous pas en prévenir cent autres par quelque arrangement raisonnable ?

LE MAÎTRE. – J'y consens.

JACQUES. – Stipulons : 1° qu'attendu qu'il est écrit là-haut
5315 que je vous suis essentiel, et que je sens, que je sais que vous ne pouvez pas vous passer de moi, j'abuserai de cet avantage toutes et quantes fois[2] que l'occasion s'en présentera.

---

1. *À vue de pays* : à vue de nez.
2. *Quantes fois* : chaque fois.

Le Maître. – Mais, Jacques, on n'a jamais rien stipulé de pareil.

5320   Jacques. – Stipulé ou non stipulé, cela s'est fait de tous les temps, se fait aujourd'hui et se fera tant que le monde durera. Croyez-vous que les autres n'aient pas cherché comme vous à se soustraire à ce décret ? Défaites-vous de cette idée et soumettez-vous à la loi d'un besoin dont il n'est pas en votre pouvoir de
5325   vous affranchir.

Stipulons : 2° qu'attendu qu'il est aussi impossible à Jacques de ne pas connaître son ascendant[1] et sa force sur son maître, qu'à son maître de méconnaître sa faiblesse et de se dépouiller de son indulgence, il faut que Jacques soit insolent et que, pour
5330   la paix, son maître ne s'en aperçoive pas. Tout cela s'est arrangé à notre insu, tout cela fut scellé là-haut au moment où la nature fit Jacques et son maître. Il fut arrêté que vous auriez le titre[2], et que j'aurais la chose[3]. Si vous vouliez vous opposer à la volonté de nature, vous n'y feriez que de l'eau claire[4].

5335   Le Maître. – Mais à ce compte ton lot vaudrait mieux que le mien.

Jacques. – Qui vous le dispute[5] ?

Le Maître. – Mais à ce compte je n'ai qu'à prendre ta place et te mettre à la mienne.

5340   Jacques. – Savez-vous ce qui vous en arriverait ? Vous y perdriez le titre et vous n'auriez pas la chose. Restons comme nous sommes, nous sommes fort bien tous deux, et que le reste de notre vie soit employé à faire un proverbe.

Le Maître. – Quel proverbe ?

---

1. Ascendant : influence dominante (terme d'astronomie à l'origine).

2. Titre : ici, le titre de maître.

3. La chose : la maîtrise, le pouvoir.

4. Vous n'y feriez que de l'eau claire : vous ne changeriez rien, vous n'arriveriez à rien.

5. Vous le dispute : vous dit le contraire.

⁵³⁴⁵ JACQUES. – *Jacques mène son maître.* Nous serons les premiers dont on l'aura dit, mais on le répétera de mille autres qui valent mieux que vous et moi.

LE MAÎTRE. – Cela me semble dur, très dur.

JACQUES. – Mon maître, mon cher maître, vous allez regimber [1]
⁵³⁵⁰ contre un aiguillon qui n'en piquera que plus vivement. Voilà donc qui est convenu entre nous.

LE MAÎTRE. – Et que fait notre consentement à une loi nécessaire ?

JACQUES. – Beaucoup. Croyez-vous qu'il soit inutile de savoir
⁵³⁵⁵ une bonne fois, nettement, clairement, à quoi s'en tenir ? Toutes nos querelles ne sont venues jusqu'à présent que parce que nous ne nous étions pas encore bien dit, vous, que vous vous appelleriez mon maître, et que c'est moi qui serais le vôtre. Mais voilà qui est entendu, et nous n'avons plus qu'à cheminer en
⁵³⁶⁰ conséquence.

LE MAÎTRE. – Mais où diable as-tu appris tout cela ?

JACQUES. – Dans le grand livre. Ah ! mon maître, on a beau réfléchir, méditer, étudier dans tous les livres du monde, on n'est jamais qu'un petit clerc [2] quand on n'a pas lu dans le grand
⁵³⁶⁵ livre… »

L'après-dîner, le soleil s'éclaircit. Quelques voyageurs assurèrent que le ruisseau était guéable [3]. Jacques descendit, son maître paya l'hôtesse très largement. Voilà à la porte de l'auberge un assez grand nombre de passagers [4] que le mauvais temps y avait retenus
⁵³⁷⁰ se préparant à continuer leur route ; parmi ces passagers, Jacques et son maître, l'homme au mariage saugrenu et son compagnon. Les piétons ont pris leurs bâtons et leurs bissacs [5], d'autres s'ar-

---

1. *Vous allez regimber* : vous allez vous rebiffer, résister.
2. *Petit clerc* : nigaud.
3. *Guéable* : traversable à pied.
4. *Passagers* : voyageurs.
5. *Bissacs* : besaces, sacs de voyage.

rangent dans leurs fourgons[1] ou leurs voitures ; les cavaliers sont sur leurs chevaux et boivent le vin de l'étrier[2]. L'hôtesse affable
5375 tient une bouteille à la main, présente des verres, et les remplit, sans oublier le sien ; on lui dit des choses obligeantes[3] ; elle y répond avec politesse et gaieté. On pique des deux, on se salue et l'on s'éloigne.

Il arriva que Jacques et son maître, le marquis des Arcis et son
5380 jeune compagnon de voyage avaient la même route à faire. De ces quatre personnages il n'y a que le dernier qui ne vous soit pas connu. Il avait à peine atteint l'âge de vingt-deux ou de vingt-trois ans. Il était d'une timidité qui se peignait sur son visage ; il portait sa tête un peu penchée sur l'épaule gauche, il était silencieux et
5385 n'avait presque aucun usage du monde ; s'il faisait la révérence, il inclinait la partie supérieure de son corps sans remuer ses jambes. Assis, il avait le tic de prendre les basques de son habit et de les croiser sur ses cuisses, de tenir ses mains dans les fentes, et d'écouter ceux qui parlaient, les yeux presque fermés. À cette
5390 allure singulière Jacques le déchiffra ; et s'approchant de l'oreille de son maître il lui dit : « Je gage que ce jeune homme a porté l'habit de moine.

– Et pourquoi cela, Jacques ?

– Vous verrez. »

5395 Nos quatre voyageurs allèrent de compagnie, s'entretenant de la pluie, du beau temps, de l'hôtesse, de l'hôte, de la querelle du marquis des Arcis, au sujet de Nicole. Cette chienne affamée et malpropre venait sans cesse s'essuyer à ses bas[4] ; après l'avoir inutilement chassée plusieurs fois avec sa serviette, d'impatience

---

1. Fourgons : charrettes.

2. Vin de l'étrier : vin que l'on apporte aux voyageurs quand ils ont payé, et qu'ils sont à cheval, ou prêts à monter à cheval» (*Dictionnaire de l'Académie*, 1762).

3. Obligeantes : aimables.

4. Les hommes avaient alors des bas et des culottes serrés aux genoux. La culotte longue jusqu'aux pieds n'était portée que par un personnage de la comédie italienne nommé «Pantalon».

5400 il lui avait détaché un assez violent coup de pied... Et voilà tout
de suite la conversation tournée sur cet attachement singulier des
femmes pour les animaux. Chacun en dit son avis. Le maître
de Jacques s'adressant à Jacques lui dit : «Et toi, Jacques, qu'en
penses-tu?»

5405 Jacques demanda à son maître s'il n'avait pas remarqué que
quelle que fût la misère des petites gens, n'ayant pas de pain pour
eux, ils avaient tous des chiens? S'il n'avait pas remarqué que
ces chiens, étant tous instruits à faire des tours, à marcher à deux
pattes, à danser, à rapporter, à sauter pour le roi, pour la reine,
5410 à faire le mort, cette éducation les avait rendus les plus malheu-
reuses bêtes du monde? D'où il conclut que tout homme voulait
commander à un autre, et que l'animal se trouvant dans la société
immédiatement au-dessous de la classe des derniers citoyens com-
mandés par toutes les autres classes, ils prenaient un animal pour
5415 commander aussi à quelqu'un. «Eh bien, dit Jacques, chacun a
son chien. Le ministre est le chien du roi, le premier commis est
le chien du ministre, la femme est le chien du mari, ou le mari le
chien de la femme; Favori est le chien de celle-ci, et Thibaud est
le chien de l'homme du coin. Lorsque mon maître me fait parler
5420 quand je voudrais me taire, ce qui à la vérité m'arrive rarement,
continua Jacques, lorsqu'il me fait taire lorsque je voudrais parler, ce qui est très difficile; lorsqu'il me demande l'histoire de
mes amours et qu'il l'interrompt, que suis-je autre chose que son
chien? Les hommes faibles sont les chiens des hommes fermes.

5425 LE MAÎTRE. – Mais, Jacques, cet attachement pour les animaux,
je ne le remarque pas seulement dans les petites gens, je connais
de grandes dames entourées d'une meute de chiens, sans compter
les chats, les perroquets, les oiseaux.

JACQUES. – C'est leur satire[1] et celle de ce qui les entoure.
5430 Elles n'aiment personne; personne ne les aime et elles jettent aux
chiens un sentiment dont elles ne savent que faire.

---

1. *Satire* : reflet persifleur, railleur.

LE MARQUIS DES ARCIS. – Aimer les animaux ou jeter son cœur aux chiens, cela est singulièrement vu.

LE MAÎTRE. – Ce qu'on donne à ces animaux-là suffirait à la nourriture de deux ou trois malheureux.

5435

JACQUES. – À présent en êtes-vous surpris ?

LE MAÎTRE. – Non.»

Le marquis des Arcis tourna les yeux sur Jacques, sourit de ses idées, puis s'adressant à son maître, il lui dit : «Vous avez là un serviteur qui n'est pas ordinaire.

5440

LE MAÎTRE. – Un serviteur ! vous avez bien de la bonté, c'est moi qui suis le sien ; et peu s'en est fallu que ce matin, pas plus tard, il ne me l'ait prouvé en forme[1].»

Tout en causant on arriva à la couchée[2] et l'on fit chambrée commune. Le maître de Jacques et le marquis des Arcis soupèrent ensemble, Jacques et le jeune homme furent servis à part. Le maître ébaucha en quatre mots au marquis l'histoire de Jacques et de son tour de tête fataliste[3]. Le marquis parla du jeune homme qui le suivait. Il avait été prémontré[4]. Il était sorti de sa maison[5] par une aventure bizarre ; des amis le lui avaient recommandé et il en avait fait son secrétaire en attendant mieux. Le maître de Jacques dit : «Cela est plaisant[6].

5445

5450

LE MARQUIS DES ARCIS. – Et que trouvez-vous de plaisant à cela ?

---

1. *En forme* : en bonne et due forme, dans les formes.

2. *Couchée* : auberge (lieu où l'on couche en voyage).

3. *Son tour de tête fataliste* : sa tournure d'esprit fataliste, sa manière fataliste de voir les choses.

4. *Prémontré* : moine de l'ordre fondé en 1120 à l'abbaye de Prémontré (Aisne) par saint Norbert (mort en 1134) ; les Prémontrés suivent la règle de saint Augustin et s'habillent en blanc «comme des cygnes» (p. 243). On leur reprochait pourtant à l'époque d'être particulièrement entreprenants sur le plan sexuel avec les femmes, auxquelles seuls les dortoirs des monastères étaient interdits.

5. *Sa maison* : sa communauté religieuse.

6. *Plaisant* : amusant.

5455 LE MAÎTRE. – Je parle de Jacques. À peine sommes-nous entrés dans le logis que nous venons de quitter, que Jacques m'a dit à voix basse : "Monsieur, regardez bien ce jeune homme, je gagerais qu'il a été moine."

LE MARQUIS DES ARCIS. – Il a rencontré juste[1], je ne sais sur
5460 quoi. Vous couchez-vous de bonne heure ?

LE MAÎTRE. – Non, pas ordinairement, et ce soir j'en suis d'autant moins pressé que nous n'avons fait que demi-journée.

LE MARQUIS DES ARCIS. – Si vous n'avez rien qui vous occupe plus utilement ou plus agréablement je vous raconterai l'histoire
5465 de mon secrétaire, elle n'est pas commune.

LE MAÎTRE. – Je l'écouterai volontiers.»

Je vous entends, lecteur, vous me dites : «Et les amours de Jacques ?...» Croyez-vous que je n'en sois pas aussi curieux que vous ? Avez-vous oublié que Jacques aimait à parler, et surtout
5470 à parler de lui, manie générale des gens de son état, manie qui les tire de leur abjection[2], qui les place dans la tribune, et qui les transforme tout à coup en personnages intéressants ? Quel est, à votre avis, le motif qui attire la populace aux exécutions publiques ? L'inhumanité ? Vous vous trompez. Le peuple n'est
5475 pas inhumain, ce malheureux autour de l'échafaud duquel il s'attroupe, il l'arracherait des mains de la justice s'il le pouvait. Il va chercher en Grève[3] une scène qu'il puisse raconter à son retour dans le faubourg, celle-là ou une autre, cela lui est indifférent, pourvu qu'il fasse un rôle, qu'il rassemble ses voisins et qu'il s'en
5480 fasse écouter. Donnez au Boulevard[4] une fête amusante, et vous verrez que la place des exécutions sera vide. Le peuple est avide

---

1. *Il a rencontré juste* : il a bien deviné.
2. *Abjection* : position sociale (et morale) extrêmement basse.
3. *En Grève* : sur la place de Grève (actuelle place de l'Hôtel-de-Ville) à Paris, où se déroulaient depuis 1310 les exécutions publiques des condamnés.
4. *Boulevard* : le boulevard du Temple, qui offrait alors quantité d'attractions – feux d'artifice, pantomimes, courtes comédies (parades, farces ou vaudevilles), tours d'acrobates ou d'animaux savants, etc.

de spectacle et y court, parce qu'il est amusé quand il en jouit, et qu'il est encore amusé par le récit qu'il en fait quand il en est revenu. Le peuple est terrible dans sa fureur, mais elle ne dure ⁵⁴⁸⁵ pas. Sa misère propre l'a rendu compatissant, il détourne les yeux du spectacle d'horreur qu'il est allé cherché, il s'attendrit, il s'en retourne en pleurant... Tout ce que je vous débite là, lecteur, je le tiens de Jacques, je vous l'avoue, parce que je n'aime pas à me faire honneur de l'esprit d'autrui. Jacques ne connaissait ni le nom ⁵⁴⁹⁰ de vice, ni le nom de vertu. Il prétendait qu'on était heureusement ou malheureusement né. Quand il entendait prononcer les mots récompenses et châtiments, il haussait les épaules. Selon lui la récompense était l'encouragement des bons, le châtiment l'effroi des méchants. «Qu'est-ce autre chose, disait-il, s'il n'y a point de ⁵⁴⁹⁵ liberté et que notre destinée soit écrite là-haut?» Il croyait qu'un homme s'acheminait aussi nécessairement à la gloire ou à l'igno-minie[1] qu'une boule qui aurait la conscience d'elle-même suit la pente d'une montagne, et que si l'enchaînement des causes et des effets qui forment la vie d'un homme depuis le premier instant de ⁵⁵⁰⁰ sa naissance jusqu'à son dernier soupir nous était connu, nous resterions convaincus qu'il n'a fait que ce qu'il était nécessaire de faire. Je l'ai plusieurs fois contredit, mais sans avantage et sans fruit[2]. En effet, que répliquer à celui qui vous dit : «Quelle que soit la somme des éléments dont je suis composé, je suis un; or, ⁵⁵⁰⁵ une cause une n'a qu'un effet; j'ai toujours été une cause une, je n'ai jamais eu qu'un effet à produire, ma durée n'est donc qu'une suite d'effets nécessaires...» C'est ainsi que Jacques raisonnait d'après son capitaine. La distinction d'un monde physique et d'un monde moral lui semblait vide de sens. Son capitaine lui ⁵⁵¹⁰ avait fourré dans la tête toutes ces opinions qu'il avait puisées, lui, dans son Spinoza[3] qu'il savait par cœur. D'après ce système,

---

1. *L'ignominie* : le pire des déshonneurs.
2. *Fruit* : effet.
3. *Baruch Spinoza* (1632-1677) : philosophe hollandais, auteur d'un traité de critique biblique intitulé *Tractacus theologico-politicus* (1670) et d'un traité

on pourrait s'imaginer que Jacques ne se réjouissait, ne s'affligeait de rien ; cela n'était pourtant pas vrai. Il se conduisait à peu près comme vous et moi. Il remerciait son bienfaiteur, pour qu'il lui fît encore du bien ; il se mettait en colère contre l'homme injuste, et quand on lui objectait qu'il ressemblait alors au chien qui mord la pierre qui l'a frappé : « Nenni, disait-il, la pierre mordue par le chien ne se corrige pas, l'homme injuste est modifié par le bâton. » Souvent il était inconséquent comme vous et moi et sujet à oublier ses principes, excepté dans quelques circonstances où sa philosophie le dominait évidemment[1] ; c'était alors qu'il disait : « Il fallait que cela fût, car cela était écrit là-haut. » Il tâchait à prévenir le mal ; il était prudent avec le plus grand mépris pour la prudence. Lorsque l'accident était arrivé, il en revenait à son refrain et il était consolé. Du reste bon homme, franc, honnête, brave, attaché, fidèle, très têtu, encore plus bavard, et affligé comme vous et moi d'avoir commencé l'histoire de ses amours sans presque aucun espoir de la finir. Ainsi, lecteur, je vous conseille de prendre votre parti, et, au défaut des amours de Jacques, de vous accommoder des aventures du secrétaire du marquis des Arcis. D'ailleurs je le vois ce pauvre Jacques, le cou entortillé d'un large mouchoir, sa gourde, ci-devant pleine de bon vin, ne contenant que de la tisane, toussant, jurant contre l'hôtesse qu'ils ont quittée, et contre son vin de Champagne, ce qu'il ne ferait pas s'il se ressouvenait que tout est écrit là-haut, même son rhume.

Et puis, lecteur, toujours des contes d'amour ; un, deux, trois, quatre contes d'amour que je vous ai faits ; trois ou quatre autres

---

de métaphysique, *L'Éthique* (*Ethica ordine geometrico demonstrata*, 1677), où il souligne que, pour arriver à la connaissance de la nature et à la béatitude (à Dieu), il faut accéder à celle des causalités : « Les hommes se trompent en ce qu'ils pensent être libres et cette opinion consiste en cela seul qu'ils sont conscients de leurs actions, et ignorants des causes par lesquelles ils sont déterminés » (*L'Éthique,* livre II, trad. C. Appuhn, GF-Flammarion, 1964).
1. *Évidemment* : d'une manière évidente.

contes d'amour qui vous reviennent encore, ce sont beaucoup de
5540 contes d'amour. Il est vrai d'un autre côté que puisqu'on écrit
pour vous, il faut ou se passer de votre applaudissement, ou vous
servir à votre goût, et que vous l'avez bien décidé pour les contes
d'amour. Toutes vos nouvelles en vers ou en prose sont des contes
d'amour ; presque tous vos poèmes, élégies, églogues, idylles[1],
5545 chansons, épîtres, comédies, tragédies, opéras, sont des contes
d'amour. Presque toutes vos peintures et sculptures ne sont que
des contes d'amour. Vous êtes aux contes d'amour pour toute
nourriture depuis que vous existez, et vous ne vous en lassez
point. L'on vous tient à ce régime et l'on vous y tiendra long-
5550 temps encore, hommes et femmes, grands et petits enfants, sans
que vous vous en lassiez. En vérité, cela est merveilleux. Je voudrais que l'histoire du secrétaire du marquis des Arcis fût encore
un conte d'amour, mais j'ai peur qu'il n'en soit rien et que vous
n'en soyez ennuyé. Tant pis pour le marquis des Arcis, pour le
5555 maître de Jacques, pour vous, lecteur, et pour moi[2].

« Il vient un moment où presque toutes les jeunes filles et les
jeunes garçons tombent dans la mélancolie ; ils sont tourmentés
d'une inquiétude vague qui se promène sur tout, et qui ne trouve
rien qui la calme. Ils cherchent la solitude, ils pleurent, le silence
5560 des cloîtres les touche, l'image de la paix qui semble régner dans
les maisons religieuses les séduit. Ils prennent pour la voix de
Dieu qui les appelle à lui les premiers efforts d'un tempérament
qui se développe, et c'est précisément lorsque la nature les sollicite qu'ils embrassent un genre de vie contraire au vœu[3] de la
5565 nature. L'erreur ne dure pas ; l'expression de la nature devient
plus claire, on la reconnaît, et l'être séquestré tombe dans les
regrets, la langueur, les vapeurs[4], la folie ou le désespoir… » Tel

---

1. *Églogues, idylles* : courts poèmes pastoraux (bucoliques) sur des thèmes
amoureux.
2. Fin de la livraison n° 9 de la *Correspondance littéraire* d'octobre 1779.
3. *Au vœu* : à la volonté.
4. *Vapeurs* : malaises physiques.

fut le préambule du marquis des Arcis. «Dégoûté du monde à l'âge de dix-sept ans, Richard, c'est le nom de mon secrétaire, se
5570 sauva de la maison paternelle et prit l'habit de prémontré.

LE MAÎTRE. – De prémontré? Je lui en sais gré. Ils sont blancs comme des cygnes, et saint Norbert qui les fonda n'omit qu'une chose dans ses constitutions[1]...

LE MARQUIS DES ARCIS. – D'assigner un vis-à-vis[2] à chacun de
5575 ses religieux.

LE MAÎTRE. – Si ce n'était pas l'usage des Amours d'aller tout nus, ils se déguiseraient en prémontrés. Il règne dans cet ordre une politique singulière. On vous permet la duchesse, la marquise, la comtesse, la présidente, la conseillère, même la financière[3], mais
5580 point la bourgeoise[4]; quelque jolie que soit la marchande, vous verrez rarement un prémontré dans une boutique.

LE MARQUIS DES ARCIS. – C'est ce que Richard m'avait dit. Richard aurait fait ses vœux après ses deux ans de noviciat[5], si ses parents ne s'y étaient opposés. Son père exigea qu'il rentrerait
5585 dans la maison, et que là il lui serait permis d'éprouver sa vocation en observant toutes les règles de la vie monastique pendant une année, traité qui fut fidèlement rempli de part et d'autre. L'année d'épreuve sous les yeux de sa famille écoulée, Richard demanda à faire ses vœux. Son père lui répondit : "Je vous ai accordé une
5590 année pour prendre une dernière résolution, j'espère que vous ne m'en refuserez pas une pour la même chose; je consens seulement

---

1. *Constitutions* : textes qui définissent l'ordre monastique des Prémontrés (voir note 4, p. 238).

2. *Assigner un vis-à-vis* : attribuer une voiture à deux places (pour leurs déplacements galants).

3. Bien qu'elle soit une roturière.

4. *On vous permet* [...] *la présidente, la conseillère, même la financière, mais point la bourgeoise* : l'épouse d'un président (d'un parlement, d'un conseil, etc.), l'épouse d'un magistrat (siégeant à un parlement, à une cour, etc.), l'épouse d'un haut responsable des finances publiques, mais pas la simple citoyenne.

5. *Noviciat* : temps d'épreuve imposé aux commençants (novices).

que vous alliez la passer où il vous plaira." En attendant la fin de ce second délai, l'abbé de l'ordre se l'attacha[1]. C'est dans cet intervalle qu'il fut impliqué dans une de ces aventures qui n'arrivent que dans les couvents[2]. Il y avait alors à la tête d'une des maisons de l'ordre un supérieur[3] d'un caractère extraordinaire ; il s'appelait le père Hudson. Le père Hudson avait la figure la plus intéressante : un grand front, un visage ovale, un nez aquilin, de grands yeux bleus, de belles joues larges, une belle bouche, de belles dents, le souris le plus fin, une tête couverte d'une forêt de cheveux blancs, qui ajoutaient la dignité à l'intérêt de sa figure, de l'esprit, des connaissances, de la gaieté, le maintien et le propos les plus honnêtes, l'amour de l'ordre, celui du travail ; mais les passions les plus fougueuses, mais le goût le plus effréné[4] des plaisirs et des femmes, mais le génie de l'intrigue porté au dernier point, mais les mœurs les plus dissolues, mais le despotisme[5] le plus absolu dans sa maison. Lorsqu'on lui en donna l'administration elle était infectée d'un jansénisme[6] ignorant, les études[7] s'y faisaient mal ; les affaires temporelles[8] étaient en désordre, les devoirs religieux y étaient tombés en désuétude[9], les offices divins s'y célébraient avec indécence, les logements superflus y étaient occupés par des pensionnaires dissolus. Le père Hudson convertit ou éloigna les jansénistes, présida lui-même aux études, rétablit le temporel, remit la règle en vigueur, expulsa les

---

1. *Se l'attacha* : le prit à son service.

2. *Couvents* : maisons de religieux (ou religieuses).

3. *Supérieur* : directeur.

4. *Effréné* : démesuré.

5. *Despotisme* : dictature.

6. *Jansénisme* : mouvement religieux et intellectuel animé par les partisans de la doctrine de Jansenius sur la grâce et la prédestination (voir note 4, p. 184) ; les jansénistes prônaient le rigorisme en matière de morale et de religion et étaient les ennemis des jésuites.

7. *Études* : ici, l'étude des textes sacrés.

8. *Les affaires temporelles* : la gestion des biens matériels, du patrimoine.

9. *Tombés en désuétude* : abandonnés.

pensionnaires scandaleux [1], introduisit dans la célébration des offices la régularité et la bienséance, et fit de sa communauté une des plus édifiantes. Mais cette austérité à laquelle il assujettissait les autres, lui s'en dispensait, ce joug de fer sous lequel il tenait ses subalternes, il n'était pas assez dupe pour le partager. Aussi étaient-ils animés contre le père Hudson d'une fureur renfermée qui n'en était que plus violente et plus dangereuse. Chacun était son ennemi et son espion, chacun s'occupait en secret à percer les ténèbres de sa conduite ; chacun tenait un état [2] de ses désordres cachés, chacun avait résolu de le perdre ; il ne faisait pas une démarche qui ne fût suivie, ses intrigues étaient à peine liées, qu'elles étaient connues.

L'abbé de l'ordre avait une maison attenante au monastère. Cette maison avait deux portes, l'une qui s'ouvrait dans la rue, l'autre dans le cloître ; Hudson en avait forcé les serrures, l'abbatiale [3] était devenue le réduit de ses scènes nocturnes, et le lit de l'abbé celui de ses plaisirs. C'était par la porte de la rue, lorsque la nuit était avancée, qu'il introduisait lui-même dans les appartements de l'abbé des femmes de toutes les conditions : c'était là qu'on faisait des soupers délicats. Hudson avait un confessionnal, et il avait corrompu toutes celles d'entre ses pénitentes qui en valaient la peine. Parmi ces pénitentes il y avait une petite confiseuse qui faisait du bruit dans le quartier par sa coquetterie et ses charmes ; Hudson, qui ne pouvait fréquenter chez elle, l'enferma dans son sérail [4]. Cette espèce de rapt ne se fit pas sans donner des soupçons aux parents et à l'époux. Ils lui rendirent visite. Hudson les reçut avec un air consterné. Comme ces bonnes gens étaient en train

---

1. *Scandaleux* : vivant dans le péché.
2. *État* : inventaire.
3. *Abbatiale* : église de l'abbaye.
4. *Sérail* : au sens propre, palais du sultan dans l'Empire ottoman ; également employé pour « harem », appartement des femmes chez un grand personnage musulman ; ici le mot désigne la maison attenante au monastère, palais des plaisirs.

de lui exposer leur chagrin la cloche sonna, c'était à six heures du soir ; Hudson leur impose silence, ôte son chapeau, se lève, fait un grand signe de croix, et dit d'un ton affectueux et pénétré : *Angelus* 5645 *Domini nuntiavit Mariae* [1]... Et voilà le père de la confiseuse et ses frères honteux de leur soupçon, qui disaient en descendant l'escalier, à l'époux : "Mon fils, vous êtes un sot... Mon frère, n'avez-vous point de honte ? Un homme qui dit l'*Angelus* ! un saint !"

Un soir, en hiver, qu'il s'en retournait à son couvent, il fut 5650 attaqué par une des créatures qui sollicitent les passants ; elle lui paraît jolie, il la suit ; à peine est-il entré, que le guet [2] survient. Cette aventure en aurait perdu un autre, mais Hudson était un homme de tête [3], et cet accident lui concilia [4] la bienveillance et la protection du magistrat de police. Conduit en sa présence, voici 5655 comme il lui parla : "Je m'appelle Hudson, je suis le supérieur de ma maison. Quand j'y suis entré tout était en désordre, il n'y avait ni science, ni discipline, ni mœurs ; le spirituel y était négligé jusqu'au scandale, le dégât du temporel menaçait la maison d'une ruine prochaine. J'ai tout rétabli ; mais je suis homme, et j'ai 5660 mieux aimé m'adresser à une femme corrompue que de m'adresser à une honnête femme. Vous pouvez à présent disposer de moi comme il vous plaira..." Le magistrat lui recommanda d'être plus circonspect à l'avenir, lui promit le secret sur cette aventure, et lui témoigna le désir de le connaître plus intimement.

5665 Cependant les ennemis dont il était environné avaient chacun de leur côté envoyé au général de l'ordre [5] des mémoires [6], où ce

---

1. « L'ange du seigneur porta l'annonce à Marie. » Premier verset de l'*Angelus*, brève prière populaire de dévotion mariale annoncée matin, midi et soir par le son de trois coups de cloche.
2. *Guet* : patrouille de police chargée de la surveillance de nuit.
3. *Un homme de tête* : un homme intelligent et de sang-froid.
4. *Lui concilia* : lui permit d'obtenir.
5. *Général de l'ordre* : supérieur général de l'ordre religieux (auquel appartenait Hudson) au niveau européen.
6. *Mémoires* : écrits circonstanciés.

qu'ils savaient de la mauvaise conduite d'Hudson était exposé. La confrontation[1] de ces mémoires en augmentait la force. Le général était janséniste, et conséquemment disposé à tirer vengeance de l'espèce de persécution qu'Hudson avait exercée contre les adhérents à ses opinions. Il aurait été enchanté d'étendre le reproche des mœurs corrompues d'un seul défenseur de la bulle[2] et de la morale relâchée sur la secte entière. En conséquence il remit les différents mémoires des faits et gestes d'Hudson entre les mains de deux commissaires[3] qu'il dépêcha[4] secrètement avec ordre de procéder à leur vérification et de la constater juridiquement[5] ; leur enjoignant surtout de mettre à la conduite de cette affaire la plus grande circonspection, le seul moyen d'accabler subitement le coupable et de le soustraire à la protection de la cour et du Mirepoix[6], aux yeux duquel le jansénisme était le plus grand de tous les crimes et la soumission à la bulle *Unigenitus* la première des vertus. Richard, mon secrétaire, fut un des deux commissaires.

Voilà ces deux hommes partis du noviciat, installés dans la maison d'Hudson, et procédant sourdement[7] aux informations. Ils eurent bientôt recueilli une liste de plus de forfaits qu'il n'en fallait pour mettre cinquante moines dans l'*in-pace*[8]. Leur séjour

---

1. *Confrontation* : comparaison.

2. Allusion à la bulle *Unigenitus* promulguée par le pape Clément XI en 1713, qui condamnait les idées du chef des jansénistes, le prêtre Pasquier Quesnel (1634-1719), et, de ce fait, prenait parti pour la «secte» des jésuites, qui, évidemment, la défendaient.

3. *Commissaires* : chargés de mission.

4. *Dépêcha* : envoya.

5. *Constater juridiquement* : en prenant acte, en verbalisant en bonne et due forme.

6. Jean-François Boyer (1675-1755), évêque de Mirepoix et académicien, dépositaire de la feuille des Bénéfices de 1742 à 1755, était un antijanséniste mais aussi un antiphilosophe notoire.

7. *Sourdement* : secrètement.

8. *Dans l'in-pace* : en prison. «*In-pace*, expression latine [abréviation de *Vade in pace*, «Va en paix»] qui se dit chez les moines d'une prison où …/…

avait été long, mais leur menée[1] si adroite qu'il n'en était rien transpiré[2]. Hudson, tout fin qu'il était, touchait au moment de 5690 sa perte, qu'il n'en avait pas le moindre soupçon. Cependant le peu d'attention de ces nouveaux venus à lui faire la cour, le secret de leur voyage, leurs fréquentes conférences[3] avec les autres religieux, leurs sorties tantôt ensemble, tantôt séparés, l'espèce de gens qu'ils visitaient et dont ils étaient visités, lui causèrent quel-5695 que inquiétude. Il les épia, il les fit épier et bientôt l'objet de leur mission fut évident pour lui. Il ne se déconcerta point, il s'occupa profondément de la manière non d'échapper à l'orage qui le menaçait, mais de l'attirer sur la tête des deux commissaires, et voici le parti très extraordinaire auquel il s'arrêta :

5700 Il avait séduit une jeune fille qu'il tenait cachée dans un petit logement du faubourg Saint-Médard[4]. Il court chez elle et lui tient le discours suivant : "Mon enfant, tout est découvert, nous sommes perdus ; avant huit jours vous serez renfermée, et j'ignore ce qu'il sera fait de moi. Point de désespoir, point de cris, remet-5705 tez-vous de votre trouble. Écoutez-moi, faites ce que je vous dirai, faites-le bien, je me charge du reste. Demain je pars pour la campagne. Pendant mon absence, allez trouver deux religieux que je vais vous nommer (et il lui nomma les deux commissaires). Demandez à leur parler en secret. Seule avec eux, jetez-vous à 5710 leurs genoux, implorez leur secours, implorez leur justice, implorez leur médiation auprès du général sur l'esprit duquel vous savez qu'ils peuvent beaucoup ; pleurez, sanglotez, arrachez-vous les cheveux et en pleurant, sanglotant, vous arrachant les cheveux,

---

.../... l'on enferme, et où l'on fait mourir de faim ceux qui ont commis quelque grande faute» (*Dictionnaire de Furetière*, 1690). Le sens est approximativement celui de «[Va crever] *en paix*» dans des oubliettes.

1. *Menée* : conduite, manœuvre.

2. *Transpiré* : filtré.

3. *Conférences* : entrevues.

4. *Faubourg Saint-Médard* : paroisse de Paris (V[e] arrondissement), en bas de la rue Mouffetard.

racontez-leur toute notre histoire et la racontez de la manière la
5715 plus propre à inspirer de la commisération pour vous, de l'horreur contre moi...

— Comment, monsieur, je leur dirai...

— Oui, vous leur direz qui vous êtes, à qui vous appartenez [1],
que je vous ai séduite au tribunal de la confession, enlevée d'entre
5720 les bras de vos parents, et reléguée dans la maison où vous êtes.
Dites qu'après vous avoir ravi l'honneur et précipitée dans le
crime, je vous ai abandonnée à la misère ; dites que vous ne savez
plus que devenir.

— Mais, Père...

5725 — Exécutez ce que je vous prescris, et ce qui me reste à vous
prescrire, ou résolvez votre perte et la mienne. Ces deux moines
ne manqueront pas de vous plaindre, de vous assurer de leur
assistance et de vous demander un second rendez-vous que vous
leur accorderez. Ils s'informeront de vous et de vos parents, et
5730 comme vous ne leur aurez rien dit qui ne soit vrai, vous ne pouvez leur devenir suspecte. Après cette première et leur seconde
entrevue, je vous prescrirai ce que vous aurez à faire à la troisième. Songez seulement à bien jouer votre rôle."

Tout se passa comme Hudson l'avait imaginé. Il fit un second
5735 voyage. Les deux commissaires en instruisirent la jeune fille, elle
revint dans la maison. Ils lui redemandèrent le récit de sa malheureuse histoire. Tandis qu'elle racontait à l'un, l'autre prenait
des notes sur ses tablettes. Ils gémirent sur son sort, l'instruisirent de la désolation de ses parents, qui n'était que trop réelle,
5740 et lui promirent sûreté pour sa personne et prompte vengeance
de son séducteur, mais à la condition qu'elle signerait sa déclaration. Cette proposition parut d'abord la révolter, on insista, elle
consentit. Il n'était plus question que du jour, de l'heure et de
l'endroit où se dresserait cet acte, qui demandait du temps et de

---

1. *À qui vous appartenez* : quels sont vos parents et alliés.

5745 la commodité[1]... "Où nous sommes, cela ne se peut ; si le prieur[2] revenait, et qu'il m'aperçût... Chez moi, je n'oserais vous le proposer..." Cette fille et les commissaires se séparèrent, s'accordant réciproquement du temps pour lever ces difficultés.

Dès le jour même Hudson fut informé de ce qui s'était passé.
5750 Le voilà au comble de la joie, il touche au moment de son triomphe ; bientôt il apprendra à ces blancs-becs-là à quel homme ils ont affaire. "Prenez la plume, dit-il à la jeune fille, et donnez-leur rendez-vous dans l'endroit que je vais vous indiquer. Ce rendezvous leur conviendra, j'en suis sûr. La maison est honnête, et la
5755 femme qui l'occupe jouit dans son voisinage, et parmi les autres locataires, de la meilleure réputation."

Cette femme était cependant une de ces intrigantes secrètes qui jouent la dévotion, qui s'insinuent dans les meilleures maisons, qui ont le ton doux, affectueux, patelin[3], et qui surprennent
5760 la confiance des mères et des filles pour les amener au désordre. C'était l'usage qu'Hudson faisait de celle-ci, c'était sa marcheuse[4]. Mit-il, ne mit-il pas l'intrigante dans son secret ? C'est ce que j'ignore.

En effet, les deux envoyés du général acceptèrent le rendez-
5765 vous. Les y voilà. L'intrigante se retire. On commençait à verbaliser[5], lorsqu'il se fait un grand bruit dans la maison.

"Messieurs, à qui en voulez-vous ? – Nous en voulons à la dame Simion. (C'était le nom de l'intrigante.) – Vous êtes à sa porte."
5770 On frappe violemment à la porte. "Messieurs, dit la jeune fille aux deux religieux, répondrai-je ?

– Répondez.

– Ouvrirai-je ?

---

1. *De la commodité* : un lieu favorable.
2. *Prieur* : supérieur du couvent (Hudson).
3. *Patelin* : mielleux.
4. *Marcheuse* : entremetteuse.
5. *Verbaliser* : dresser le procès-verbal.

– Ouvrez."

5775 Celui qui parlait ainsi était un commissaire[1] avec lequel Hudson était en liaison intime, car qui ne connaissait-il pas ? Il lui avait révélé son péril et dicté son rôle. "Ah ! ah ! dit le commissaire en entrant, deux religieux en tête à tête avec une fille ! Elle n'est pas mal." La jeune fille s'était si indécemment vêtue,

5780 qu'il était impossible de se méprendre sur son état et à ce qu'elle pouvait avoir à démêler avec deux moines dont le plus âgé n'avait pas trente ans. Ceux-ci protestaient de leur innocence. Le commissaire ricanait en passant la main sous le menton à la jeune fille qui s'était jetée à ses pieds et qui demandait grâce. "Nous sommes

5785 en lieu honnête, disaient les moines.

– Oui, oui, en lieu honnête, disait le commissaire.

– Qu'ils étaient venus pour affaire importante.

– L'affaire importante qui conduit ici, nous la connaissons. Mademoiselle, parlez.

5790 – Monsieur le commissaire, ce que ces messieurs vous assurent est la pure vérité."

Cependant le commissaire verbalisait à son tour, et comme il n'y avait rien dans son procès-verbal que l'exposition pure et simple du fait, les deux moines furent obligés de signer. En des-

5795 cendant ils trouvèrent tous les locataires sur les paliers de leurs appartements, à la porte de la maison une populace nombreuse, un fiacre, des archers qui les mirent dans le fiacre, au bruit confus de l'invective[2] et des huées. Ils s'étaient couvert le visage de leurs manteaux, ils se désolaient. Le commissaire perfide s'écriait :

5800 "Eh ! pourquoi, mes Pères, fréquenter ces endroits et ces créatures-là ? Cependant ce ne sera rien, j'ai ordre de la police de vous déposer entre les mains de votre supérieur, qui est un galant homme, indulgent ; il ne mettra pas à cela plus d'importance que cela ne vaut, je ne crois pas qu'on use dans vos maisons comme

---

1. Commissaire de police.
2. *Invective* : insulte.

chez les cruels capucins[1] ; si vous aviez à faire à des capucins, ma foi, je vous plaindrais."

Tandis que le commissaire leur parlait, le fiacre s'acheminait vers le couvent, la foule grossissait, l'entourait, le précédait et le suivait à toutes jambes. On entendait ici : Qu'est-ce ?... Là : Ce sont des moines... Qu'ont-ils fait ? On les a pris chez des filles... Des prémontrés chez des filles ! Eh oui ; ils courent sur les brisées des carmes et des cordeliers[2]... Les voilà arrivés. Le commissaire descend, frappe à la porte, frappe encore, frappe une troisième fois, enfin elle s'ouvre. On avertit le supérieur Hudson, qui se fait attendre une demi-heure au moins, afin de donner au scandale tout son éclat. Il paraît enfin. Le commissaire lui parle à l'oreille, le commissaire a l'air d'intercéder[3], Hudson de rejeter durement sa prière ; enfin, celui-ci prenant un visage sévère et un ton ferme, lui dit : "Je n'ai point de religieux dissolus dans ma maison, ces gens-là sont deux étrangers qui me sont inconnus, peut-être deux coquins[4] déguisés, dont vous pouvez faire tout ce qu'il vous plaira."

À ces mots, la porte se ferme. Le commissaire remonte dans la voiture et dit à nos deux pauvres diables plus morts que vifs : "J'y ai fait tout ce que j'ai pu, je n'aurais jamais cru le père Hudson si dur. Aussi, pourquoi diable aller chez des filles ?

– Si celle avec laquelle vous nous avez trouvés en est une, ce n'est point le libertinage qui nous a menés chez elle.

– Ah ! ah ! mes Pères, et c'est à un vieux commissaire que vous dites cela ! Qui êtes-vous ?

---

1. *Capucins* : moines d'une branche réformée de l'ordre de saint François (franciscains) ; les capucins portaient une longue capuche pointue.
2. *Courent sur les brisées des carmes et des cordeliers* : suivent l'exemple des coureurs de jupons que sont les moines de l'ordre du Carmel (les carmes) et ceux de l'ordre de saint François d'Assise qui portent pour ceinture une petite corde à trois nœuds (qui les distingue des autres franciscains que sont les capucins).
3. *Intercéder* : plaider (en faveur des deux moines).
4. *Coquins* : canailles.

– Nous sommes religieux et l'habit que nous portons est le nôtre.

– Songez que demain il faudra que votre affaire s'éclaircisse ; parlez-moi vrai, je puis peut-être vous servir.

5835 – Nous vous avons dit vrai... Mais où allons-nous ?

– Au petit Châtelet [1].

– Au petit Châtelet ! En prison !

– J'en suis désolé."

Ce fut en effet là que Richard et son compagnon furent dépo-
5840 sés ; mais le dessein d'Hudson n'était pas de les y laisser. Il était monté en chaise de poste, il était arrivé à Versailles [2]. Il parlait au ministre [3], il lui traduisait cette affaire comme il lui convenait. "Voilà, monseigneur, à quoi l'on s'expose lorsqu'on introduit la réforme dans une maison dissolue et qu'on en chasse les héré-
5845 tiques [4]. Un moment plus tard j'étais perdu, j'étais déshonoré. La persécution n'en restera pas là, toutes les horreurs dont il est possible de noircir un homme de bien vous les entendrez ; mais j'espère, monseigneur, que vous vous rappellerez que notre général...

5850 – Je sais, je sais, et je vous plains. Les services que vous avez rendus à l'Église et à votre ordre ne seront point oubliés. Les élus du Seigneur ont de tous les temps été exposés à des disgrâ-
ces, ils ont su les supporter ; il faut savoir imiter leur courage. Comptez sur les bienfaits et la protection du roi. Les moines !
5855 les moines ! je l'ai été, et j'ai connu par expérience ce dont ils sont capables.

---

1. *Petit Châtelet* : bâtiment (démoli en 1762) qui se trouvait à côté de la prison-forteresse du grand Châtelet (démolie en 1802, elle occupait la place qui porte actuellement son nom), et qui lui servait d'annexe destinée aux condamnés pour dettes.

2. Palais et centre du gouvernement depuis 1662. Le roi, la cour et tout l'appareil d'État (ministres, services administratifs) s'y concentraient.

3. Il s'agit «du Mirepoix» (voir note 6, p. 247).

4. *Hérétiques* : ici, jansénistes.

– Si le bonheur de l'Église et de l'État voulait que Votre Éminence me survécût, je persévérerais sans crainte.

– Je ne tarderai pas à vous tirer de là. Allez.

5860 – Non, monseigneur, non, je ne m'éloignerai point sans un ordre exprès...

– Qui délivre ces deux mauvais religieux ? Je vois que l'honneur de la religion et de votre habit vous touche au point d'oublier des injures personnelles ; cela est tout à fait chrétien, et j'en suis 5865 édifié sans en être surpris d'un homme tel que vous. Cette affaire n'aura point d'éclat [1].

– Ah ! monseigneur, vous comblez mon âme de joie ! Dans ce moment c'est tout ce que je redoutais.

– Je vais travailler à cela."

5870 Dès le soir même Hudson eut l'ordre d'élargissement [2], et dès le lendemain Richard et son compagnon, dès la pointe du jour, étaient à vingt lieues de Paris, sous la conduite d'un exempt qui les remit dans la maison professe [3]. Il était aussi porteur d'une lettre qui enjoignait au général de cesser de pareilles menées et 5875 d'imposer la peine claustrale [4] à nos deux religieux.

Cette aventure jeta la consternation parmi les ennemis d'Hudson ; il n'y avait pas un moine dans sa maison que son regard ne fît trembler. Quelques mois après il fut pourvu d'une riche abbaye. Le général en conçut un dépit [5] mortel. Il était vieux, et il y avait tout 5880 à craindre que l'abbé Hudson ne lui succédât. Il aimait tendrement Richard. "Mon pauvre ami, lui dit-il un jour, que deviendrais-tu si tu tombais sous l'autorité du scélérat Hudson ? J'en suis effrayé. Tu n'es point engagé, si tu m'en croyais, tu quitterais l'habit..." Richard suivit ce conseil, et revint dans la maison paternelle, qui 5885 n'était pas éloignée de l'abbaye possédée par Hudson.

---

1. *Éclat* : retentissement.
2. *Élargissement* : mise en liberté (des deux détenus).
3. *La maison professe* : là où ils avaient prononcé leurs vœux.
4. *Peine claustrale* : peine d'emprisonnement.
5. *Dépit* : chagrin mêlé de colère.

Hudson et Richard fréquentant les mêmes maisons, il était impossible qu'ils ne se rencontrassent pas, et en effet ils se rencontrèrent. Richard était un jour chez la dame d'un château situé entre Châlons et Saint-Dizier, mais plus près de Saint-Dizier que de Châlons, et à une portée de fusil de l'abbaye d'Hudson. La dame lui dit : "Nous avons ici votre ancien prieur, il est très aimable, mais au fond quel homme est-ce ?

– Le meilleur des amis et le plus dangereux des ennemis.

– Est-ce que vous ne seriez pas tenté de le voir ?

– Nullement…"

À peine Richard eut-il fait cette réponse qu'on entendit le bruit d'un cabriolet[1] qui entrait dans les cours, et qu'on en vit descendre Hudson avec une des plus belles femmes du canton. "Vous le verrez malgré que vous en ayez, lui dit la dame du château, car c'est lui."

La dame du château et Richard vont au-devant de la dame du cabriolet et de l'abbé Hudson. Les dames s'embrassent ; Hudson en s'approchant de Richard et le reconnaissant, s'écrie : "Eh ! c'est vous, mon cher Richard ? vous avez voulu me perdre, je vous le pardonne, pardonnez-moi votre visite au petit Châtelet, et n'y pensons plus.

– Convenez, monsieur l'abbé, que vous étiez un grand vaurien.

– Cela se peut.

– Que, si l'on vous avait rendu justice, la visite au Châtelet, ce n'est pas moi, c'est vous qui l'auriez faite.

– Cela se peut. C'est, je crois, au péril que je courus alors que je dois mes nouvelles mœurs. Ah ! mon cher Richard, combien cela m'a fait réfléchir, et que je suis changé !

– Cette femme avec laquelle vous êtes venu est charmante.

– Je n'ai plus d'yeux pour ces attraits-là.

– Quelle taille !

---

1. *Cabriolet* : voiture légère à capote mobile.

– Cela m'est devenu bien indifférent.

– Quel embonpoint !

5920 – On revient tôt ou tard d'un plaisir qu'on ne prend que sur le faîte d'un toit, au péril à chaque mouvement de se rompre le cou.

– Elle a les plus belles mains du monde.

– J'ai renoncé à l'usage de ces mains-là. Une tête bien faite revient à l'esprit de son état, au seul vrai bonheur.

5925 – Et ces yeux qu'elle tourne sur vous à la dérobée, convenez que vous qui êtes connaisseur, vous n'en avez guère attaché[1] de plus brillants et de plus doux. Quelle grâce, quelle légèreté et quelle noblesse dans sa démarche, dans son maintien !

– Je ne pense plus à ces vanités ; je lis l'Écriture, je médite les 5930 Pères[2].

– Et de temps en temps les perfections de cette dame... Demeure-t-elle loin du Moncets ? Son époux est-il jeune ?"

Hudson, impatienté de ces questions, et bien convaincu que Richard ne le prendrait pas pour un saint, lui dit brusquement : "Mon 5935 cher Richard, vous vous foutez de moi, et vous avez raison."»

Mon cher lecteur, pardonnez-moi la propriété de cette expression, et convenez qu'ici comme dans une infinité de bons contes, tels, par exemple, que celui de la conversation de Piron[3] et de feu l'abbé Vatry[4], le mot honnête[5] gâterait tout. – Qu'est-ce que

---

1. **Attaché** : séduit.

2. **Les Pères** : les Pères de l'Église. Auteurs de l'Antiquité chrétienne (IIe-VIIe siècle) dont les œuvres font autorité en matière de foi orthodoxe (les plus célèbres sont Cyprien, Hilaire, Ambroise, Augustin, Jérôme, Grégoire le Grand, Léon le Grand, Isidore de Séville, Athanase d'Alexandrie, Basile de Césarée, Grégoire de Nysse).

3. **Alexis Piron** (1689-1773) : écrivain, auteur d'un poème lubrique (*Ode à Priape*, 1710), d'une comédie pleine de verve (*La Métromanie*, 1738), et de monologues pour le théâtre de la foire ; selon un contemporain, Piron était «une machine à saillies, à épigrammes, à traits [d'esprit]».

4. **René Vatry** (1697-1769) : abbé et professeur de langue grecque au Collège de France.

5. **Honnête** : poli, bien convenable.

5940 c'est que cette conversation de Piron et de l'abbé Vatry ? – Allez la demander à l'éditeur de ses ouvrages, qui n'a pas osé l'écrire, mais qui ne se fera pas tirer l'oreille pour vous la dire.

Nos quatre personnages se rejoignirent au château ; on dîna bien, on dîna gaiement, et sur le soir on se sépara avec promesse
5945 de se revoir... Mais tandis que le marquis des Arcis causait avec le maître de Jacques, Jacques de son côté n'était pas muet avec M. le secrétaire Richard, qui le trouvait un franc original, ce qui arriverait plus souvent parmi les hommes, si l'éducation d'abord, ensuite le grand usage du monde ne les usaient comme ces pièces
5950 d'argent qui, à force de circuler, perdent leur empreinte. Il était tard. La pendule avertit les maîtres et les valets qu'il était l'heure de se reposer, et ils suivirent son avis.

<Jacques, en déshabillant son maître, lui dit : « Monsieur, aimez-vous les tableaux ?
5955 LE MAÎTRE. – Oui, mais en récit, car en couleur et sur la toile, quoique j'en juge aussi décidément[1] qu'un amateur, je t'avouerai que je n'y entends rien du tout ; que je serais bien embarrassé de distinguer une école d'une autre ; qu'on me donnerait un Boucher[2] pour un Rubens ou pour un Raphaël[3] ; que je prendrais
5960 une mauvaise copie pour un sublime original ; que j'apprécierais mille écus une croûte de six francs et six francs un morceau[4] de mille écus ; et que je ne me suis jamais pourvu qu'au pont Notre-Dame chez un certain Tremblin[5], qui était de mon temps

---

1. Décidément : de façon aussi tranchée.

2. François Boucher (1703-1790) : décorateur, dessinateur et coloriste français surnommé «le peintre des Grâces», des belles jeunes femmes. Diderot le détestait.

3. Pierre Paul Rubens (1577-1640) et **Raphaël** (voir note 1, p. 193) sont des grands maîtres, l'un de la peinture hollandaise, l'autre de la peinture italienne.

4. Un morceau : un ouvrage.

5. Tremblin : marchand de copies bon marché d'œuvres de grands maîtres exécutées par les étudiants de l'Académie royale de peinture et de sculpture (fondée en 1648).

la ressource de la misère ou du libertinage, et la ruine du talent
5965 des jeunes élèves de Vanloo[1].

JACQUES. – Et comment cela?

LE MAÎTRE. – Qu'est-ce que cela te fait? Raconte-moi ton
tableau et sois bref, car je tombe de sommeil.

JACQUES. – Placez-vous devant la fontaine des Innocents[2]
5970 ou proche la porte Saint-Denis; ce sont deux accessoires qui
enrichiront la composition[3].

LE MAÎTRE. – M'y voilà.

JACQUES. – Voyez au milieu de la rue un fiacre, la soupente[4]
cassée, et renversé sur le côté.

5975 LE MAÎTRE. – Je le vois.

JACQUES. – Un moine et deux filles en sont sortis. Le moine
s'enfuit à toutes jambes. Le cocher se hâte de descendre de son
siège. Un caniche du fiacre s'est mis à la poursuite du moine
et l'a saisi par sa jaquette[5]. Le moine fait tous ses efforts pour
5980 se débarrasser du chien. Une des filles, débraillée, la gorge
découverte, se tient les côtes à force de rire; l'autre fille, qui
s'est fait une bosse au front, est appuyée contre la portière,
et se presse la tête à deux mains. Cependant la populace
s'est attroupée; les polissons accourent et poussent des cris,

---

1. *Carle Van Loo* (1705-1765): peintre officiel du roi (1762), professeur
puis directeur de l'Académie royale (1763). Diderot ne l'appréciait pas particulièrement. Louis Michel Van Loo (1707-1771), neveu de Carle, réalisa en
1767 un portrait de Diderot qui ne lui plut pas.
2. *Fontaine des Innocents*: monument parisien qui se trouvait à l'époque
à l'angle de la rue Saint-Denis et de la rue aux Fers (IIe arrondissement), et
qui se situe actuellement place des Innocents, dans le quartier des Halles
(IIIe arrondissement).
3. *Composition*: disposition des divers éléments du tableau.
4. *Soupente*: «Assemblage de plusieurs larges courroies [...] servant à soutenir le corps d'un carrosse» (*Dictionnaire de l'Académie*, 1762).
5. *Jaquette*: «Sorte d'habillement qui vient jusqu'aux genoux, et quelquefois
plus bas» (*Dictionnaire de l'Académie*, 1762).

■ « Le moine s'enfuit à toutes jambes » (p. 258).

5985 les marchands et les marchandes ont bordé le seuil de leurs boutiques[1], et d'autres spectateurs sont à leurs fenêtres.

LE MAÎTRE. – Comment diable! Jacques, ta composition est bien ordonnée, riche, plaisante, variée et pleine de mouvement. À notre retour à Paris, porte ce sujet à Fragonard[2], et tu verras ce 5990 qu'il en saura faire.

JACQUES. – Après ce que vous m'avez confessé de vos lumières en peinture, je puis accepter votre éloge sans baisser les yeux.

LE MAÎTRE. – Je gage que c'est une des aventures de l'abbé Hudson.

5995 JACQUES. – Il est vrai.»>

Lecteur, tandis que ces bonnes gens dorment, j'aurais une petite question à vous proposer à discuter sur votre oreiller, c'est ce qu'aurait été l'enfant né de l'abbé Hudson et de la dame de La Pommeraye. – Peut-être un honnête homme. – Peut-être un 6000 sublime coquin. – Vous me direz cela demain matin.

Ce matin, le voilà venu, et nos voyageurs séparés, car le marquis des Arcis ne suivait plus la même route que Jacques et son maître. – Nous allons donc reprendre la suite des amours de Jacques? – Je l'espère; mais ce qu'il y a de bien certain, c'est que 6005 le maître sait l'heure qu'il est, qu'il a pris sa prise de tabac et qu'il a dit à Jacques : «Eh bien, Jacques, tes amours?»

Jacques, au lieu de répondre à cette question, disait : «N'est-ce pas le diable! du matin au soir ils disent du mal de la vie et ils ne peuvent se résoudre à la quitter. Serait-ce que la vie présente n'est 6010 pas, à tout prendre, une si mauvaise chose, ou qu'ils en craignent une pire à venir?

LE MAÎTRE. – C'est l'un et l'autre. À propos, Jacques, crois-tu à la vie à venir?

---

1. Ont bordé le seuil de leurs boutiques : sont sortis sur le seuil de leurs boutiques.

2. Jean Honoré Fragonard (1732-1806) : peintre français, auteur principalement de scènes de genre galantes. Diderot appréciait son talent mais condamnait son badinage polisson.

JACQUES. – Je n'y crois ni décrois, je n'y pense pas. Je jouis
6015 de mon mieux de celle qui nous a été accordée en avancement
d'hoirie[1].

LE MAÎTRE. – Pour moi, je me regarde comme en chrysalide,
et j'aime à me persuader que le papillon, ou mon âme, venant un
jour à percer sa coque, s'envolera à la justice divine.

6020 JACQUES. – Votre image est charmante.

LE MAÎTRE. – Elle n'est pas de moi, je l'ai lue, je crois[2], dans
un poète italien appelé Dante[3], qui a fait un ouvrage intitulé : *La
Comédie de l'Enfer, du Purgatoire et du Paradis*.

JACQUES. – Voilà un singulier sujet de comédie.

6025 LE MAÎTRE. – Il y a, pardieu, de belles choses, surtout dans
son Enfer. Il enferme les hérésiarques[4] dans des tombeaux de feu
dont la flamme s'échappe et porte le ravage au loin ; les ingrats[5]
dans des niches où ils versent des larmes qui se glacent sur leurs
visages ; et les paresseux[6] dans d'autres niches, et il dit de ces
6030 derniers que le sang s'échappe de leurs veines et qu'il est recueilli
par des vers dédaigneux[7]. Mais à quel propos ta sortie contre
notre mépris d'une vie que nous craignons de perdre ?

JACQUES. – À propos de ce que le secrétaire du marquis des
Arcis m'a raconté du mari de la jolie femme au cabriolet.

---

1. *Avancement d'hoirie* : donation anticipée.

2. La référence est exacte ; la métaphore du papillon se trouve effectivement
dans *Le Purgatoire*, chant X, v. 123-126.

3. *Dante Alighieri* (1265-1321) : humaniste chrétien et père de la poésie
italienne, auteur d'une puissante construction poétique intitulée *La Divine
Comédie* (1306-1321), divisée en trois parties (*L'Enfer*, *Le Purgatoire* et *Le
Paradis*), où il raconte une vision qu'il eut en 1300, durant la semaine sainte :
guidé par le poète latin Virgile, il traverse les neuf cercles de l'Enfer et, au
sommet de la montagne du Purgatoire, rencontre l'Amour idéal (Béatrice),
qui le conduit au Paradis.

4. *Hérésiarques* : chefs d'une secte hérétique ; hérétiques (voir *L'Enfer*,
chant IX).

5. Voir *L'Enfer*, chant XXXII.

6. Voir *L'Enfer*, chant II.

7. *Dédaigneux* : répugnants.

6035　Le Maître. – Elle est veuve ?

Jacques. – Elle a perdu son mari dans un voyage qu'elle a fait à Paris, et le diable d'homme ne voulait pas entendre parler des sacrements[1]. Ce fut la dame du château où Richard rencontra l'abbé Hudson qu'on chargea de le réconcilier avec le béguin.

6040　Le Maître. – Que veux-tu dire avec ton béguin ?

Jacques. – Le béguin est la coiffure[2] qu'on met aux enfants nouveau-nés.

Le Maître. – Je t'entends. Et comment s'y prit-elle pour l'embéguiner[3] ?

6045　Jacques. – On fit cercle autour du feu. Le médecin, après avoir tâté le pouls du malade qu'il trouva bien bas, vint s'asseoir à côté des autres. La dame dont il s'agit s'approcha de son lit et lui fit plusieurs questions, mais sans élever la voix plus qu'il ne fallait pour que cet homme ne perdît pas un mot de ce qu'on avait à 6050 lui faire entendre, après quoi la conversation s'engagea entre la dame, le docteur et quelques-uns des autres assistants, comme je vais vous la rendre.

La Dame. – Eh bien, docteur, nous direz-vous des nouvelles de Mme de Parme[4] ?

6055　Le Docteur. – Je sors d'une maison où l'on m'a assuré qu'elle était si mal qu'on n'en espérait plus rien.

La Dame. – Cette princesse a toujours donné des marques de piété. Aussitôt qu'elle s'est sentie en danger elle a demandé à se confesser et à recevoir ses sacrements.

6060　Le Docteur. – Le curé de Saint-Roch lui porte aujourd'hui une relique à Versailles, mais elle arrivera trop tard.

---

1. **Sacrements** : derniers sacrements administrés aux fidèles en péril de mort.
2. Coiffure ointe par les huiles saintes administrées lors du baptême.
3. **Embéguiner** : embobiner.
4. **Élisabeth de France, duchesse de Parme, dite madame l'Infante** (1727-1759) : fille aînée des dix enfants du roi Louis XV. Elle est morte de la variole (petite vérole), maladie infectieuse virale.

LA DAME. – Madame Infante n'est pas la seule qui donne de ces exemples. M. le duc de Chevreuse[1] qui a été bien malade n'a pas attendu qu'on lui proposât les sacrements, il les a appelés de lui-même, ce qui a fait grand plaisir à sa famille…

LE DOCTEUR. – Il est beaucoup mieux.

UN DES ASSISTANTS. – Il est certain que cela ne fait pas mourir, au contraire.

LA DAME. – En vérité, dès qu'il y a du danger on devrait satisfaire à ces devoirs-là. Les malades ne conçoivent pas apparemment combien il est dur pour ceux qui les entourent et combien cependant il est indispensable de leur en faire la proposition.

LE DOCTEUR. – Je sors de chez un malade qui me dit, il y a deux jours : "Docteur, comment me trouvez-vous ?

– Monsieur, la fièvre est forte, et les redoublements[2] fréquents.

– Mais croyez-vous qu'il en survienne un bientôt ?

– Non, je le crains seulement pour ce soir.

– Cela étant, je vais faire avertir un certain homme avec lequel j'ai une petite affaire particulière, afin de la terminer pendant que j'ai encore toute ma tête." Il se confessa, il reçut tous ses sacrements. Je revins le soir, point de redoublement. Hier il était mieux. Aujourd'hui il est hors d'affaire. J'ai vu beaucoup de fois dans le courant de ma pratique cet effet-là des sacrements.

LE MALADE, *à son domestique*. – Apportez-moi mon poulet.

JACQUES. – On le lui sert, il veut le couper et n'en a pas la force ; on lui en dépèce l'aile en petits morceaux, il demande du pain, se jette dessus, fait des efforts pour en mâcher une bouchée qu'il ne saurait avaler, et qu'il rend dans sa serviette ; il demande du vin pur, il y mouille les bords de ses lèvres et dit : "Je me porte bien." Oui, mais une demi-heure après il n'était plus.

---

1. *Louis d'Albert, duc de Chevreuse* (1717-1771) : pair de France puis colonel général des dragons.
2. *Redoublements* : poussées de fièvre.

Le Maître. – Cette dame s'y était pourtant assez bien prise…
et tes amours ?

Jacques. – Et la condition que vous avez acceptée[1] ?

6095 [Le Maître. – J'entends… Tu es installé au château de Desglands,
et la vieille commissionnaire Jeanne a ordonné à sa jeune fille
Denise de te visiter quatre fois le jour et de te soigner. Mais avant
que d'aller en avant, dis-moi, Denise avait-elle son pucelage ?

Jacques, *en toussant.* – Je le crois.

6100 Le Maître. – Et toi ?

Jacques. – Le mien, il y avait beaux jours qu'il courait les
champs.

Le Maître. – Tu n'en étais donc pas à tes premières amours ?

Jacques. – Pourquoi donc ?

6105 Le Maître. – C'est qu'on aime celle à qui on le donne, comme
on est aimé de celle à qui on le ravit.

Jacques. – Quelquefois oui, quelquefois non.

Le Maître. – Et comment le perdis-tu ?

Jacques. – Je ne le perdis pas, je le troquai bel et bien.

6110 Le Maître. – Dis-moi un mot de ce troc-là.

Jacques. – Ce sera le premier chapitre de saint Luc, une
kyrielle de *genuit*[2] à ne point finir, depuis la première jusqu'à
Denise la dernière.

Le Maître. – Qui crut l'avoir et qui ne l'eut point.

6115 Jacques. – Et avant Denise, les deux voisines de notre
chaumière.

Le Maître. – Qui crurent l'avoir et qui ne l'eurent point.

Jacques. – Non.

Le Maître. – Manquer un pucelage à deux, cela n'est pas trop
6120 adroit.

---

1. Voir p. 128. Tout le long passage qui suit, jusqu'à la p. 295, ne se trouvait pas
dans la livraison n° 10 de la *Correspondance littéraire* (voir note 2, p. 295).
2. Référence à la généalogie du Christ déroulée au troisième chapitre de
l'Évangile selon saint Luc et au premier chapitre de l'Évangile selon saint
Matthieu, où le mot *genuit* («il engendra») apparaît une quarantaine de fois.

JACQUES. – Tenez, mon maître, je devine, au coin de votre lèvre droite qui se relève et à votre narine gauche qui se crispe, qu'il vaut autant que je fasse la chose de bonne grâce, que d'en être prié, d'autant que je sens augmenter mon mal de gorge, que la
6125 suite de mes amours sera longue, et que je n'ai guère de courage que pour un ou deux petits contes.

LE MAÎTRE. – Si Jacques voulait me faire un grand plaisir...

JACQUES. – Comment s'y prendrait-il?

LE MAÎTRE. – Il débuterait par la perte de son pucelage. Veux-
6130 tu que je te le dise? J'ai toujours été friand du récit de ce grand événement.

JACQUES. – Et pourquoi, s'il vous plaît?

LE MAÎTRE. – C'est que de tous ceux du même genre, c'est le seul qui soit piquant, les autres n'en sont que d'insipides[1]
6135 et communes répétitions. De tous les jolis péchés d'une jeune pénitente, je suis sûr que le confesseur n'est attentif qu'à celui-là.

JACQUES. – Mon maître, mon maître, je vois que vous avez la tête corrompue, et qu'à votre agonie le diable pourrait bien
6140 se montrer à vous sous la même forme de parenthèse qu'à Ferragus[2].

LE MAÎTRE. – Cela se peut. Mais tu fus déniaisé, je gage, par quelque vieille impudique de ton village?

JACQUES. – Ne gagez pas, vous perdriez.
6145 LE MAÎTRE. – Ce fut par la servante de ton curé?

JACQUES. – Ne gagez pas, vous perdriez encore.

LE MAÎTRE. – Ce fut donc par sa nièce?

JACQUES. – Sa nièce crevait d'humeur[3] et de dévotion, deux qualités qui vont fort bien ensemble, mais qui ne me vont pas.

---

1. *Insipides* : fades, sans saveur.
2. Allusion à un épisode du *Richardet* (voir note 4, p. 109) dans lequel Ferragus, castré pour avoir tenté de violer une religieuse, a la vision d'un diable tenant à la main les lambeaux de ce qui lui a été tranché.
3. *Humeur* : mauvaise humeur.

6150   LE MAÎTRE. – Pour cette fois je crois que j'y suis.

JACQUES. – Moi, je n'en crois rien.

LE MAÎTRE. – Un jour de foire ou de marché.

JACQUES. – Ce n'était ni un jour de foire, ni un jour de marché.

6155   LE MAÎTRE. – Tu allas à la ville.

JACQUES. – Je n'allai point à la ville.

LE MAÎTRE. – Et il était écrit là-haut que tu rencontrerais dans une taverne quelqu'une de ces créatures obligeantes, que tu t'enivrerais...

6160   JACQUES. – J'étais à jeun, et ce qui était écrit là-haut, c'est qu'à l'heure qu'il est vous vous épuiseriez en fausses conjectures, et que vous gagneriez un défaut dont vous m'avez corrigé, la fureur de deviner et toujours de travers. Tel que vous me voyez, monsieur, j'ai été une fois baptisé.

6165   LE MAÎTRE. – Si tu te proposes d'entamer la perte de ton pucelage au sortir des fonts baptismaux[1], nous n'y serons pas si tôt.

JACQUES. – J'eus donc un parrain et une marraine. Maître Bigre, le plus fameux charron[2] du village, avait un fils. Bigre le
6170 père fut mon parrain, et Bigre le fils était mon ami. À l'âge de dix-huit à dix-neuf ans nous nous amourachâmes tous les deux à la fois d'une petite couturière appelée Justine. Elle ne passait pas pour autrement cruelle, mais elle jugea à propos de se signaler par un premier dédain[3] et son choix tomba sur moi.

6175   LE MAÎTRE. – Voilà une de ces bizarreries des femmes auxquelles on ne comprend rien.

JACQUES. – Tout le logement du charron maître Bigre, mon parrain, consistait en une boutique et une soupente. Son lit était au fond de la boutique. Bigre le fils, mon ami, couchait sur la

---

1. **Fonts baptismaux** : bassin placé sur un socle et contenant l'eau du baptême.
2. **Charron** : fabricant de roues, de charrettes et de chariots.
3. **Dédain** : mépris.

6180 soupente, à laquelle on grimpait par une petite échelle, placée à
peu près à égale distance du lit de son père et de la porte de la
boutique.

Lorsque Bigre mon parrain était bien endormi, Bigre mon
ami ouvrait doucement la porte, et Justine montait à la sou-
6185 pente par une petite échelle. Le lendemain, dès la pointe du
jour, avant que Bigre le père fût éveillé, Bigre le fils descendait
de la soupente, rouvrait la porte, et Justine s'évadait comme elle
était entrée.

LE MAÎTRE. – Pour aller encore visiter quelque soupente, la
6190 sienne ou une autre.

JACQUES. – Pourquoi non ? Le commerce de Bigre et de Justine
était assez doux, mais il fallait qu'il fût troublé, cela était écrit là-
haut ; il le fut donc.

LE MAÎTRE. – Par le père ?
6195 JACQUES. – Non.

LE MAÎTRE. – Par la mère ?

JACQUES. – Non ; elle était morte.

LE MAÎTRE. – Par un rival ?

JACQUES. – Eh ! non, non, de par tous les diables ! non. Mon
6200 maître, il est écrit là-haut que vous en avez pour le reste de vos
jours ; tant que vous vivrez vous devinerez, je vous le répète, et
vous devinerez de travers…

Un matin que mon ami Bigre, plus fatigué qu'à l'ordinaire ou
du travail de la veille, ou du plaisir de la nuit, reposait doucement
6205 entre les bras de Justine, voilà une voix formidable qui se fait
entendre au pied du petit escalier : "Bigre ? Bigre ? maudit paresseux ! l'*Angelus* est sonné, il est près de cinq heures et demie, et
te voilà encore dans ta soupente ! As-tu résolu d'y rester jusqu'à
midi ? Faut-il que j'y monte et que je t'en fasse descendre plus vite
6210 que tu ne voudrais ? Bigre ? Bigre ?

– Mon père ?

– Et cet essieu après lequel ce vieux bourru de fermier attend ;
veux-tu qu'il revienne encore ici recommencer son tapage ?

– Son essieu est prêt, et avant qu'il soit un quart d'heure il l'aura…"

Je vous laisse à juger des transes[1] de Justine et de mon ami Bigre le fils.

LE MAÎTRE. – Je suis sûr que Justine se promit bien de ne plus se retrouver sur la soupente, et qu'elle y était le soir même. Mais comment en sortira-t-elle ce matin ?

JACQUES. – Si vous vous mettez en devoir de le deviner, je me tais… Cependant Bigre le fils s'était précipité du lit, jambes nues, sa culotte à la main, et sa veste sur son bras. Tandis qu'il s'habille, Bigre le père grommelle entre ses dents : "Depuis qu'il s'est entêté de cette petite coureuse tout va de travers. Cela finira ; cela ne saurait durer, cela commence à me lasser. Encore si c'était une fille qui en valût la peine ; mais une créature[2] ! Dieu sait quelle créature. Ah ! si la pauvre défunte, qui avait de l'honneur jusqu'au bout des ongles, voyait cela, il y a longtemps qu'elle eût bâtonné l'un et arraché les yeux à l'autre au sortir de la grand-messe, sous le porche, devant tout le monde ; car rien ne l'arrêtait ; mais si j'ai été trop bon jusqu'à présent, et qu'ils s'imaginent que je continuerai, ils se trompent."

LE MAÎTRE. – Et ces propos, Justine les entendait de la soupente ?

JACQUES. – Je n'en doute pas. Cependant Bigre le fils s'en était allé chez le fermier avec son essieu sur l'épaule, et Bigre le père s'était mis à l'ouvrage. Après quelques coups de doloire[3] son nez lui demande une prise de tabac, il cherche sa tabatière dans ses poches, au chevet de son lit, il ne la trouve point. "C'est ce coquin, dit-il, qui s'en est saisi comme de coutume ; voyons s'il ne l'aura pas laissée là-haut…" Et le voilà qui monte à la soupente.

---

1. *Transes* : inquiétudes.
2. *Créature* : traînée.
3. *Doloire* : sorte de hache. « La doloire tient le milieu entre la hache et la serpe » (*Dictionnaire de Trévoux*, 1771).

Un moment après il s'aperçoit que sa pipe et son couteau lui manquent, et il remonte à la soupente.

6245 LE MAÎTRE. – Et Justine ?

JACQUES. – Elle avait ramassé ses vêtements à la hâte, et s'était glissée sous le lit, où elle était étendue à plat ventre, plus morte que vive.

LE MAÎTRE. – Et ton ami Bigre le fils ?

6250 JACQUES. – Son essieu rendu, mis en place et payé, il était accouru chez moi et m'avait exposé le terrible embarras où il se trouvait. Après m'en être un peu amusé, "écoute, lui dis-je, Bigre, va te promener par le village, où tu voudras, je te tirerai d'affaire. Je ne te demande qu'une chose, c'est de m'en laisser le temps…".

6255 Vous souriez, monsieur, qu'est-ce qu'il y a ?

LE MAÎTRE. – Rien.

JACQUES. – Mon ami Bigre sort. Je m'habille, car je n'étais pas encore levé. Je vais chez son père, qui ne m'eut pas plus tôt aperçu, que poussant un cri de surprise et de joie, il me dit : «Eh !

6260 filleul, te voilà ! d'où sors-tu et que viens-tu faire ici de si grand matin ?…" Mon parrain Bigre avait vraiment de l'amitié pour moi ; aussi lui répondis-je avec franchise : "Il ne s'agit pas de savoir d'où je sors, mais comment je rentrerai chez nous.

– Ah ! filleul, tu deviens libertin ; j'ai bien peur que Bigre et toi

6265 vous ne fassiez la paire. Tu as passé la nuit dehors.

– Et mon père n'entend pas raison sur ce point.

– Ton père a raison, filleul, de ne pas entendre raison là-dessus. Mais commençons par déjeuner, la bouteille nous avisera."

LE MAÎTRE. – Jacques, cet homme était dans les bons prin-

6270 cipes.

JACQUES. – Je lui répondis que je n'avais ni besoin ni envie de boire ou de manger, et que je tombais de lassitude et de sommeil. Le vieux Bigre, qui de son temps n'en cédait pas à son camarade, ajouta en ricanant : "Filleul, elle était jolie, et tu

6275 t'en es donné. Écoute, Bigre est sorti, monte à la soupente, et jette-toi sur son lit… Mais un mot avant qu'il revienne. C'est ton

ami ; lorsque vous vous trouverez tête à tête, dis-lui que j'en suis
mécontent, très mécontent. C'est une petite Justine que tu dois
connaître, car quel est le garçon du village qui ne la connaisse
6280 pas, qui me l'a débauché ; tu me rendrais un vrai service, si
tu le détachais de cette créature. Auparavant c'était ce qu'on
appelle un joli garçon, mais depuis qu'il a fait cette malheureuse connaissance... Tu ne m'écoutes pas, tes yeux se ferment ;
monte, et va te reposer."

6285   Je monte ; je me déshabille, je lève la couverture et les draps,
je tâte partout : point de Justine. Cependant Bigre mon parrain
disait : "Les enfants ! les maudits enfants ! n'en voilà-t-il pas
encore un qui désole son père ?..." Justine n'étant pas dans le
lit, je me doutai qu'elle était dessous. Le bouge[1] était tout à fait
6290 aveugle[2]. Je me baisse, je promène mes mains, je rencontre un de
ses bras, je le saisis, je la tire à moi ; elle sort de dessous la couchette en tremblant. Je l'embrasse, je la rassure, je lui fais signe
de se coucher : elle joint ses deux mains, elle se jette à mes pieds,
elle serre mes genoux. Je n'aurais peut-être pas résisté à cette
6295 scène muette si le jour l'eût éclairée, mais lorsque les ténèbres ne
rendent pas timide, elles rendent entreprenant. D'ailleurs j'avais
ses anciens mépris sur le cœur. Pour toute réponse je la poussai
vers l'escalier qui conduisait à la boutique. Elle en poussa un cri
de frayeur. Bigre, qui l'entendit, dit : "Il rêve..." Justine s'évanouit,
6300 ses genoux se dérobent sous elle ; dans son délire elle disait d'une
voix étouffée : "Il va venir... il vient... je l'entends qui monte...
je suis perdue !... – Non, non, lui répondis-je d'une voix étouffée,
remettez-vous, taisez-vous, et couchez-vous..." Elle persiste dans
son refus, je tiens ferme, elle se résigne, et nous voilà l'un à côté
6305 de l'autre.

LE MAÎTRE. – Traître ! scélérat ! sais-tu quel crime tu vas
commettre ? Tu vas violer cette fille sinon par la force, du moins

---

1. *Bouge* : petit logement sale.
2. *Aveugle* : plongé dans l'obscurité.

■ «Je la tire à moi, elle sort de dessous la couchette en tremblant» (p. 270).

par la terreur. Poursuivi au tribunal des lois, tu en éprouverais toute la rigueur réservée aux ravisseurs.

6310 JACQUES. – Je ne sais si je la violai, mais je sais bien que je ne lui fis point de mal, et qu'elle ne m'en fit point. D'abord en détournant sa bouche de mes baisers, elle l'approcha de mon oreille et me dit tout bas : "Non, non, Jacques, non…" À ce mot je fais semblant de sortir du lit et de m'avancer vers l'escalier. Elle

6315 me retint et me dit encore à l'oreille : "Je ne vous aurais jamais cru si méchant, je vois qu'il ne faut attendre de vous aucune pitié ; mais du moins promettez-moi, jurez-moi…

– Quoi ?

– Que Bigre n'en saura rien."

6320 LE MAÎTRE. – Tu promis, tu juras, et tout alla fort bien.

JACQUES. – Et puis très bien encore.

LE MAÎTRE. – Et puis encore très bien ?

JACQUES. – C'est précisément comme si vous y aviez été. Cependant Bigre mon ami, impatient, soucieux et las de rôder

6325 autour de la maison sans me rencontrer, rentre chez son père qui lui dit avec humeur : "Tu as été bien longtemps pour rien…" Bigre lui répondit avec plus d'humeur encore : "Est-ce qu'il n'a pas fallu allégir[1] par les deux bouts ce diable d'essieu qui s'est trouvé trop gros ?

6330 – Je t'en avais averti, mais tu n'en veux jamais faire qu'à ta tête.

– C'est qu'il est plus aisé d'en ôter que d'en remettre.

– Prends cette jante[2] et va finir à la porte.

– Pourquoi à la porte ?

– C'est que le bruit de l'outil réveillerait Jacques, ton ami.

6335 – Jacques !…

– Oui, Jacques, il est là-haut sur la soupente qui repose. Ah ! que les pères sont à plaindre ; si ce n'est d'une chose, c'est d'une autre ! Eh bien, te remueras-tu ? Tandis que tu restes là comme un

---

1. *Allégir* : amincir.
2. *Jante* : pièce de bois arrondie qui forme la périphérie d'une roue.

imbécile, la tête baissée, la bouche béante et les bras pendants,
6340 la besogne ne se fait pas…" Bigre mon ami, furieux, s'élance vers
l'escalier ; Bigre mon parrain le retient en lui disant : "Où vas-tu ?
laisse dormir ce pauvre diable, qui est excédé de fatigue. À sa
place, serais-tu bien aise qu'on troublât ton repos ?"

LE MAÎTRE. – Et Justine entendait encore tout cela ?
6345 JACQUES. – Comme vous m'entendez.

LE MAÎTRE. – Et que faisais-tu ?

JACQUES. – Je riais.

LE MAÎTRE. – Et Justine ?

JACQUES. – Elle avait arraché sa cornette[1] ; elle se tirait par les
6350 cheveux, elle levait les yeux au ciel, du moins je le présume, et
elle se tordait les bras.

LE MAÎTRE. – Jacques, vous êtes un barbare, vous avez un cœur
de bronze.

JACQUES. – Non, monsieur, non, j'ai de la sensibilité[2], mais je
6355 la réserve pour une meilleure occasion. Les dissipateurs de cette
richesse en ont tant prodigué[3] lorsqu'il en fallait être économe,
qu'ils ne s'en trouvent plus quand il faudrait en être prodigue[4]…
Cependant je m'habille, et je descends. Bigre le père me dit : «Tu
avais besoin de cela, cela t'a bien fait ; quand tu es venu tu avais
6360 l'air d'un déterré, et te voilà vermeil et frais comme l'enfant qui
vient de téter. Le sommeil est une bonne chose !… Bigre, descends
à la cave et apporte une bouteille afin que nous déjeunions. À
présent, filleul, tu déjeuneras volontiers ? – Très volontiers…" La
bouteille est arrivée et placée sur l'établi. Nous sommes debout
6365 autour. Bigre le père remplit son verre et le mien, Bigre le fils en
écartant le sien, dit d'un ton farouche : "Pour moi, je ne suis pas
altéré si matin.

---

1. Cornette : sorte de bonnet de nuit. «Coiffe, ou linge, que les femmes mettent la nuit sur leur tête» (*Dictionnaire de Trévoux*, 1771).

2. De la sensibilité : du cœur.

3. Prodigué : gaspillé.

4. Prodigue : généreux.

– Tu ne veux pas boire ?

– Non.

6370 – Ah ! je sais ce que c'est ; tiens, filleul, il y a de la Justine là-dedans, il aura passé chez elle, ou il ne l'aura pas trouvée, ou il l'aura surprise avec un autre ; cette bouderie[1] contre la bouteille n'est pas naturelle, c'est ce que je te dis.

Moi. – Mais vous pourriez bien avoir deviné juste.

6375 Bigre le Fils. – Jacques, trêve de plaisanteries, placées ou déplacées, je ne les aime pas.

Bigre le Père. – Puisqu'il ne veut pas boire, il ne faut pas que cela nous en empêche. À ta santé, filleul.

Moi. – À la vôtre, parrain ; Bigre, mon ami, bois avec nous. Tu
6380 te chagrines trop pour peu de chose.

Bigre le Fils. – Je vous ai déjà dit que je ne buvais pas.

Moi. – Eh bien, si ton père a rencontré[2], que diable, tu la reverras, vous vous expliquerez, et tu conviendras que tu as tort.

6385 Bigre le Père. – Eh ! laisse-le faire ; n'est-il pas juste que cette créature le châtie de la peine qu'il me cause ? Çà, encore un coup, et venons à ton affaire. Je conçois qu'il faut que je te mène chez ton père ; mais que veux-tu que je lui dise ?

Moi. – Tout ce que vous voudrez, tout ce que vous lui avez
6390 entendu dire cent fois lorsqu'il vous a ramené votre fils.

– Allons…"

Il sort, je le suis, nous arrivons à la porte de la maison ; je le laisse entrer seul. Curieux de la conversation de Bigre le Père et du mien, je me cache dans un recoin, derrière une cloison, d'où
6395 je n'en perdis pas un mot.

Bigre le Père. – Allons, compère, il faut encore lui pardonner cette fois.

– Lui pardonner, et quoi ?

---

1. *Bouderie* : fâcherie.
2. *Si ton père a rencontré* : si ton père est tombé par hasard sur la vérité.

– Tu fais l'ignorant.

6400 – Je ne le fais point, je le suis.

– Tu es fâché, et tu as raison de l'être.

– Je ne suis point fâché.

– Tu l'es, te dis-je.

– Si tu veux que je le sois, je ne demande pas mieux ; mais que
6405 je sache auparavant la sottise qu'il a faite.

– D'accord, trois fois, quatre fois ; mais ce n'est pas coutume.
On se trouve une bande de jeunes garçons et de jeunes filles ; on
boit, on rit, on danse ; les heures se passent vite, et cependant la
porte de la maison se ferme…

6410 Bigre, en baissant la voix, ajouta : "Ils ne nous entendent pas,
mais de bonne foi, est-ce que nous avons été plus sages qu'eux à
leur âge ? Sais-tu qui sont les mauvais pères ? Les mauvais pères,
ce sont ceux qui ont oublié les fautes de leur jeunesse. Dis-moi,
est-ce que nous n'avons jamais découché ?

6415 – Et toi, Bigre, mon compère, dis-moi, est-ce que nous n'avons
jamais pris d'attachement qui déplaisait à nos parents ?

– Aussi je crie plus haut que je ne souffre. Fais de même.

– Mais Jacques n'a point découché, du moins cette nuit, j'en
suis sûr.

6420 – Eh bien, si ce n'est pas celle-ci, c'est une autre. Tant y a que
tu n'en veux point à ton garçon ?

– Non.

– Et quand je serai parti tu ne le malmèneras pas ?

– Aucunement.

6425 – Tu m'en donnes ta parole ?

– Je te la donne.

– Ta parole d'honneur ?

– Ma parole d'honneur.

– Tout est dit, et je m'en retourne…"

6430 Comme mon parrain Bigre était sur le seuil, mon père, lui
frappant doucement sur l'épaule, lui disait : "Bigre, mon ami, il y
a ici quelque anguille sous roche ; ton garçon et le mien sont deux

futés matois[1] ; et je crains bien qu'ils ne nous en aient donné d'une à garder[2] aujourd'hui, mais avec le temps cela se découvrira. Adieu, compère."

Le Maître. – Et quelle fut la fin de l'aventure entre Bigre ton ami et Justine ?

Jacques. – Comme elle devait être. Il se fâcha, elle se fâcha plus fort que lui ; elle pleura, il s'attendrit ; elle lui jura que j'étais le meilleur ami qu'il eût, je lui jurai qu'elle était la plus honnête fille du village. Il nous crut, nous demanda pardon, nous en aima et nous en estima davantage tous deux. Et voilà le commencement, le milieu et la fin de la perte de mon pucelage. À présent, Monsieur, je voudrais bien que vous m'apprissiez le but moral de cette impertinente histoire.

Le Maître. – À mieux connaître les femmes.

Jacques. – Et vous aviez besoin de cette leçon ?

Le Maître. – À mieux connaître les amis.

Jacques. – Et vous avez jamais cru qu'il y en eût un seul qui tînt rigueur à votre femme ou à votre fille, si elle s'était proposé sa défaite.

Le Maître. – À mieux connaître les pères et les enfants.

Jacques. – Allez, monsieur, ils ont été de tout temps et seront à jamais alternativement dupes les uns des autres.

Le Maître. – Ce que tu dis là sont autant de vérités éternelles, mais sur lesquelles on ne saurait trop insister.

Quel que soit le récit que tu m'as promis après celui-ci, sois sûr qu'il ne sera vide d'instruction que pour un sot ; et continue. »

Lecteur, il me vient un scrupule, c'est d'avoir fait honneur à Jacques ou à son maître de quelques réflexions qui vous appartiennent de droit ; si cela est, vous pouvez les reprendre sans

---

1. Futés matois : rusés filous.
2. Qu'ils ne nous en aient donné d'une à garder : qu'ils ne nous aient mystifiés, trompés.

qu'ils s'en formalisent. J'ai cru m'apercevoir que le mot *Bigre*[1] vous déplaisait. Je voudrais bien savoir pourquoi. C'est le vrai nom de famille de mon charron ; les extraits baptistaires, extraits mortuaires, contrats de mariage en sont signés Bigre. Les descendants de Bigre qui occupent aujourd'hui sa boutique s'appellent Bigre. Quand leurs enfants, qui sont jolis, passent dans la rue, on dit : «Voilà les petits Bigres.» Quand vous prononcez le nom de *Boule*[2], vous vous rappelez le plus grand ébéniste que vous ayez eu. On ne prononce point encore dans la contrée de Bigre le nom de Bigre sans se rappeler le plus grand charron dont on ait mémoire. Le Bigre dont on lit le nom à la fin de tous les livres d'offices pieux[3] du commencement de ce siècle, fut un de ses parents. Si jamais un arrière-neveu de Bigre se signale par quelque grande action, le nom personnel Bigre ne sera pas moins imposant pour vous que celui de César ou de Condé[4]. C'est qu'il y a Bigre et Bigre comme Guillaume et Guillaume. Si je dis Guillaume tout court, ce ne sera ni le conquérant de la Grande-Bretagne[5], ni le marchand de drap de l'*Avocat Patelin*[6] ; le nom de Guillaume tout court ne sera ni héroïque ni bourgeois.

---

1. Ce mot est une déformation (un euphémisme) du nom *bougre*, qui, depuis le XIVᵉ siècle, était une des appellations des homosexuels. Il existait aussi des expressions imagées comme «les gens de la manchette» ou «les gens de la jaquette flottante». Le terme «homosexuel» lui-même n'apparaît qu'à la fin du XIXᵉ siècle.

2. *André Charles Boulle* (1642-1732) : ébéniste et dessinateur d'ameublement de luxe ; son nom est associé à une technique de placage des meubles par marqueterie d'écaille et de métal.

3. *Livres d'offices pieux* : recueils de prières.

4. *Louis II de Bourbon, dit le Grand Condé* (1621-1686) : illustre général du XVIIᵉ siècle.

5. *Guillaume Iᵉʳ le Conquérant ou le Bâtard* (1028-1087) : petit vassal du roi de France (duc de Normandie), qui réussit à conquérir l'Angleterre sur Harold II et y régna pendant vingt ans.

6. *La Farce de maître Pathelin* (1461-1469), comédie en vers fondée sur le ressort comique du trompeur trompé. Le drapier s'y nomme Guillaume Joceaulme.

Ainsi de Bigre. Bigre tout court n'est ni Bigre le fameux charron ni quelqu'un de ses plats ancêtres ou de ses plats descendants. En bonne foi, un nom personnel peut-il être de bon ou de mauvais goût ? les rues sont pleines de mâtins[1] qui s'appellent Pompée[2]. Défaites-vous de votre fausse délicatesse, ou j'en userai avec vous comme milord Chatham[3] avec les membres du Parlement ; il leur dit : «Sucre, sucre, sucre ; qu'est-ce qu'il y a de ridicule là-dedans ?...» Et moi, je vous dirai : «Bigre, Bigre, Bigre ; pourquoi ne s'appellerait-on pas Bigre ?» C'est, comme le disait un officier à son général le grand Condé, qu'il y a un fier Bigre, comme Bigre le charron ; un bon Bigre, comme vous et moi ; de plats Bigres, comme une infinité d'autres.

JACQUES. – C'était un jour de noces ; frère Jean avait marié la fille d'un de nos voisins. J'étais garçon de fête[4]. On m'avait placé à table entre les deux goguenards[5] de la paroisse ; j'avais l'air d'un grand nigaud, quoique je ne le fusse pas tant qu'ils le croyaient. Ils me firent quelques questions sur la nuit de la mariée, j'y répondis assez bêtement ; et les voilà qui éclatent de rire, et les femmes de ces deux plaisants à crier de l'autre bout : «Qu'est-ce qu'il y a donc ? Vous êtes bien joyeux là-bas... – C'est que c'est par trop drôle, répondit un de nos maris à sa femme ; je te conterai cela ce soir.» L'autre, qui n'était pas moins curieuse, fit la même question à son mari, qui lui fit la même réponse. Le repas continue et les questions et mes balourdises, et les éclats de rire, et la surprise des femmes. Après le repas la danse, après

---

1. *Mâtins* : gros chiens.
2. *Pompée* (106-48 av. J.-C.) : homme d'État et général romain.
3. *William Pitt, comte de Chatham* (1707-1778) : homme d'État britannique. Ministre, il s'opposa en avril 1759 au projet du Parlement de taxation forcée des colonies antillaises sur le sucre ; au début de son discours, pour capter l'attention, il prononça le mot «sucre» sur des tons différents.
4. *Garçon de fête* : garçon d'un village chargé d'organiser pendant une année les divertissements.
5. *Goguenards* : plaisantins, rigolos.

la danse le coucher des époux, le don de la jarretière[1], moi dans mon lit et nos goguenards dans les leurs, racontant à leurs femmes la chose incompréhensible, incroyable, c'est qu'à vingt-deux ans,
6510 grand et vigoureux comme je l'étais, assez bien de figure, alerte et point sot, j'étais aussi neuf, mais aussi neuf qu'au sortir du ventre de ma mère ; et les deux femmes de s'en émerveiller ainsi que leurs maris. Mais dès le lendemain Suzanne me fit signe et me dit : « Jacques, n'as-tu rien à faire ?
6515 — Non, voisine ; qu'est-ce qu'il y a pour votre service ?

— Je voudrais... je voudrais... », et en disant je voudrais, elle me serrait la main et me regardait si singulièrement, « je voudrais que tu prisses notre serpe et que tu vinsses dans la commune m'aider à couper deux ou trois bourrées[2], car c'est une besogne
6520 trop forte pour moi seule.

— Très volontiers, madame Suzanne... »

Je prends la serpe, et nous allons. Chemin faisant, Suzanne se laissait tomber la tête sur mon épaule, me prenait le menton, me tirait les oreilles, me pinçait les côtés. Nous arrivons. L'endroit
6525 était en pente. Suzanne se couche à terre tout de son long à la place la plus élevée, les pieds éloignés l'un de l'autre et les bras passés par-dessus la tête. J'étais au-dessous d'elle, jouant de la serpe sur le taillis, et Suzanne repliait ses jambes, approchant ses talons de ses fesses, et ses genoux élevés rendaient ses jupons fort
6530 courts, et je jouais toujours de la serpe sur le taillis, ne regardant guère où je frappais et frappant souvent à côté. Enfin Suzanne me dit : « Jacques, est-ce que tu ne finiras pas bientôt ? » Et je lui répondis : « Quand vous voudrez, madame Suzanne...

— Est-ce que tu ne vois pas, dit-elle à demi-voix, que je veux
6535 que tu finisses ?... » Je finis donc, je repris haleine, et je finis encore ; et Suzanne...

LE MAÎTRE. – T'ôtait ton pucelage que tu n'avais pas ?

---

1. *Jarretière* : ruban (servant à tenir les bas) de la mariée.
2. *Bourrées* : fagots de petites branches (pour lancer un feu de cheminée).

JACQUES. – Il est vrai ; mais Suzanne ne s'y méprit pas, et de sourire et de me dire : «Tu en as donné d'une bonne à garder à notre homme[1], et tu es un fripon.

– Que voulez-vous dire, madame Suzanne ?

– Rien, rien ; tu m'entends de reste[2]. Trompe-moi encore quelquefois de même, et je te le pardonne...»

Je reliai ses bourrées, je les pris sur mon dos et nous revînmes, elle à sa maison, moi à la nôtre.

LE MAÎTRE. – Sans faire une pause en chemin ?

JACQUES. – Non.

LE MAÎTRE. – Il n'y avait donc pas loin de la commune au village ?

JACQUES. – Pas plus loin que du village à la commune.

LE MAÎTRE. – Elle ne valait que cela ?

JACQUES. – Elle valait peut-être davantage pour un autre, pour un autre jour : chaque moment a son prix.

À quelque temps de là, dame Marguerite, c'était la femme de notre autre goguenard, avait du grain à faire moudre et n'avait pas le temps d'aller au moulin ; elle vint demander à mon père un de ses garçons qui y allât pour elle. Comme j'étais le plus grand, elle ne doutait pas que le choix de mon père ne tombât sur moi, ce qui ne manqua pas d'arriver. Dame Marguerite sort, je la suis ; je charge le sac sur mon âne et je le conduis seul au moulin. Voilà son grain moulu, et nous nous en revenions, l'âne et moi assez tristes, car je pensais que j'en serais pour ma corvée. Je me trompais. Il y avait entre le village et le moulin un petit bois à passer ; ce fut là que je trouvai dame Marguerite assise au bord de la voie. Le jour commençait à tomber. «Jacques, me dit-elle, enfin te voilà ! Sais-tu qu'il y a plus d'une mortelle heure que je t'attends ?...»

---

1. *Tu en as donné d'une bonne à garder à notre homme* : tu as bien trompé mon mari.
2. *Tu m'entends de reste* : tu comprends largement ce que je veux dire.

Lecteur, vous êtes aussi trop pointilleux. D'accord, la mortelle heure est des dames de la ville et la grande heure, de dame
6570 Marguerite.

JACQUES. – C'est que l'eau était basse, que le moulin allait lentement, que le meunier était ivre, et que, quelque diligence que j'aie faite[1], je n'ai pu revenir plus tôt.

MARGUERITE. – Assied-toi là, et jasons[2] un peu.

6575 JACQUES. – Dame Marguerite, je le veux bien…

Me voilà assis à côté d'elle pour jaser et cependant nous gardions le silence tous deux. Je lui dis donc : «Mais, dame Marguerite, vous ne me dites mot, et nous ne jasons pas.

MARGUERITE. – C'est que je rêve à ce que mon mari m'a dit
6580 de toi.

JACQUES. – Ne croyez rien de ce que votre mari vous a dit; c'est un gausseur[3].

MARGUERITE. – Il m'a assuré que tu n'avais jamais été amoureux.

6585 JACQUES. – Oh! pour cela il a dit vrai.

MARGUERITE. – Quoi! Jamais de ta vie?

JACQUES. – De ma vie.

MARGUERITE. – Comment! à ton âge, tu ne saurais pas ce que c'est qu'une femme?

6590 JACQUES. – Pardonnez-moi, dame Marguerite.

MARGUERITE. – Et qu'est-ce que c'est qu'une femme?

JACQUES. – Une femme?

MARGUERITE. – Oui, une femme.

JACQUES. – Une femme… Attendez… C'est un homme qui a
6595 un cotillon[4], une cornette et de gros tétons.

LE MAÎTRE. – Ah! scélérat!

---

1. *Quelque diligence que j'aie faite* : malgré mon empressement.
2. *Jasons* : causons.
3. *Gausseur* : moqueur.
4. *Cotillon* : jupon.

JACQUES. – L'autre ne s'y était pas trompée ; et je voulais que celle-ci s'y trompât. À ma réponse, dame Marguerite fit des éclats de rire qui ne finissaient point, et moi tout ébahi, je lui demandai ce qu'elle avait tant à rire. Dame Marguerite me dit qu'elle riait de ma simplicité[1]. «Comment, grand comme tu es, vrai, tu n'en saurais pas davantage ?

– Non, dame Marguerite.»

Là-dessus dame Marguerite se tut, et moi aussi. «Mais, dame Marguerite, lui dis-je encore, nous nous sommes assis pour jaser et voilà que vous ne dites mot et que nous ne jasons pas. Dame Marguerite, qu'avez-vous ? vous rêvez.

MARGUERITE. – Oui, je rêve… je rêve… je rêve…»

En prononçant ces je rêve, sa poitrine s'élevait, sa voix s'affaiblissait, ses membres tremblaient, ses yeux s'étaient fermés ; sa bouche était entrouverte, elle poussa un profond soupir, elle défaillit et je fis semblant de croire qu'elle était morte et me mis à crier du ton de l'effroi : «Dame Marguerite ! dame Marguerite ! parlez-moi donc ; dame Marguerite, est-ce que vous vous trouvez mal ?

MARGUERITE. – Non, mon enfant ; laisse-moi un moment en repos… Je ne sais ce qui m'a prise… Cela m'est venu subitement.

LE MAÎTRE. – Elle mentait.

JACQUES. – Oui, elle mentait.

MARGUERITE. – C'est que je rêvais…

JACQUES. – Rêvez-vous comme cela la nuit à côté de votre mari ?

MARGUERITE. – Quelquefois.

JACQUES. – Cela doit l'effrayer.

MARGUERITE. – Il y est fait…»

Marguerite revint peu à peu de sa défaillance, et dit : «Je rêvais qu'à la noce, il y a huit jours, notre homme et celui de la Suzanne se sont bien moqués de toi ; cela m'a fait pitié, et je me suis trouvée toute je ne sais comment.

---

1. **Simplicité** : candeur, ignorance incroyable.

JACQUES. – Vous êtes trop bonne.

6630 MARGUERITE. – Je n'aime pas qu'on se moque. Je rêvais qu'à la première occasion ils recommenceraient de plus belle et que cela me fâcherait encore.

JACQUES. – Mais il ne tiendrait qu'à vous que cela ne vous fâchât plus.

6635 MARGUERITE. – Et comment ?

JACQUES. – En m'apprenant…

MARGUERITE. – Et quoi ?

JACQUES. – Ce que j'ignore, et ce qui faisait tant rire votre homme et celui de la Suzanne, qui ne riraient plus.

6640 MARGUERITE. – Oh ! non, non. Je sais bien que tu es un bon garçon, et que tu ne le dirais à personne ; mais je n'oserais.

JACQUES. – Et pourquoi ?

MARGUERITE. – C'est que je n'oserais.

JACQUES. – Ah ! dame Marguerite, apprenez-moi, je vous 6645 en prie, je vous en aurai la plus grande obligation, apprenez-moi…» En la suppliant ainsi, je lui serrais les mains et elle me les serrait aussi ; je lui baisais les yeux et elle me baisait la bouche. Cependant il faisait tout à fait nuit. Je lui dis donc : «Je vois bien, dame Marguerite, que vous ne me voulez pas assez de bien pour 6650 m'apprendre, j'en suis tout à fait chagrin. Allons, levons-nous, retournons-nous-en…» Dame Marguerite se tut ; elle reprit une de mes mains, je ne sais où elle la conduisit, mais le fait est que je m'écriai : «Il n'y a rien ! il n'y a rien !»

LE MAÎTRE. – Scélérat ! double scélérat !

6655 JACQUES. – Le fait est qu'elle était fort déshabillée, et que je l'étais beaucoup aussi ; le fait est que j'avais toujours la main où il n'y avait rien chez elle, et qu'elle avait placé sa main où cela n'était pas tout à fait de même chez moi ; le fait est que je me trouvai sous elle et par conséquent elle sur moi. Le 6660 fait est que ne la soulageant d'aucune fatigue, il fallait bien qu'elle la prît tout entière ; le fait est qu'elle se livrait à mon instruction de si bon cœur, qu'il vint un instant où je crus

qu'elle en mourrait. Le fait est qu'aussi troublé qu'elle, et ne sachant ce que je disais, je m'écriai : «Ah ! dame Suzanne, que
6665 vous me faites aise ! »

LE MAÎTRE. – Tu veux dire dame Marguerite.

JACQUES. – Non, non. Le fait est que je pris un nom pour un autre, et qu'au lieu de dire dame Marguerite, je dis dame Suzon. Le fait est que j'avouai à dame Marguerite que ce qu'elle croyait
6670 m'apprendre ce jour-là, dame Suzon me l'avait appris, un peu diversement, à la vérité, il y avait trois ou quatre jours. Le fait est qu'elle me dit : «Quoi ! c'est Suzon et non pas moi ?... » Le fait est que je répondis : «Ce n'est ni l'une ni l'autre.» Le fait est que tout en se moquant d'elle-même, de Suzon, des deux maris, et
6675 qu'en me disant de petites injures, je me trouvai sur elle, et par conséquent elle sous moi, et qu'en m'avouant que cela lui avait fait bien du plaisir, mais pas autant que de l'autre manière, elle se retrouva sur moi et par conséquent moi sous elle. Le fait est qu'après quelque temps de repos et de silence, je ne me trouvai
6680 ni elle dessous, ni moi dessus, ni elle dessus, ni moi dessous ; car nous étions l'un et l'autre sur le côté, qu'elle avait la tête penchée en devant et ses deux fesses collées contre mes deux cuisses. Le fait est que si j'avais été moins savant, la bonne dame Marguerite m'aurait appris tout ce qu'on peut apprendre. Le fait
6685 est que nous eûmes bien de la peine à regagner le village. Le fait est que mon mal de gorge est fort augmenté, et qu'il n'y a pas d'apparence que je puisse parler de quinze jours.

LE MAÎTRE. – Et tu n'as pas revu ces femmes ?

JACQUES. – Pardonnez-le-moi, plus d'une fois.

6690 LE MAÎTRE. – Toutes deux ?

JACQUES. – Toutes deux.

LE MAÎTRE. – Elles ne se sont point brouillées ?

JACQUES. – Utiles l'une à l'autre, elles s'en sont aimées davantage.

6695 LE MAÎTRE. – Les nôtres en auraient bien fait autant, mais chacune avec son chacun... Tu ris.

JACQUES. – Toutes les fois que je me rappelle le petit homme criant, jurant, écumant, se débattant de la tête, des pieds, des mains, de tout le corps, et prêt à se jeter du haut du fenil [1] en bas au hasard de se tuer, je ne saurais m'empêcher d'en rire.

LE MAÎTRE. – Et ce petit homme, qui est-il? Le mari de la dame Suzon?

JACQUES. – Non.

LE MAÎTRE. – Le mari de la dame Marguerite?

JACQUES. – Non… Toujours le même : il en a pour tant qu'il vivra.

LE MAÎTRE. – Qui est-il donc?

Jacques ne répondit point à cette question, et le maître ajouta :

«Dis-moi seulement qui était le petit homme.

JACQUES. – Un jour un enfant, assis au pied du comptoir d'une lingère, criait de toute sa force. Une marchande, importunée de ses cris, lui dit : "Mon ami, pourquoi criez-vous?

– C'est qu'ils veulent me faire dire A.

– Et pourquoi ne voulez-vous pas dire A?

– C'est que je n'aurai pas si tôt dit A, qu'ils voudront me faire dire B."

C'est que je ne vous aurai pas si tôt dit le nom du petit homme qu'il faudra que je vous dise le reste.

LE MAÎTRE. – Peut-être.

JACQUES. – Cela est sûr.

LE MAÎTRE. – Allons, mon ami Jacques, nomme-moi le petit homme. Tu t'en meurs d'envie, n'est-ce pas? Satisfais-toi.

JACQUES. – C'était une espèce de nain, bossu, crochu, bègue, borgne, jaloux, paillard [2], amoureux et peut-être aimé de Suzon. C'était le vicaire [3] du village…

_____

1. *Fenil* : grenier en hauteur où l'on stockait les «bottes de paille».
2. *Paillard* : grivois.
3. *Vicaire* : prêtre remplaçant.

Jacques ressemblait à l'enfant de la lingère comme deux gouttes d'eau, avec cette différence que depuis son mal de gorge on avait de la peine à lui faire dire A, mais une fois en train, il allait de lui-même jusqu'à la fin de l'alphabet.

JACQUES. – J'étais dans la grange de Suzon, seul avec elle.

LE MAÎTRE. – Et tu n'y étais pas pour rien ?

JACQUES. – Non. Lorsque le vicaire arrive, il prend de l'humeur, il gronde, il demande impérieusement à Suzon ce qu'elle fait en tête à tête avec le plus débauché des garçons du village, dans l'endroit le plus reculé de la chaumière.

LE MAÎTRE. – Tu avais déjà de la réputation, à ce que je vois.

JACQUES. – Et assez bien méritée. Il était vraiment fâché ; à ce propos il en ajouta d'autres encore moins obligeants. Je me fâche de mon côté. D'injure en injure nous en venons aux mains. Je saisis une fourche, je la lui passe entre les jambes, fourchon[1] d'ici, fourchon de là, et le lance sur le fenil, ni plus ni moins comme une botte de paille.

LE MAÎTRE. – Et ce fenil était haut ?

JACQUES. – De dix pieds[2] au moins, et le petit homme n'en serait pas descendu sans se rompre le cou.

LE MAÎTRE. – Après ?

JACQUES. – Après, j'écarte le fichu de Suzon, je lui prends la gorge, je la caresse ; elle se défend comme cela. Il y avait là un bât[3] d'âne dont la commodité nous était connue ; je la pousse sur ce bât.

LE MAÎTRE. – Tu relèves ses jupons ?

JACQUES. – Je relève ses jupons.

LE MAÎTRE. – Et le vicaire voyait cela ?

JACQUES. – Comme je vous vois.

LE MAÎTRE. – Et il se taisait ?

---

1. *Fourchon* : coup de fourche. Un fourchon est une pointe de fourche.
2. *Dix pieds* : un peu plus de trois mètres ; le pied est une ancienne unité de mesure de longueur valant 0,324 8 mètre.
3. *Bât* : sorte de selle.

JACQUES. – Non pas, s'il vous plaît. Ne se contenant plus de rage, il se mit à crier : "Au meu… meu… meurtre ! au feu… feu… feu !… au vo… vo… voleur !…" Et voilà le mari, que nous croyions loin, qui accourt.

LE MAÎTRE. – J'en suis fâché ; je n'aime pas les prêtres.

JACQUES. – Et vous auriez été enchanté que sous les yeux de celui-ci…

LE MAÎTRE. – J'en conviens.

JACQUES. – Suzon avait eu le temps de se relever ; je me rajuste, me sauve, et c'est Suzon qui m'a raconté ce qui suit. Le mari, qui voit le vicaire perché sur le fenil, se met à rire. Le vicaire lui disait : "Ris… ris… ris bien… so… so… sot que tu es…" Le mari de lui obéir, de rire de plus belle, et de lui demander qui est-ce qui l'a niché là. – Le vicaire : "Met… met… mets-moi à te… te…, terre." Le mari de rire encore, et de lui demander comment il faut qu'il s'y prenne. – Le vicaire : "Co… co… comme j'y… j'y… j'y suis mon… mon… monté, a… a… avec la fou… fou… fourche… – Par sanguienne, vous avez raison ; voyez ce que c'est que d'avoir étudié !…" Le mari prend la fourche, la présente au vicaire, celui-ci s'enfourche comme je l'avais enfourché ; le mari lui fait faire un ou deux tours de grange au bout de l'instrument de basse-cour, accompagnant cette promenade d'une espèce de chant en faux-bourdon[1], et le vicaire criait : "Dé… dé… descends-moi, ma… ma… maraud, me… me dé… dé… descendras… dras-tu ?…" Et le mari lui disait : "À quoi tient-il, monsieur le vicaire, que je ne vous montre ainsi dans toutes les rues du village ? On n'y aurait jamais vu une aussi belle procession…" Cependant le vicaire en fut quitte pour la peur, et le mari le mit à terre. Je ne sais ce qu'il dit alors au mari, car Suzon s'était évadée, mais j'entendis : "Ma… ma… malheureux ! tu… tu… fra… fra… frappes un… un… prê… prê… prêtre ; je… je… t'é… t'é… t'ex… co… co… communie ; tu…

---

1. *Faux-bourdon* : plain-chant (musique vocale rituelle) où la basse forme le chant principal.

tu… se… seras dan… dan… damné…" C'était le petit homme qui parlait et c'était le mari qui le pourchassait à coups de fourche.
6790 J'arrive avec beaucoup d'autres ; d'aussi loin que le mari m'aperçut, mettant sa fourche en arrêt : "Approche, approche", me dit-il.

LE MAÎTRE. – Et Suzon ?

JACQUES. – Elle s'en tira.

LE MAÎTRE. – Mal ?

6795 JACQUES. – Non. Les femmes s'en tirent toujours bien quand on ne les a pas surprises en flagrant délit… De quoi riez-vous ?

LE MAÎTRE. – De ce qui me fera rire, comme toi, toutes les fois que je me rappellerai le petit prêtre au bout de la fourche du mari.

6800 JACQUES. – Ce fut peu de temps après cette aventure, qui vint aux oreilles de mon père et qui en rit aussi, que je m'engageai, comme je vous ai dit…»

Après quelques moments de silence ou de toux de la part de Jacques, disent les uns, ou après avoir encore ri, disent les
6805 autres, le maître s'adressant à Jacques, lui dit : «Et l'histoire de tes amours ?» – Jacques hocha de la tête et ne répondit pas.

Comment un homme de sens, qui a des mœurs, qui se pique de philosophie, peut-il s'amuser à débiter des contes de cette obscénité ?… Premièrement, lecteur, ce ne sont pas des contes, c'est
6810 une histoire, et je ne me sens pas plus coupable, et peut-être moins, quand j'écris les sottises de Jacques, que Suétone quand il nous transmet les débauches de Tibère [1]. Cependant vous lisez Suétone, et vous ne lui faites aucun reproche. Pourquoi ne froncez-vous pas le sourcil à Catulle, à Martial, à Horace, à Juvénal, à Pétrone [2], à

---

1. *Suétone* (70-140) : historien romain, auteur des *Vies des douze Césars* (*Vitae Caesarum*, v. 130), contenant en particulier celle de l'empereur Tibère (42 av. J.-C.-37 apr. J.-C.).
2. Auteurs latins de textes parfois franchement érotiques : **Catulle** (82-52 av. J.-C.) dans ses *Poésies* ; **Martial** (40-104) dans ses *Épigrammes* ; **Horace** (65-8 av. J.-C.) et **Juvénal** (65-128) dans leurs *Satires* ; **Pétrone** (?-66 apr. J.-C.) dans son *Satiricon*.

■ « Il se mit à crier au meu... meu... meurtre ! » (p. 287).

6815 La Fontaine[1] et à tant d'autres ? Pourquoi ne dites-vous pas au stoïcien Sénèque[2] : « Quel besoin avons-nous de la crapule de votre esclave aux miroirs concaves ? » Pourquoi n'avez-vous de l'indulgence que pour les morts ? Si vous réfléchissiez un peu à cette partialité, vous verriez qu'elle naît de quelque principe

6820 vicieux. Si vous êtes innocent, vous ne me lirez pas ; si vous êtes corrompu, vous me lirez sans conséquence. Et puis, si ce que je vous dis là ne vous satisfait pas, ouvrez la préface de Jean-Baptiste Rousseau[3] et vous y trouverez mon apologie. Quel est celui d'entre vous qui osât blâmer Voltaire d'avoir composé *la Pucelle*[4] ?

6825 Aucun. Vous avez donc deux balances pour les actions des hommes ? « Mais, dites-vous, *la Pucelle* de Voltaire est un chef-d'œuvre. – Tant pis, puisqu'on ne l'en lira que davantage. – Et votre *Jacques* n'est qu'une insipide rhapsodie de faits, les uns réels, les autres imaginés, écrits sans grâce et distribués sans ordre. – Tant

6830 mieux, mon *Jacques* en sera moins lu. De quelque côté que vous vous tourniez, vous avez tort. Si mon ouvrage est bon, il vous fera plaisir ; s'il est mauvais, il ne fera point de mal. Point de livre plus innocent qu'un mauvais livre. Je m'amuse à écrire sous des noms empruntés[5] les sottises que vous faites ; vos sottises

6835 me font rire, mon écrit vous donne de l'humeur. Lecteur, à vous parler franchement, je trouve que le plus méchant de nous deux,

---

1. Le fabuliste La Fontaine (1621-1695) est l'auteur de cinq livres de *Contes en vers* (1665-1682), de style gaulois et libertin.

2. *Sénèque* (4 av. J.-C.-65 apr. J.-C.) : homme d'État latin, précepteur de Néron, philosophe stoïcien, auteur de tragédies et d'un traité de direction spirituelle intitulé *Questions naturelles*, où il dépeint la « crapule » (la débauche) d'un riche homosexuel (« esclave » de son argent) usant de miroirs grossissants lors de ses ébats érotiques (I, 16).

3. *Jean-Baptiste Rousseau* (1671-1741) : poète, condamné au banissement à perpétuité par le Parlement pour avoir rédigé des épigrammes obscènes et calomnieux sur des écrivains contemporains.

4. *La Pucelle d'Orléans* (1762), poème libertin et comique sur la virginité de Jeanne d'Arc.

5. *Noms empruntés* : pseudonymes.

ce n'est pas moi. Que je serais satisfait s'il m'était aussi facile de me garantir de vos noirceurs, qu'à vous de l'ennui ou du danger de mon ouvrage ! Vilains hypocrites, laissez-moi en repos. Foutez
6840 comme des ânes débâtés[1] ; mais permettez que je dise Foutre ; je vous passe l'action, passez-moi le mot. Vous prononcez hardiment tuer, voler, trahir, et l'autre vous ne l'oseriez qu'entre les dents ? Est-ce que moins vous exhalez de ces prétendues impuretés en paroles, plus il vous en reste dans la pensée ? Et que vous
6845 a fait l'action génitale, si naturelle, si nécessaire et si juste, pour en exclure le signe de vos entretiens, et pour imaginer que votre bouche, vos yeux et vos oreilles en soient souillés ? Il est bon que les expressions les moins usitées, les moins écrites, les mieux tues soient les mieux sues et les plus généralement connues ; ainsi
6850 cela est ; aussi le mot *futuo* n'est-il pas moins familier que le mot pain ; nul âge ne l'ignore, nul idiome n'en est privé, il a mille synonymes dans toutes les langues, il s'implique en chacune sans être exprimé, sans voix, sans figure, et le sexe qui le fait le plus a usage de le taire le plus. Je vous entends encore, vous vous écriez :
6855 «Fi, le cynique ! Fi, l'impudent ! Fi, le sophiste[2] !... » Courage, insultez bien un auteur estimable que vous avez sans cesse entre les mains, et dont je ne suis ici que le traducteur. La licence[3] de son style m'est presque un garant de la pureté de ses mœurs, c'est Montaigne. *Lasciva est nobis pagina, vita proba*[4].

6860 Jacques et son maître passèrent le reste de la journée sans desserrer les dents. Jacques toussait, et son maître disait : «Voilà une cruelle toux ! » regardait à sa montre l'heure qu'il était sans le savoir, ouvrait sa tabatière sans s'en douter et prenait sa prise

---

1. *Ânes débâtés* : ânes débarrassés de leurs selles (leurs bâts, voir note 3, p. 286).
2. *Sophiste* : raisonneur utilisant des arguments spécieux.
3. *Licence* : liberté.
4. « Ma page est licencieuse, mais ma vie est pure », citation de Martial (*Épigrammes*, I, v. 4-8) se trouvant au livre III, chapitre V des *Essais* de Montaigne (1533-1592), maître à penser de Diderot.

de tabac sans le sentir. Ce qui me le prouve, c'est qu'il faisait
6865 ces choses trois ou quatre fois de suite et dans le même ordre.
Un moment après Jacques toussait encore et son maître disait :
« Quelle diable de toux ! Aussi tu t'en es donné du vin de l'hôtesse
jusqu'au nœud de la gorge ; hier au soir, avec le secrétaire, tu ne
t'es pas ménagé davantage : quand tu remontas tu chancelais, tu
6870 ne savais ce que tu disais, et aujourd'hui tu as fait dix haltes, et je
gage qu'il ne te reste pas une goutte de vin dans ta gourde ?... »
Puis il grommelait entre ses dents, regardait à sa montre, et réga-
lait ses narines.

J'ai oublié de vous dire, lecteur, que Jacques n'allait jamais
6875 sans une gourde pleine du meilleur ; elle était suspendue à l'arçon[1] de sa selle. À chaque fois que son maître interrompait son
récit par quelque question un peu longue, il détachait sa gourde,
en buvait un coup à la régalade[2], et ne la remettait à sa place que
quand son maître avait cessé de parler. J'avais encore oublié de
6880 vous dire que dans les cas qui demandaient de la réflexion, son
premier mouvement était d'interroger sa gourde. Fallait-il résoudre une question de morale, discuter un fait, préférer un chemin
à un autre, entamer, suivre ou abandonner une affaire, peser les
avantages et les désavantages d'une opération de politique, d'une
6885 spéculation de commerce ou de finance, la sagesse ou la folie
d'une loi, le sort d'une guerre, le choix d'une auberge, dans une
auberge le choix d'un appartement, dans un appartement le choix
d'un lit, son premier mot était : « Interrogeons la gourde. » Son
dernier était : « C'est l'avis de la gourde et le mien. » Lorsque le
6890 destin était muet dans sa tête, il s'expliquait par sa gourde ; c'était
une espèce de Pythie[3] portative, silencieuse aussitôt qu'elle était

---

1. À *l'arçon* : au pommeau.
2. À *la régalade* : en versant le liquide dans la bouche sans que le récipient touche les lèvres.
3. *Pythie* : devineresse (oracle) du temple d'Apollon situé dans le sanctuaire de Delphes (Grèce), lieu considéré dans l'Antiquité grecque comme le cen-tre, le nombril (*omphalos*) du monde. La prophétesse d'Apollon rendait ses

vide. À Delphes la Pythie, ses cotillons retroussés, assise à cul nu sur le trépied, recevait son inspiration de bas en haut ; Jacques, sur son cheval, la tête tournée vers le ciel, sa gourde débouchée 6895 et le goulot incliné vers sa bouche, recevait son inspiration de haut en bas. Lorsque la Pythie et Jacques prononçaient leurs oracles, ils étaient ivres tous les deux. Il prétendait que l'Esprit saint était descendu sur les apôtres dans une gourde ; il appelait la Pentecôte[1] la fête des gourdes. Il a laissé un petit traité de toutes 6900 les sortes de divinations, traité profond dans lequel il donne la préférence à la divination de Bacbuc[2] ou par la gourde. Il s'inscrit en faux[3], malgré toute la vénération qu'il lui portait, contre le curé de Meudon[4] qui interrogeait la dive Bacbuc[5] par le choc de la panse. «J'aime Rabelais, dit-il, mais j'aime mieux la vérité que 6905 Rabelais.» Il l'appelle hérétique *Engastrimythe*[6], et il prouve par cent raisons, meilleures les unes que les autres, que les vrais oracles de Bacbuc ou de la gourde ne se faisaient entendre que par

---

oracles au fond d'une fosse, dans une chapelle oraculaire, assise sur un trépied installé sur la margelle d'un orifice naturel. C'est un interprète qui posait la question du consultant (se trouvant dans un isoloir) et lui traduisait la réponse de la prêtresse, que l'on supposait en état de transe.

1. *Pentecôte* : fête chrétienne célébrée le septième dimanche après Pâques pour commémorer la descente du Saint-Esprit sur les Apôtres.

2. Référence au chapitre premier du *Quart Livre* de François Rabelais (1443-1553), médecin humaniste au savoir encyclopédique, auteur d'un cycle des géants en cinq romans ; le quatrième, le *Quart Livre*, publié en 1552 (et aussitôt censuré pour hérésie) commence par le voyage que font les héros (Pantagruel, Panurge et leurs compagnons) pour visiter la Dive Bouteille, et son interprète, sa prêtresse, baptisée la divine «Bacbuc». Le problème central posé par Rabelais est celui de l'exercice de la responsabilité et de la liberté humaines dans un monde où tout n'est qu'équivoques.

3. *Il s'inscrit en faux* [...] *contre* : il s'insurge contre, rejette.

4. Rabelais.

5. L'interrogation de la la bouteille sacrée, par Bacbuc, au sujet du destin de Panurge, n'a lieu qu'au chapitre XLIV du *Cinquième Livre* (1564) ; la réponse est brève : «Lors fut ouï ce mot : Trinch» (c'est-à-dire «Bois»).

6. *Engastrimythe* : ventriloque (mot tiré du chapitre LVIII du *Quart Livre*).

le goulot. Il compte au rang des sectateurs[1] distingués de Bacbuc, des vrais inspirés de la gourde dans ces derniers siècles, Rabelais, La Fare, Chapelle, Chaulieu[2], La Fontaine, Molière, Panard, Gallet, Vadé[3]. Platon et Jean-Jacques Rousseau[4] qui prônèrent le bon vin sans en boire[5], sont à son avis deux faux frères de la gourde. La gourde eut autrefois quelques sanctuaires célèbres ; la Pomme-de-pin, le Temple de la Guinguette[6], sanctuaires dont il écrit l'histoire séparément. Il fait la peinture la plus magnifique de l'enthousiasme[7], de la chaleur, du feu dont les Bacbutiens ou Périgourdins[8] étaient et furent encore saisis de nos jours, lorsque sur la fin du repas, les coudes appuyés sur la table, la dive Bacbuc ou la gourde sacrée leur apparaissait, elle était déposée au milieu d'eux, sifflait, jetait sa coiffe loin d'elle et couvrait ses adorateurs de son écume prophétique[9]. Son manuscrit est décoré de deux portraits, au bas desquels on lit : *Anacréon*[10] *et Rabelais, l'un parmi les anciens, l'autre parmi les modernes, souverains pontifes de la gourde.*

---

1. *Sectateurs* : partisans.

2. *Charles Auguste de La Fare* (1644-1713), *Claude Emmanuel Lhuillier*, dit Chapelle (1626-1686), et *Guillaume Chaulieu* (1639-1720) sont des poètes galants, auteurs d'écrits libertins.

3. *Charles François Panard* (1694-1765), *Pierre Gallet* (1700-1757) et *Jean Joseph Vadé* (1720-1757) sont des auteurs de chansons (satiriques, populaires) connues à l'époque.

4. Allusion à la *Lettre à d'Alembert sur les spectacles* (1758) du philosophe Jean-Jacques Rousseau (1712-1778).

5. Allusion au dialogue *Cratyle* (390-385) du Grec Platon (328-347 av. J.-C.).

6. *La Pomme-de-pin, le Temple de la Guinguette* : cafés (tavernes) littéraires réputés de Paris.

7. *Enthousiasme* : délire sacré (sens étymologique, du grec *enthousiasmos*, « transport divin »).

8. Jeu de mots (ceux qui entourent, embrassent la gourde).

9. À rapprocher du geste de l'hôtesse du Grand-Cerf, p. 175.

10. *Anacréon de Théos* (560-478 av. J.-C.) : poète grec, auteur d'*Odes* célébrant l'amour et le vin.

6925 Et Jacques s'est servi du terme *engastrimythe*?... Pourquoi pas, lecteur? Le capitaine de Jacques était Bacbutien; il a pu connaître cette expression, et Jacques, qui recueillait tout ce qu'il disait, se la rappeler; mais la vérité, c'est que l'*Engastrimythe* est de moi, et qu'on lit sur le texte original : *Ventriloque*.

6930 Tout cela est fort beau, ajoutez-vous, mais les amours de Jacques? – Les amours de Jacques, il n'y a que Jacques qui les sache et le voilà tourmenté d'un mal de gorge qui réduit son maître à sa montre et à sa tabatière, indigence qui l'afflige autant que vous. – Qu'allons-nous donc devenir? – Ma foi, je n'en sais 6935 rien. Ce serait bien ici le cas d'interroger la dive Bacbuc ou la gourde sacrée; mais son culte tombe, ses temples sont déserts. Ainsi qu'à la naissance de notre divin Sauveur les oracles du paganisme cessèrent, à la mort de Gallet, les oracles de Bacbuc furent muets; aussi plus de grands poèmes, plus de ces morceaux 6940 d'une éloquence sublime, plus de ces productions marquées au coin de l'ivresse et du génie; tout est raisonné, compassé, académique et plat. Ô dive Bacbuc! ô gourde sacrée! ô divinité de Jacques! revenez au milieu de nous!... Il me prend envie, lecteur, de vous entretenir de la naissance de la dive Bacbuc, des prodiges 6945 qui l'accompagnèrent et qui la suivirent, des merveilles de son règne et des désastres de sa retraite; et si le mal de gorge de notre ami Jacques dure et que son maître s'opiniâtre à garder le silence, il faudra bien que vous vous contentiez de cet épisode que je tâcherai de pousser jusqu'à ce que Jacques guérisse et reprenne 6950 l'histoire de ses amours... [1].]

Il y a ici une lacune [2] vraiment déplorable dans la conversation de Jacques et de son maître. Quelque jour un descendant

---

1. Fin de la livraison n° 10 de la *Correspondance littéraire* de novembre 1779.

2. *Lacune* : coupure, amputation. Diderot signale aux abonnés que le texte a été censuré. Les histoires de Justine, de Marguerite, de Suzon et du vicaire enfourché, ainsi que les digressions sur «Bigre», « foutre», « engastrimythe» et sur la gourde ne seront publiées dans la *Correspondance* que dans la .../...

de Nodot, du président de Brosses, de Freinshémius, ou du père Brottier[1], la remplira peut-être, et les descendants de Jacques ou de son maître, propriétaires du manuscrit, en riront beaucoup.

Il paraît que Jacques, réduit au silence par son mal de gorge, suspendit l'histoire de ses amours et que son maître commença l'histoire des siennes. Ce n'est ici qu'une conjecture que je donne pour ce qu'elle vaut. Après quelques lignes ponctuées qui annoncent la lacune on lit : «Rien n'est plus triste dans ce monde que d'être un sot...» Est-ce Jacques qui profère cet apophtegme[2]? Est-ce son maître? Ce serait le sujet d'une longue et épineuse dissertation. Si Jacques était assez insolent pour adresser ces mots à son maître, celui-ci était assez franc pour se les adresser à lui-même. Quoi qu'il en soit, il est évident, il est très évident que c'est le maître qui continue.

LE MAÎTRE. – C'était la veille de sa fête, et je n'avais point d'argent. Le chevalier de Saint-Ouin, mon intime ami, n'était jamais embarrassé de rien. «Tu n'as point d'argent? me dit-il.

– Non.

– Eh bien, il n'y a qu'à en faire.

– Et tu sais comme on en fait?

– Sans doute.» Il s'habille, nous sortons, et il me conduit à travers plusieurs rues détournées dans une petite maison obscure, où nous montons par un petit escalier sale à un troisième où j'entre dans un appartement assez spacieux et singulièrement meublé. Il y avait entre autres choses trois commodes de front, toutes trois de formes différentes, par-derrière celle du milieu un grand miroir à chapiteau trop haut pour le plafond, en sorte qu'un bon demi-pied[3] de ce miroir était caché par la commode; sur ces

---

.../... livraison d'avril 1786, environ deux ans après la mort de Diderot, sous le titre «Lacunes de Jacques le Fataliste».

1. Liste d'authentiques érudits latinistes spécialisés dans les gloses et les reconstitutions de manuscrits anciens.

2. *Apophtegme* : sentence, maxime.

3. *Un demi-pied* : environ quinze centimètres (voir note 2, p. 286).

commodes des marchandises de toutes espèces, deux trictracs[1];
autour de l'appartement, des chaises assez belles, mais pas une
qui eût sa pareille; au pied d'un lit sans rideaux une superbe
duchesse[2], contre une des fenêtres une volière sans oiseaux, mais
toute neuve; à l'autre fenêtre un lustre suspendu par un manche à
balai, et le manche à balai portant des deux bouts sur les dossiers
de deux mauvaises chaises de paille; et puis de droite et de gauche des tableaux, les uns attachés aux murs, les autres en pile.

JACQUES. – Cela sent le faiseur d'affaires[3] d'une lieue à la
ronde.

LE MAÎTRE. – Tu l'as deviné. Et voilà le chevalier et M. Le Brun,
c'est le nom de notre brocanteur et courtier d'usure[4], qui se
précipitent dans les bras l'un de l'autre. « Et c'est vous, monsieur
le chevalier?

– Eh oui, c'est moi, mon cher Le Brun.

– Mais que devenez-vous donc? Il y a une éternité qu'on ne
vous a vu. Les temps sont bien tristes, n'est-il pas vrai?

– Très tristes, mon cher Le Brun. Mais il ne s'agit pas de cela;
écoutez-moi, j'aurais un mot à vous dire… »

Je m'assieds. Le chevalier et Le Brun se retirent dans un coin,
et se parlent. Je ne puis te rendre de leur conversation que quelques mots que je surpris à la volée…

« Il est bon?

– Excellent.

– Majeur?

– Très majeur.

– C'est le fils?

– Le fils.

– Savez-vous que nos deux dernières affaires?…

---

1. *Trictracs* : plateaux de bois à bords hauts pour jouer à un jeu de dés et de
dames (qui est l'ancêtre du jacquet).
2. *Duchesse* : lit de repos à dossier.
3. *Le faiseur d'affaires* : l'homme d'affaires véreux.
4. *Courtier d'usure* : prêteur d'argent à un taux d'intérêt excessif.

– Parlez plus bas.

– Le père ?

– Riche.

– Vieux ?

– Et caduc[1].»

7015 Le Brun à voix haute : «Tenez, monsieur le chevalier, je ne veux me mêler de rien, cela a toujours des suites fâcheuses. C'est votre ami, à la bonne heure ! Monsieur a tout à fait l'air d'un galant homme ; mais...

– Mon cher Le Brun !...

7020 – Je n'ai point d'argent.

– Mais vous avez des connaissances.

– Ce sont tous des gueux, de fieffés[2] fripons. Monsieur le chevalier, n'êtes-vous point las de passer par ces mains-là ?

– Nécessité n'a point de loi.

7025 – La nécessité qui vous presse est une plaisante nécessité, une bouillotte[3], une partie de la belle[4], quelque fille.

– Cher ami !...

– C'est toujours moi, je suis faible comme un enfant ; et puis vous, je ne sais pas à qui vous ne feriez pas fausser un serment.

7030 Allons, sonnez donc, afin que je sache si Fourgeot est chez lui... Non, ne sonnez pas, Fourgeot vous mènera chez Merval.

– Pourquoi pas vous ?

– Moi ! j'ai juré que cet abominable Merval ne travaillerait jamais ni pour moi ni pour mes amis. Il faudra que vous répon-

7035 diez pour monsieur, qui peut-être, qui est sans doute un honnête homme, que je réponde pour vous à Fourgeot, et que Fourgeot réponde pour moi à Merval...»

Cependant la servante était entrée en disant : «C'est chez M. Fourgeot ?»

---

1. Caduc : ici, proche de la mort.
2. Fieffés : complets.
3. Bouillotte : jeu de cartes dérivé du brelan.
4. Belle : jeu de hasard (sorte de loto).

7040   Le Brun à sa servante : «Non, ce n'est chez personne...
Monsieur le chevalier, je ne saurais absolument, je ne saurais...»

    Le chevalier l'embrasse, le caresse : «Mon cher Le Brun! mon
cher ami!...» Je m'approche, je joins mes instances à celles du
chevalier : «Monsieur Le Brun! mon cher monsieur!...»

7045   Le Brun se laisse persuader.

    La servante qui souriait de cette momerie[1] part, et dans un
clin d'œil reparaît avec un petit homme boiteux, vêtu de noir,
canne à la main, bègue, le visage sec et ridé, l'œil vif. Le chevalier
se tourne de son côté et lui dit : «Allons, monsieur Mathieu de
7050 Fourgeot, nous n'avons pas un moment à perdre, conduisez-nous
vite...»

    Fourgeot, sans avoir l'air de l'écouter, déliait une petite bourse
de chamois[2].

    Le chevalier à Fourgeot : «Vous vous moquez, cela nous
7055 regarde...» Je m'approche, je tire un petit écu que je glisse au
chevalier qui le donne à la servante en lui passant la main sous
le menton. Cependant Le Brun disait à Fourgeot : «Je vous le
défends; ne conduisez point là ces messieurs.

Fourgeot. – Monsieur Le Brun, pourquoi donc?

7060 Le Brun. – C'est un fripon, c'est un gueux.

Fourgeot. – Je sais bien que M. de Merval... mais à tout péché
miséricorde; et puis, je ne connais que lui qui ait de l'argent pour
le moment.

Le Brun. – Monsieur Fourgeot, faites comme il vous plaira;
7065 messieurs, je m'en lave les mains.

Fourgeot, *à Le Brun*. – Monsieur Le Brun, est-ce que vous ne
venez pas avec nous?

Le Brun. – Moi! Dieu m'en préserve. C'est un infâme que je
ne reverrai de ma vie.

---

1. *Momerie* : comédie. Le mot «se prend pour déguisement de sentiments,
qui fait faire au-dehors un personnage tout différent de ce qu'on a dans le
cœur» (*Dictionnaire de l'Académie*, 1762).
2. *De chamois* : en peau de chamois.

7070   FOURGEOT. – Mais, sans vous, nous ne finirons rien.

LE CHEVALIER. – Il est vrai. Allons, mon cher Le Brun, il s'agit de me servir, il s'agit d'obliger un galant homme qui est dans la presse[1], vous ne me refuserez pas, vous viendrez.

LE BRUN. – Aller chez un Merval ! moi ! moi !

7075   LE CHEVALIER. – Oui, vous, vous viendrez pour moi.»

À force de sollicitations Le Brun se laisse entraîner, et nous voilà, lui Le Brun, le chevalier, Mathieu de Fourgeot, en chemin, le chevalier frappant amicalement dans la main de Le Brun et me disant : «C'est le meilleur homme, l'homme le plus officieux, la

7080   meilleure connaissance...

LE BRUN. – Je crois que M. le chevalier me ferait faire de la fausse monnaie...»

Nous voilà chez Merval.

JACQUES. – Mathieu de Fourgeot...

7085   LE MAÎTRE. – Eh bien ! qu'en veux-tu dire ?

JACQUES. – Mathieu de Fourgeot... Je veux dire que M. le chevalier de Saint-Ouin connaît ces gens-là par nom et surnom : et que c'est un gueux, d'intelligence avec[2] toute cette canaille-là.

LE MAÎTRE. – Tu pourrais bien avoir raison... Il est impossi-

7090   ble de connaître un homme plus doux, plus civil, plus honnête, plus poli, plus humain, plus compatissant, plus désintéressé que M. de Merval. Mon âge de majorité et ma solvabilité bien consta-tés, M. de Merval prit un air tout à fait affectueux et triste et nous dit avec le ton de la componction[3] qu'il était au désespoir, qu'il

7095   avait été dans cette même matinée obligé de secourir un de ses amis pressé des besoins les plus urgents, et qu'il était tout à fait à sec. Puis s'adressant à moi, il ajouta : «Monsieur, n'ayez point de regret de ne pas être venu plus tôt, j'aurais été affligé de vous refuser, mais je l'aurais fait, l'amitié passe avant tout...»

---

1. *Dans la presse* : dans le besoin urgent.
2. *D'intelligence avec* : complice de.
3. *Componction* : tristesse (le ton du repentir dans un confessionnal).

7100 Nous voilà bien ébahis; voilà le chevalier, Le Brun même et Fourgeot aux genoux de Merval, et M. de Merval qui leur disait : «Messieurs, vous me connaissez tous; j'aime à obliger et tâche de ne pas gâter les services que je rends en les faisant solliciter, mais, foi d'homme d'honneur, il n'y a pas quatre louis dans la 7105 maison…»

Moi, je ressemblais, au milieu de ces gens-là, à un patient qui a entendu sa sentence. Je disais au chevalier : «Chevalier, allons-nous-en, puisque ces messieurs ne peuvent rien…» Et le chevalier me tirant à l'écart : «Tu n'y penses pas, c'est la veille de sa fête. 7110 Je l'ai prévenue, je t'en avertis, et elle s'attend à une galanterie de ta part. Tu la connais, ce n'est pas qu'elle soit intéressée, mais elle est comme les autres qui n'aiment pas à être trompées dans leur attente. Elle s'en sera déjà vantée à son père, à sa mère, à ses tantes, à ses amies; et, après cela, n'avoir rien à leur montrer, cela 7115 est mortifiant[1]…» Et puis le voilà revenu à Merval, et le pressant plus vivement encore. Merval, après s'être bien fait tirailler[2], dit : «J'ai la plus sotte âme du monde, je ne saurais voir les gens en peine. Je rêve, et il me vient une idée.

Le Chevalier. – Et quelle idée ?

7120 Merval. – Pourquoi ne prendriez-vous pas des marchandises ?

Le Chevalier. – En avez-vous ?

Merval. – Non; mais je connais une femme qui vous en fournira; une brave femme, une honnête femme.

7125 Le Brun. – Oui, mais qui nous fournira des guenilles qu'elle nous vendra au poids de l'or, et dont nous ne tirerons rien.

Merval. – Point du tout, ce seront de très belles étoffes, des bijoux en or et en argent, des soieries de toute espèce, des perles, quelques pierreries; il y aura très peu de chose à perdre sur ces 7130 effets. C'est une bonne créature à se contenter de peu, pourvu

---

1. *Mortifiant* : très humiliant.
2. *Tirailler* : prier.

qu'elle ait ses sûretés[1] ; ce sont des marchandises d'affaires[2] qui lui reviennent à très bon prix. Au reste, voyez-les, la vue ne vous en coûtera rien.»

Je représentai à Merval et au chevalier, que mon état n'était pas de vendre et que, quand cet arrangement ne me répugnerait pas, ma position ne me laisserait pas le temps d'en tirer parti. Les officieux Le Brun et Mathieu de Fourgeot dirent tous à la fois : «Qu'à cela ne tienne, nous vendrons pour vous ; c'est l'embarras d'une demi-journée...» Et la séance fut remise à l'après-midi chez M. de Merval, qui, me frappant doucement sur l'épaule, me disait d'un ton onctueux et pénétré : «Monsieur, je suis charmé de vous obliger ; mais croyez-moi, faites rarement de pareils emprunts ; ils finissent toujours par ruiner. Ce serait un miracle dans ce pays-ci que vous eussiez encore à traiter une fois avec d'aussi honnêtes gens que MM. Le Brun et Mathieu de Fourgeot...»

Le Brun et Fourgeot de Mathieu, ou Mathieu de Fourgeot, le remercièrent en s'inclinant et lui disant qu'il avait bien de la bonté, qu'ils avaient tâché jusqu'à présent de faire leur petit commerce en conscience, et qu'il n'y avait pas de quoi les louer.

MERVAL. – Vous vous trompez, messieurs, car qui est-ce qui a de la conscience à présent ? Demandez à M. le chevalier de Saint-Ouin, qui doit en savoir quelque chose...

Nous voilà sortis de chez Merval, qui nous demande, du haut de son escalier, s'il peut compter sur nous et faire avertir sa marchande. Nous lui répondons qu'oui, et nous allons tous quatre dîner dans une auberge voisine, en attendant l'heure du rendez-vous.

Ce fut Mathieu de Fourgeot qui commanda le dîner et qui le commanda bon. Au dessert, deux marmottes[3] s'approchèrent de notre table avec leurs vielles[4] ; Le Brun les fit asseoir. On les fit

---

1. **Sûretés** : revenus garantis.
2. **D'affaires** : résultant de dettes.
3. **Marmottes** : jeunes chanteuses habillées en Savoyardes.
4. **Vielles** : instruments de musique à cordes.

boire, on les fit jaser, on les fit jouer. Tandis que mes trois convives s'amusaient à en chiffonner une, sa compagne qui était à côté de moi me dit tout bas : « Monsieur, vous êtes là en bien mauvaise compagnie : il n'y a pas un de ces gens-là qui n'ait son nom sur le livre rouge [1]. »

Nous quittâmes l'auberge à l'heure indiquée, et nous nous rendîmes chez le Merval. J'oubliais de te dire que ce dîner épuisa la bourse du chevalier et la mienne, et qu'en chemin Le Brun dit au chevalier qui me le redit, que Mathieu de Fourgeot exigeait six louis pour sa commission, que c'était le moins qu'on pût lui donner ; que s'il était satisfait de nous, nous aurions les marchandises à meilleur prix, et que nous retrouverions aisément cette somme sur la vente.

Nous voilà chez Merval, où sa marchande nous avait précédés avec ses marchandises. Mlle Bridoie, c'est son nom, nous accabla de politesses et de révérences, et nous étala des étoffes, des toiles, des dentelles, des bagues, des diamants, des boîtes d'or. Nous prîmes de tout. Ce furent Le Brun, Mathieu de Fourgeot et le chevalier qui mirent le prix aux choses, et c'est Merval qui tenait la plume. Le total se monta à dix-neuf mille sept cent soixante et quinze livres [2] dont j'allais faire mon billet lorsque Mlle Bridoie me dit, en faisant une révérence, car elle ne s'adressait jamais à personne sans le révérencier [3] : « Monsieur, votre dessein est de payer vos billets à leurs échéances ?

– Assurément, lui répondis-je.

– En ce cas, me répliqua-t-elle, il vous est indifférent de me faire des billets ou des lettres de change [4]. »

---

1. *Le livre rouge* : le registre de la police (il a un casier judiciaire).

2. Le maître s'engage pour une somme exorbitante.

3. *Sans le révérencier* : sans lui faire la révérence.

4. Le billet était une reconnaissance de dettes, avec engagement de payer dans un certain délai (à échéance). La lettre de change pouvait être endossée par n'importe qui et le non-acquittement entraînait un emprisonnement parce qu'elle était protégée par des lois de commerce.

Le mot de lettre de change me fit pâlir. Le chevalier s'en aperçut et dit à Mlle Bridoie : «Des lettres de change, mademoiselle!
7190 mais ces lettres de change courront, et l'on ne sait en quelles mains elles pourraient aller.

– Vous vous moquez, monsieur le chevalier, on sait un peu les égards dus aux personnes de votre rang...» Et puis une révérence... «On tient ces papiers-là dans son portefeuille, on ne les
7195 produit qu'à temps. Tenez, voyez...» Et puis une révérence... Elle tire son portefeuille de sa poche ; elle lit une multitude de noms de tout état et de toutes conditions. Le chevalier s'était approché de moi, et me disait : «Des lettres de change! cela est diablement sérieux! Vois ce que tu veux faire. Cette femme me paraît hon-
7200 nête ; et puis, avant l'échéance, tu seras en fonds ou j'y serai[1].

JACQUES. – Et vous signâtes les lettres de change?

LE MAÎTRE. – Il est vrai.

JACQUES. – C'est l'usage des pères, lorsque leurs enfants partent pour la capitale, de leur faire un petit sermon. Ne fréquentez point
7205 mauvaise compagnie ; rendez-vous agréable à vos supérieurs par de l'exactitude à remplir vos devoirs ; conservez votre religion ; fuyez les filles de mauvaise vie, les chevaliers d'industrie[2], et surtout ne signez jamais des lettres de change.

LE MAÎTRE. – Que veux-tu, je fis comme les autres ; la première
7210 chose que j'oubliai, ce fut la leçon de mon père. Me voilà pourvu de marchandises à vendre, mais c'est de l'argent qu'il nous fallait. Il y avait quelques paires de manchettes[3] à dentelle très belles : le chevalier s'en saisit au prix coûtant en me disant : «Voilà déjà une partie de tes emplettes, sur laquelle tu ne perdras
7215 rien.» Mathieu de Fourgeot prit une montre et deux boîtes d'or, dont il allait sur-le-champ m'apporter la valeur ; Le Brun prit en dépôt le reste chez lui. Je mis dans ma poche une superbe

---

1. *Tu seras en fonds ou j'y serai* : tu auras de l'argent comptant ou j'en aurai.
2. *Chevaliers d'industrie* : escrocs.
3. *Manchettes* : ornements de poignets de chemise.

garniture[1] avec les manchettes, c'était une des fleurs du bouquet que j'avais à donner. Mathieu de Fourgeot revint en un clin d'œil avec soixante louis : de ces soixante louis, il en retint dix pour lui, et je reçus les cinquante autres. Il me dit qu'il n'avait vendu ni la montre ni les deux boîtes, mais qu'il les avait mises en gage.

JACQUES. – En gage ?

LE MAÎTRE. – Oui.

JACQUES. – Je sais où.

LE MAÎTRE. – Où ?

JACQUES. – Chez la demoiselle aux révérences, la Bridoie.

LE MAÎTRE. – Il est vrai. Avec la paire de manchettes et sa garniture, je pris encore une jolie bague avec une boîte à mouches[2], doublée d'or. J'avais cinquante louis dans ma bourse, et nous étions, le chevalier et moi, de la plus belle gaieté.

JACQUES. – Voilà qui est fort bien. Il n'y a dans tout ceci qu'une chose qui m'intrigue, c'est le désintéressement du sieur Le Brun ; est-ce que celui-là n'eut aucune part à la dépouille ?

LE MAÎTRE. – Allons donc, Jacques, vous vous moquez ; vous ne connaissez pas M. Le Brun. Je lui proposai de reconnaître ses bons offices, il se fâcha, il me répondit que je le prenais apparemment pour un Mathieu de Fourgeot, qu'il n'avait jamais tendu la main. « Voilà mon cher Le Brun, s'écria le chevalier, c'est toujours lui-même, mais nous rougirions qu'il fût plus honnête que nous… » Et à l'instant il prit parmi nos marchandises deux douzaines de mouchoirs et une pièce[3] de mousseline qu'il lui fit accepter pour sa femme et pour sa fille. Le Brun se mit à considérer les mouchoirs, qui lui parurent si beaux, la mousseline qu'il trouva si fine, cela lui était offert de si bonne grâce, il avait une si prochaine occasion de prendre sa revanche avec nous par

---

1. *Garniture* : « Les rubans que l'on met en certains endroits des habits pour les orner » (*Dictionnaire de l'Académie*, 1762).

2. *Mouches* : petits morceaux de taffetas noir que les femmes mettaient sur leur peau pour en faire ressortir la blancheur.

3. *Une pièce* : un rouleau.

la vente des effets qui restaient entre ses mains, qu'il se laissa vaincre. Et nous voilà partis, et nous acheminant à toutes jambes de fiacre vers la demeure de celle que j'aimais, et à qui la garniture, les manchettes et la bague étaient destinées. Le présent réussit à merveille. On fut charmante. On essaya sur-le-champ la garniture et les manchettes, la bague semblait avoir été faite pour le doigt. On soupa, et gaiement comme tu penses bien.

JACQUES. – Et vous couchâtes là.

LE MAÎTRE. – Non.

JACQUES. – Ce fut donc le chevalier ?

LE MAÎTRE. – Je le crois.

JACQUES. – Du train dont on vous menait vos cinquante louis ne durèrent pas longtemps.

LE MAÎTRE. – Non. Au bout de huit jours nous nous rendîmes chez Le Brun pour voir ce que le reste de nos effets avait produit.

JACQUES. – Rien, ou peu de chose. Le Brun fut triste, il se déchaîna contre le Merval et la demoiselle aux révérences, les appela gueux, infâmes, fripons, jura derechef de n'avoir jamais rien à démêler avec eux, et vous remit sept à huit cents francs.

LE MAÎTRE. – À peu près ; huit cent soixante et dix livres.

JACQUES. – Ainsi, si je sais un peu calculer, huit cent soixante et dix livres de Le Brun, cinquante louis de Merval ou de Fourgeot ; la garniture, les manchettes et la bague, allons, encore cinquante louis, et voilà ce qui vous est rentré[1] de vos dix-neuf mille sept cent soixante et quinze livres, en marchandises. Diable ! Cela est honnête. Merval avait raison, on n'a pas tous les jours à traiter avec d'aussi dignes gens.

LE MAÎTRE. – Tu oublies les manchettes prises au prix coûtant par le chevalier.

JACQUES. – C'est que le chevalier ne vous en a jamais parlé.

---

1. 870 + 1 200 (50 louis) + 1 200 (encore 50 louis) = 3 270 livres, soit 1/6 de la somme totale empruntée. L'escroquerie et la dette passent les 16 000 livres (plusieurs centaines de milliers d'euros actuels).

LE MAÎTRE. – J'en conviens. Et les deux boîtes d'or avec la montre mises en gage par Mathieu, tu n'en dis rien.

JACQUES. – C'est que je ne sais qu'en dire.

7280 LE MAÎTRE. – Cependant l'échéance des lettres de change arriva.

JACQUES. – Et vos fonds ni ceux du chevalier n'arrivèrent point.

LE MAÎTRE. – Je fus obligé de me cacher. On instruisit mes parents. Un de mes oncles vint à Paris. Il présenta un mémoire 7285 à la police contre tous ces fripons. Ce mémoire fut renvoyé à un des commis. Ce commis était un protecteur gagé de[1] Merval. On répondit que l'affaire étant en justice réglée, la police n'y pouvait rien. Le prêteur sur gages à qui Mathieu avait confié les deux boîtes fit assigner Mathieu. J'intervins dans ce procès. Les frais 7290 de justice furent si énormes, qu'après la vente de la montre et des boîtes, il s'en manquait encore cinq à six cents francs qu'il n'y eût de quoi tout payer. »

Vous ne croirez pas cela, lecteur. Et si je vous disais qu'un limonadier, décédé il y a quelque temps, dans mon voisinage, 7295 laissa deux pauvres orphelins en bas âge. Le commissaire se transporte chez le défunt, on appose un scellé. On lève ce scellé, on fait un inventaire, une vente ; la vente produit huit ou neuf cents francs. De ces neuf cents francs, les frais de justice prélevés, il reste deux sous pour chaque orphelin ; on leur met à chacun ces 7300 deux sous dans la main et on les conduit à l'hôpital[2].

LE MAÎTRE. – Cela fait horreur.

JACQUES. – Et cela dure.

LE MAÎTRE. – Mon père mourut dans ces entrefaites[3]. J'acquittai les lettres de change et je sortis de ma retraite où, pour l'honneur 7305 du chevalier et de mon amie, j'avouerai qu'ils me tinrent assez fidèle compagnie.

---

1. *Gagé de* : payé par.
2. *Hôpital* : orphelinat.
3. *Dans ces entrefaites* : à ce moment.

JACQUES. – Et vous voilà tout aussi féru[1] qu'auparavant du chevalier et de votre belle, votre belle vous tenant la dragée plus haute que jamais[2].

7310 LE MAÎTRE. – Et pourquoi cela, Jacques ?

JACQUES. – Pourquoi ? C'est que maître de votre personne et possesseur d'une fortune honnête, il fallait faire de vous un sot complet, un mari.

LE MAÎTRE. – Ma foi, je crois que c'était leur projet, mais il ne
7315 leur réussit pas.

[JACQUES. – Vous êtes bien heureux, ou ils ont été bien maladroits.

LE MAÎTRE. – Mais il me semble que ta voix est moins rauque, et que tu parles plus librement.

7320 JACQUES. – Cela vous semble, mais cela n'est pas.

LE MAÎTRE. – Tu ne pourrais donc pas reprendre l'histoire de tes amours ?

JACQUES. – Non.

LE MAÎTRE. – Et ton avis est que je continue l'histoire des
7325 miennes ?

JACQUES. – C'est mon avis de faire une pause et de hausser la gourde.

LE MAÎTRE. – Comment ! avec ton mal de gorge tu as fait remplir ta gourde ?

7330 JACQUES. – Oui, mais, de par tous les diables, c'est de tisane ; aussi je n'ai point d'idées, je suis bête, et tant qu'il n'y aura dans la gourde que de la tisane, je serai bête.

LE MAÎTRE. – Que fais-tu ?

JACQUES. – Je verse la tisane à terre, je crains qu'elle ne nous
7335 porte malheur.

LE MAÎTRE. – Tu es fou.

---

1. *Féru* : passionné.
2. *Vous tenant la dragée plus haute que jamais* : vous faisant payer plus cher que jamais ce que vous lui demandez.

JACQUES. – Sage ou fou, il n'en restera pas la valeur d'une larme dans la gourde.

Tandis que Jacques vide à terre sa gourde, son maître regarde à sa montre, ouvre sa tabatière, et se dispose à continuer l'histoire de ses amours. Et moi, lecteur, je suis tenté de lui fermer la bouche en lui montrant de loin ou un vieux militaire sur son cheval, le dos voûté et s'acheminant à grands pas ; ou une jeune paysanne en petit chapeau de paille, en cotillons rouges, faisant son chemin à pied ou sur un âne. Et pourquoi le vieux militaire ne serait-il pas ou le capitaine de Jacques ou le camarade de son capitaine ? – Mais il est mort. – Vous le croyez ? Pourquoi la jeune paysanne ne serait-elle pas ou la dame Suzon, ou la dame Marguerite, ou l'hôtesse du Grand-Cerf, ou la mère Jeanne, ou même Denise, sa fille ? Un faiseur de romans n'y manquerait pas, mais je n'aime pas les romans, à moins que ce ne soient ceux de Richardson. Je fais l'histoire ; cette histoire intéressera ou n'intéressera pas : c'est le moindre de mes soucis. Mon projet est d'être vrai, je l'ai rempli. Ainsi je ne ferai point revenir frère Jean de Lisbonne. Ce gros prieur qui vient à nous dans un cabriolet, à côté d'une jeune et jolie femme, ce ne sera point l'abbé Hudson. – Mais l'abbé Hudson est mort ? – Vous le croyez ? Avez-vous assisté à ses obsèques ? – Non. – Vous ne l'avez point vu mettre en terre ? – Non. – Il est donc mort ou vivant, comme il me plaira. Il ne tiendrait qu'à moi d'arrêter ce cabriolet et d'en faire sortir avec le prieur et sa compagne de voyage une suite d'événements en conséquence desquels vous ne sauriez ni les amours de Jacques, ni celles de son maître ; mais je dédaigne toutes ces ressources-là, je vois seulement qu'avec un peu d'imagination et de style, rien de plus aisé que de filer un roman. Demeurons dans le vrai, et en attendant que le mal de gorge de Jacques se passe, laissons parler son maître.]

LE MAÎTRE. – Un matin, le chevalier m'apparut fort triste ; c'était le lendemain d'un jour que nous avions passé à la campagne, le chevalier, son amie ou la mienne, ou peut-être de tous les deux, le père, la mère, les tantes, les cousines et moi. Il demanda si je n'avais commis aucune indiscrétion qui eût éclairé les parents sur ma passion. Il m'apprit que le père et la mère, alarmés de mes assiduités, avaient fait des questions à leur fille ; que si j'avais des vues honnêtes, rien n'était plus simple que de les avouer, qu'on se ferait honneur de me recevoir à ces conditions ; mais que si je ne m'expliquais pas nettement sous quinzaine, on me prierait de cesser des visites qui se remarquaient, sur lesquelles on tenait des propos, et qui faisaient tort à leur fille en écartant d'elle des partis avantageux qui pouvaient se présenter sans la crainte d'un refus.

JACQUES. – Eh bien, mon maître, Jacques a-t-il du nez ?

LE MAÎTRE. – Le chevalier ajouta : « Dans une quinzaine ! le terme est assez court. Vous aimez, on vous aime ; dans quinze jours que ferez-vous ? » Je répondis net au chevalier que je me retirerais.

« Vous vous retirerez ! Vous n'aimez donc pas ?

– J'aime, et beaucoup, mais j'ai des parents, un nom, un état, des prétentions, et je ne me résoudrai jamais à enfouir tous ces avantages dans le magasin d'une petite bourgeoise.

– Et leur déclarerai-je cela ?

– Si vous voulez. Mais, chevalier, la subite et scrupuleuse délicatesse de ces gens-là m'étonne. Ils ont permis à leur fille d'accepter mes cadeaux ; ils m'ont laissé vingt fois en tête à tête avec elle ; elle court les bals, les assemblées, les spectacles, les promenades aux champs et à la ville, avec le premier qui a un bon équipage[1] à lui offrir ; ils dorment profondément tandis qu'on fait de la musique ou la conversation chez elle ; tu fréquentes dans la maison tant qu'il te plaît, et entre nous, chevalier, quand tu es admis dans une maison on peut y en admettre un autre. Leur fille est notée[2]. Je ne

---

1. *Équipage* : carrosse (et tout le nécessaire pour voyager honorablement : valets, etc.).

2. *Noter* signifie « donner quelque mauvaise marque à une personne, ou à quelque chose. On dit que le Juge *note* ceux-là mêmes qu'il absout » (*Dictionnaire de Furetière*, 1690). La police la connaissait donc…

⁷⁴⁰⁰ croirai pas, je ne nierai pas tout ce qu'on en dit, mais tu conviendras que ces parents-là auraient pu s'aviser plus tôt d'être jaloux de l'honneur de leur enfant. Veux-tu que je te parle vrai ? On m'a pris pour une espèce de benêt qu'on se promettait de mener par le nez aux pieds du curé de la paroisse. Ils se sont trompés, je ⁷⁴⁰⁵ trouve Mlle Agathe charmante ; j'en ai la tête tournée et il y paraît, je crois, aux effroyables dépenses que j'ai faites pour elle. Je ne refuse pas de continuer, mais encore faut-il que ce soit avec la certitude de la trouver un peu moins sévère à l'avenir. Mon projet n'est pas de perdre éternellement à ses genoux un temps, une ⁷⁴¹⁰ fortune et des soupirs que je pourrais employer plus utilement ailleurs. Tu diras ces derniers mots à Mlle Agathe et tout ce qui les a précédés à ses parents. Il faut que notre liaison cesse, ou que je sois admis sur un nouveau pied, et que Mlle Agathe fasse de moi quelque chose de mieux que ce qu'elle en a fait jusqu'à pré-⁷⁴¹⁵sent. Lorsque vous m'introduisîtes chez elle, convenez, chevalier, que vous me fîtes espérer des facilités que je n'ai point trouvées. Chevalier, vous m'en avez un peu imposé[1]. »

Le Chevalier. – Ma foi, je m'en suis imposé le premier à moi-même. Qui diable aurait jamais imaginé qu'avec l'air leste, ⁷⁴²⁰ le ton libre et gai de cette jeune folle ce serait un petit dragon de vertu[2] ?

Jacques. – Comment, diable ! Monsieur, cela est bien fort. Vous avez donc été brave une fois dans votre vie ?

Le Maître. – Il y a des jours comme cela. J'avais sur le cœur ⁷⁴²⁵ l'aventure des usuriers, la retraite à Saint-Jean-de-Latran[3] devant la demoiselle Bridoie, et plus que tout, les rigueurs de Mlle Agathe. J'étais un peu las d'être lanterné[4].

---

1. *Vous m'en avez un peu imposé* : vous m'avez un peu trompé.
2. *Dragon de vertu* : femme feignant d'être farouche, d'une vertu parfaite.
3. *Saint-Jean-de-Latran* : église parisienne (échappant à la juridiction de l'archevêque de Paris) qui servait d'asile pour se soustraire aux poursuites judiciaires.
4. *Lanterné* : trompé.

JACQUES. – Et, d'après ce courageux discours, adressé à votre cher ami le chevalier de Saint-Ouin, que fîtes-vous ?

7430 LE MAÎTRE. – Je tins parole, je cessai mes visites.

JACQUES. – *Bravo ! Bravo ! mio caro maestro*[1] !

LE MAÎTRE. – Il se passa une quinzaine de jours sans que j'entendisse parler de rien, si ce n'était par le chevalier qui m'instruisait fidèlement des effets de mon absence dans la famille, et qui
7435 m'encourageait à tenir ferme. Il me disait : «On commence à s'étonner, on se regarde, on parle, on se questionne sur les sujets de mécontentement qu'on a pu te donner. La petite fille joue la dignité ; elle dit avec une indifférence affectée[2] à travers laquelle on voit aisément qu'elle est piquée[3] : "On ne voit plus ce
7440 monsieur ; c'est qu'apparemment il ne veut plus qu'on le voie ; à la bonne heure, c'est son affaire..." Et puis elle fait une pirouette, elle se met à chantonner, elle va à la fenêtre, elle revient, mais les yeux rouges ; tout le monde s'aperçoit qu'elle a pleuré.

– Qu'elle a pleuré !

7445 – Ensuite elle s'assied, elle prend son ouvrage, elle veut travailler, mais elle ne travaille pas. On cause, elle se tait ; on cherche à l'égayer, elle prend de l'humeur ; on lui propose un jeu, une promenade, un spectacle, elle accepte, et lorsque tout est prêt, c'est une autre chose qui lui plaît et qui lui déplaît le moment d'après... Oh !
7450 ne voilà-t-il pas que tu te troubles ! Je ne te dirai plus rien...

– Mais, chevalier, vous croyez donc que, si je reparaissais...

– Je crois que tu serais un sot. Il faut tenir bon, il faut avoir du courage. Si tu reviens sans être rappelé, tu es perdu. Il faut apprendre à vivre à ce petit monde-là.

7455 – Mais si l'on ne me rappelle pas ?

– On te rappellera.

– Si l'on tarde beaucoup à me rappeler ?

---

1. *Mio caro maestro* : mon cher maître (en italien).
2. *Affectée* : feinte.
3. *Piquée* : vexée.

– On te rappellera bientôt. Peste ! un homme comme toi ne se remplace pas aisément. Si tu reviens de toi-même, on te boudera, on te fera payer chèrement ton incartade, on t'imposera la loi qu'on voudra t'imposer ; il faudra s'y soumettre ; il faudra fléchir le genou. Veux-tu être le maître ou l'esclave, et l'esclave le plus malmené ? Choisis. À te parler vrai, ton procédé a été un peu leste ; on n'en peut pas conclure un homme bien épris ; mais ce qui est fait est fait ; et s'il est possible d'en tirer bon parti, il n'y faut pas manquer.

– Elle a pleuré !

– Eh bien, elle a pleuré. Il vaut encore mieux qu'elle pleure que toi.

– Mais si l'on ne me rappelle pas ?

– On te rappellera, te dis-je. Lorsque j'arrive, je ne parle pas plus de toi que si tu n'existais pas. On me tourne[1], je me laisse tourner ; enfin on me demande si je t'ai vu, je réponds indifféremment tantôt oui tantôt non ; puis on parle d'autre chose, mais on ne tarde pas de revenir à ton éclipse. Le premier mot vient ou du père, ou de la mère, ou de la tante, ou d'Agathe, et l'on dit : «Après tous les égards que nous avons eus pour lui ! l'intérêt que nous avons tous pris à sa dernière affaire !... les amitiés que ma nièce lui a faites ! les politesses dont je l'ai comblé !... tant de protestations d'attachement que nous en avons reçues !... et puis fiez-vous aux hommes !... Après cela, ouvrez votre maison à ceux qui se présentent !... Croyez aux amis !...»

– Et Agathe ?

– La consternation y est, c'est moi qui t'en assure.

– Et Agathe ?

– Agathe me tire à l'écart, et me dit : «Chevalier, concevez-vous quelque chose à votre ami ? Vous m'avez assurée tant de fois que j'en étais aimée ; vous le croyiez sans doute, et pourquoi ne l'auriez-vous pas cru ? Je le croyais bien, moi...» Et puis elle

_____

1. *On me tourne* : on m'interroge sans en avoir l'air.

7490 s'interrompt, sa voix s'altère, ses yeux se mouillent... Eh bien ne
voilà-t-il pas que tu en fais autant ? Je ne te dirai plus rien, cela
est décidé. Je vois ce que tu désires, mais il n'en sera rien, absolument rien. Puisque tu as fait la sottise de te retirer sans rime ni
raison, je ne veux pas que tu la doubles en allant te jeter à leur
7495 tête. Il faut tirer parti de cet incident pour avancer tes affaires
avec Mlle Agathe ; il faut qu'elle voie qu'elle ne te tient pas si bien
qu'elle ne puisse te perdre, à moins qu'elle ne s'y prenne mieux
pour te garder. Après tout ce que tu as fait, en être encore à lui
baiser la main ! Mais là, chevalier, la main sur la conscience, nous
7500 sommes amis ; et tu peux, sans indiscrétion, t'expliquer avec moi ;
vrai, tu n'en as jamais rien obtenu ?

   – Non.

   – Tu mens, tu fais le délicat.

   – Je le ferais peut-être, si j'en avais raison, mais je te jure que
7505 je n'ai pas le bonheur de mentir.

   – Cela est inconcevable, car enfin tu n'es pas maladroit. Quoi,
on n'a pas eu le moindre petit moment de faiblesse ?

   – Non.

   – C'est qu'il sera venu, que tu ne l'auras pas aperçu, et que tu
7510 l'auras manqué. J'ai peur que tu n'aies été un peu benêt ; les gens
honnêtes, délicats et tendres comme toi, y sont sujets.

   – Mais vous, chevalier, lui dis-je, que faites-vous là ?

   – Rien.

   – Vous n'avez point eu de prétentions[1] ?

7515   – Pardonnez-moi, s'il vous plaît, elles ont même duré assez
longtemps ; mais tu es venu, tu as vu et tu as vaincu. Je me suis
aperçu qu'on te regardait beaucoup et qu'on ne me regardait
plus guère, je me le suis tenu pour dit. Nous sommes restés bons
amis ; on me confie ses petites pensées, on suit quelquefois mes
7520 conseils, et faute de mieux, j'ai accepté le rôle de subalterne
auquel tu m'as réduit[2]. »

---

1. *Prétentions* : vues sur elle.
2. Fin de la livraison nº 11 de la *Correspondance littéraire* de décembre 1779.

JACQUES. – Monsieur, deux choses : l'une, c'est que je n'ai jamais pu suivre mon histoire sans qu'un diable ou un autre m'interrompît, et que la vôtre va tout de suite[1]. Voilà le train de
7525 la vie, l'un court à travers les ronces sans se piquer, l'autre a beau regarder où il met le pied, il trouve des ronces dans le plus beau chemin, et arrive au gîte écorché tout vif.

LE MAÎTRE. – Est-ce que tu as oublié ton refrain, et le grand rouleau, et l'écriture d'en haut ?

7530 JACQUES. – L'autre chose, c'est que je persiste dans l'idée que votre chevalier de Saint-Ouin est un grand fripon, et qu'après avoir partagé votre argent avec les usuriers Le Brun, Merval, Mathieu de Fourgeot ou Fourgeot de Mathieu, la Bridoie, il cherche de vous embâter[2] de sa maîtresse, en tout bien et tout
7535 honneur s'entend, par-devant notaire et curé, afin de partager encore avec vous votre femme… Ahi ! la gorge !…

LE MAÎTRE. – Sais-tu ce que tu fais là ? une chose très commune et très impertinente.

JACQUES. – J'en suis bien capable.

7540 LE MAÎTRE. – Tu te plains d'avoir été interrompu, et tu interromps.

JACQUES. – C'est l'effet du mauvais exemple que vous m'avez donné. Une mère veut être galante, et veut que sa fille soit sage ; un père veut être dissipateur[3], et veut que son fils soit économe ;
7545 un maître veut…

LE MAÎTRE. – Interrompre son valet, l'interrompre tant qu'il lui plaît et n'en pas être interrompu.

Lecteur, est-ce que vous ne craignez pas de voir se renouveler ici la scène de l'auberge où l'un criait : «Tu descendras»,

---

1. *Tout de suite* : continûment, sans être interrompue.
2. *Embâter* : charger (pour s'en débarrasser).
3. *Dissipateur* : dépensier.

l'autre : «Je ne descendrai pas» ? À quoi tient-il que je ne vous fasse entendre : «J'interromprai. Tu n'interrompras pas» ? Il est certain que pour peu que j'agace Jacques ou son maître, voilà la querelle engagée, et si je l'engage une fois, qui sait comment elle finira ? Mais la vérité est que Jacques répondit modestement à son maître : «Monsieur, je ne vous interromps pas, mais je cause avec vous, comme vous m'en avez donné la permission.

LE MAÎTRE. – Passe, mais ce n'est pas tout.

JACQUES. – Quelle autre incongruité puis-je avoir commise ?

LE MAÎTRE. – Tu vas anticipant sur le raconteur, et tu lui ôtes le plaisir qu'il s'est promis de ta surprise, en sorte qu'ayant par une ostentation de sagacité[1] très déplacée deviné ce qu'il avait à te dire, il ne lui reste plus qu'à se taire, et je me tais.

JACQUES. – Ah ! mon maître !

LE MAÎTRE. – Que maudits soient les gens d'esprit !

JACQUES. – D'accord ; mais vous n'aurez pas la cruauté...

LE MAÎTRE. – Conviens du moins que tu le mériterais.

JACQUES. – D'accord, mais avec tout cela vous regarderez à votre montre l'heure qu'il est, vous prendrez votre prise de tabac, votre humeur cessera, et vous continuerez votre histoire.

LE MAÎTRE. – Ce drôle-là fait de moi ce qu'il veut...

Quelques jours après cet entretien avec le chevalier, il reparut chez moi, il avait l'air triomphant. "Eh bien, l'ami, me dit-il, une autre fois croirez-vous à mes almanachs[2] ? Je vous l'avais bien dit, nous sommes les plus forts, et voici une lettre de la petite ; oui, une lettre, une lettre d'elle..."

Cette lettre était fort douce ; des reproches, des plaintes et cætera ; et me voilà réinstallé dans la maison.»

Lecteur, vous suspendez ici votre lecture ; qu'est-ce qu'il y a ? Ah ! je crois vous comprendre, vous voudriez voir cette lettre.

---

1. *Ostentation de sagacité* : étalage de perspicacité.
2. *À mes almanachs* : à mes prédictions.

7580 Mme Riccoboni[1] n'aurait pas manqué de vous la montrer. Et celle que Mme de La Pommeraye dicta aux deux dévotes, je suis sûr que vous l'avez regrettée. Quoiqu'elle fût tout autrement difficile à faire que celle d'Agathe, et que je ne présume pas infiniment de mon talent, je crois que je m'en serais tiré, mais elle 7585 n'aurait pas été originale ; ç'aurait été comme ces sublimes harangues[2] de Tite-Live[3], dans son *Histoire de Rome* ou du cardinal Bentivoglio[4] dans ses *Guerres de Flandre*. On les lit avec plaisir, mais elles détruisent l'illusion ; un historien, qui suppose à ses personnages des discours qu'ils n'ont pas tenus, peut aussi leur 7590 supposer des actions qu'ils n'ont pas faites. Je vous supplie donc de vouloir bien vous passer de ces deux lettres et de continuer votre lecture.

LE MAÎTRE. – On me demanda raison de mon éclipse, je dis ce que je voulus, on se contenta de ce que je dis, et tout reprit son 7595 train accoutumé.

JACQUES. – C'est-à-dire que vous continuâtes vos dépenses et que vos affaires amoureuses n'en avançaient pas davantage.

LE MAÎTRE. – Le chevalier m'en demandait des nouvelles et avait l'air de s'en impatienter.

7600 JACQUES. – Et il s'en impatientait peut-être réellement.

LE MAÎTRE. – Et pourquoi cela ?

JACQUES. – Pourquoi ? Parce qu'il...

LE MAÎTRE. – Achève donc.

JACQUES. – Je m'en garderai bien ; il faut laisser au conteur...

7605 LE MAÎTRE. – Mes leçons te profitent, je m'en réjouis... Un jour le chevalier me proposa une promenade en tête à tête.

---

1. *Marie Jeanne Riccoboni* (1713-1792) : actrice, amie de Diderot et auteure de romans par lettres.
2. *Harangues* : discours.
3. *Tite-Live* (59 av. J.-C.-17 apr. J.-C.) : auteur d'une immense *Histoire de Rome* (dont il ne reste que le tiers environ).
4. *Guido Bentivoglio* (1579-1664) : historien italien, auteur d'une *Histoire de la guerre de Flandres* (1633), traduite en 1769.

Nous allâmes passer la journée à la campagne. Nous partîmes de bonne heure. Nous dînâmes à l'auberge, nous y soupâmes ; le vin était excellent, nous en bûmes beaucoup, causant de gouvernement, de religion et de galanterie. Jamais le chevalier ne m'avait marqué tant de confiance, tant d'amitié ; il m'avait raconté toutes les aventures de sa vie avec la plus incroyable franchise, ne me celant[1] ni le bien ni le mal. Il buvait, il m'embrassait, il pleurait de tendresse ; je buvais, je l'embrassais, je pleurais à mon tour. Il n'y avait dans toute sa conduite passée qu'une seule action qu'il se reprochât, il en porterait le remords jusqu'au tombeau.

« Chevalier, confessez-vous-en à votre ami, cela vous soulagera. Eh bien, de quoi s'agit-il ? de quelque peccadille[2] dont votre délicatesse vous exagère la valeur ?

– Non, non, s'écriait le chevalier en penchant sa tête sur ses deux mains et se couvrant le visage de honte, c'est une noirceur, une noirceur impardonnable. Le croirez-vous ? moi, le chevalier de Saint-Ouin, a une fois trompé, oui, trompé son ami !

– Et comment cela s'est-il fait ?

– Hélas ! nous fréquentions l'un et l'autre dans la même maison, comme vous et moi. Il y avait une jeune fille comme Mlle Agathe, il en était amoureux, et moi j'en étais aimé ; il se ruinait en dépenses pour elle, et c'est moi qui jouissais de ses faveurs. Je n'ai jamais eu le courage de lui en faire l'aveu, mais si nous nous retrouvons ensemble je lui dirai tout. Cet effroyable secret que je porte au fond de mon cœur l'accable, c'est un fardeau dont il faut absolument que je me délivre.

– Chevalier, vous ferez bien.

– Vous me le conseillez ?

– Assurément, je vous le conseille.

– Et comment croyez-vous que mon ami prenne la chose ?

---

1. *Celant* : cachant.
2. *Peccadille* : petit péché sans gravité.

– S'il est votre ami, s'il est juste, il trouvera votre excuse en lui-même, il sera touché de votre franchise et de votre repentir, il jettera ses bras autour de votre cou, il fera ce que je ferais à sa place.

– Vous le croyez ?

– Je le crois.

– Et c'est ainsi que vous en useriez ?

– Je n'en doute pas… »

À l'instant le chevalier se lève, s'avance vers moi, les larmes aux yeux, les deux bras ouverts, et me dit : « Mon ami, embrassez-moi donc.

– Quoi ! chevalier, lui dis-je, c'est vous ? c'est moi ? c'est cette coquine d'Agathe ?

– Oui, mon ami ; je vous rends encore votre parole, vous êtes le maître d'en agir avec moi comme il vous plaira. Si vous pensez, comme moi, que mon offense soit sans excuse, ne m'excusez point, levez-vous, quittez-moi, ne me revoyez qu'avec mépris, et abandonnez-moi à ma douleur et à ma honte. Ah ! mon ami, si vous saviez tout l'empire que la petite scélérate avait pris sur mon cœur ! Je suis né honnête, jugez combien j'ai dû souffrir du rôle indigne auquel je me suis abaissé, combien de fois j'ai détourné mes yeux de dessus elle, pour les attacher sur vous, en gémissant de sa trahison et de la mienne ! Il est inouï que vous ne vous en soyez jamais aperçu… »

Cependant j'étais immobile comme un terme pétrifié[1], à peine entendais-je le discours du chevalier. Je m'écriai : « Ah ! l'indigne ! Ah ! chevalier ! vous, vous, mon ami ?

– Oui, je l'étais et je le suis encore, puisque je dispose, pour vous tirer des liens de cette créature, d'un secret qui est plus le

---

1. *Terme pétrifié* : « Une sorte de statue qui n'a que la seule tête ou le haut du corps, et qui finit en forme de pilastre […], qui servait anciennement de borne ou de limite » (*Dictionnaire de l'Académie*, 1762). Terme est une divinité romaine primitive identifiée aux bornes des champs et représentant ce qui est fixe, immuable.

sien que le mien. Ce qui me désespère, c'est que vous n'en ayez rien obtenu qui vous dédommage de tout ce que vous avez fait pour elle.» *(Ici Jacques se met à rire et à siffler.)*

7670 Mais c'est *La Vérité dans le vin*, de Collé[1]... Lecteur, vous ne savez ce que vous dites ; à force de vouloir montrer de l'esprit, vous n'êtes qu'une bête. C'est si peu la vérité dans le vin, que tout au contraire, c'est la fausseté dans le vin. Je vous ai dit une grossièreté, j'en suis fâché et je vous en demande pardon.

7675 LE MAÎTRE. – Ma colère tomba peu à peu. J'embrassai le chevalier, il se remit sur sa chaise, les coudes appuyés sur la table, les poings fermés sur ses yeux. Il n'osait me regarder.

JACQUES. – Il était si affligé, et vous eûtes la bonté de le conso-ler. *(Et Jacques de siffler encore.)*

7680 LE MAÎTRE. – Le parti qui me parut le meilleur, ce fut de tourner la chose en plaisanterie. À chaque propos gai le chevalier confondu me disait : «Il n'y a point d'homme comme vous, vous êtes unique, vous valez cent fois mieux que moi. Je doute que j'eusse eu la générosité ou la force de vous pardonner une 7685 pareille injure, et vous en plaisantez. Cela est sans exemple. Mon ami, que ferai-je jamais qui puisse réparer ?... Ah ! non, non, cela ne se répare pas. Jamais, jamais je n'oublierai ni mon crime ni votre indulgence, ce sont deux traits profondément gravés là... Je me rappellerai l'un pour me détester, l'autre pour vous admirer, 7690 pour redoubler d'attachement pour vous.

– Allons, chevalier, vous n'y pensez pas, vous vous surfaites[2] votre action et la mienne. Buvons. À votre santé. Chevalier, à la mienne donc, puisque vous ne voulez pas que ce soit à la vôtre...» Le chevalier peu à peu reprit courage. Il me raconta tous 7695 les détails de sa trahison, s'accablant lui-même des épithètes les plus dures ; il mit en pièces, et la fille, et la mère, et le père, et les

---

1. *Charles Collé* (1709-1783) : chansonnier et auteur de comédies, parmi lesquelles *La Vérité dans le vin* (1747), où un personnage, en feignant d'être ivre, se confesse à son interlocuteur (scène 12).
2. *Vous vous surfaites* : vous exagérez.

tantes, et toute la famille qu'il me montra comme un ramas[1] de canailles indignes de moi, mais bien dignes de lui. Ce sont ses propres mots.

7700 JACQUES. – Et voilà pourquoi je conseille aux femmes de ne jamais coucher avec des gens qui s'enivrent. Je ne méprise guère moins votre chevalier pour son indiscrétion[2] en amour que pour sa perfidie en amitié. Que diable ! il n'avait qu'à… être un honnête homme et vous parler d'abord… Mais tenez, monsieur,
7705 je persiste ; c'est un gueux, c'est un fieffé gueux. Je ne sais plus comment cela finira, j'ai peur qu'il ne vous trompe encore en vous détrompant. Tirez-moi, tirez-vous bien vite vous-même de cette auberge et de la compagnie de cet homme-là…

Ici Jacques reprit sa gourde, oubliant qu'il n'y avait ni tisane
7710 ni vin. Son maître se mit à rire. Jacques toussa un demi-quart d'heure de suite. Son maître tira sa montre et sa tabatière, et continua son histoire que j'interromprai, si cela vous convient, ne fût-ce que pour faire enrager Jacques en lui prouvant qu'il n'était pas écrit là-haut, comme il le croyait, qu'il serait toujours
7715 interrompu et que son maître ne le serait jamais.

LE MAÎTRE, *au chevalier.* – Après ce que vous m'en dites là, j'espère que vous ne les reverrez plus.

– Moi, les revoir ! Ce qui me désespère c'est de s'en aller sans se venger. On aura trahi, joué, bafoué, dépouillé un galant
7720 homme, on aura abusé de la passion et de la faiblesse d'un autre galant homme, car j'ose encore me regarder comme tel, pour l'engager dans une suite d'horreurs ; on aura exposé deux amis à se haïr et peut-être à s'entr'égorger, car enfin, mon cher, convenez que si vous eussiez découvert mon indigne menée, vous êtes
7725 brave, vous en eussiez peut-être conçu un tel ressentiment…

---

1. *Ramas* : ramassis.
2. *Indiscrétion* : bavardage.

– Non, cela n'aurait pas été jusque-là. Et pourquoi donc ? et pour qui ? pour une faute que personne ne saurait se répondre de ne pas commettre ? Est-ce ma femme ? Et quand elle la serait ? Est-ce ma fille ? Non, c'est une petite gueuse ; et vous croyez
7730 que pour une petite gueuse... Allons, mon ami, laissons cela et buvons. Agathe est jeune, vive, blanche, grasse, potelée ; ce sont les chairs les plus fermes, n'est-ce pas ? et la peau la plus douce ? La jouissance en doit être délicieuse, et j'imagine que vous étiez assez heureux entre ses bras pour ne guère penser à vos amis.

7735 – Il est certain que si les charmes de la personne et le plaisir pouvaient atténuer la faute, personne sous le ciel ne serait moins coupable que moi.

– Ah çà, chevalier, je reviens sur mes pas ; je retire mon indulgence, et je veux mettre une condition à l'oubli de votre trahi-
7740 son.

– Parlez, mon ami, ordonnez, dites ; faut-il me jeter par la fenêtre, me pendre, me noyer, m'enfoncer ce couteau dans la poitrine ?...

Et à l'instant le chevalier saisit un couteau qui était sur la
7745 table, détache son col, écarte sa chemise, et, les yeux égarés, se place la pointe du couteau de la main droite à la fossette de la clavicule gauche, et semble n'attendre que mon ordre pour s'expédier à l'antique [1].

– Il ne s'agit pas de cela, chevalier, laissez là ce mauvais cou-
7750 teau.

– Je ne le quitte pas, c'est ce que je mérite ; faites signe.

– Laissez là ce mauvais couteau, vous dis-je, je ne mets pas votre expiation [2] à si haut prix... – Cependant la pointe du couteau était toujours suspendue sur la fossette de la clavicule gau-
7755 che ; je lui saisis la main, je lui arrachai son couteau que je jetai loin de moi, puis approchant la bouteille de son verre, et versant

---

1. *S'expédier à l'antique* : se suicider comme certains grands personnages héroïques de l'Antiquité.
2. *Expiation* : repentir, rachat.

plein, je lui dis : « Buvons d'abord ; et vous saurez ensuite à quelle terrible condition j'attache votre pardon. Agathe est donc bien succulente, bien voluptueuse ?

7760 — Ah ! mon ami, que ne le savez-vous comme moi !

— Mais attends, il faut qu'on nous apporte une bouteille de champagne, et puis tu me feras l'histoire d'une de tes nuits. Traître charmant, ton absolution est à la fin de cette histoire. Allons, commence, est-ce que tu ne m'entends pas ?

7765 — Je vous entends.

— Ma sentence te paraît-elle trop dure ?

— Non.

— Tu rêves ?

— Je rêve !

7770 — Que t'ai-je demandé ?

— Le récit d'une de mes nuits avec Agathe.

— C'est cela… »

Cependant le chevalier me mesurait de la tête aux pieds, et se disait à lui-même : « C'est la même taille, à peu près le même âge, 7775 et quand il y aurait quelque différence, point de lumière, l'imagination prévenue que c'est moi, elle ne soupçonnera rien…

— Mais, chevalier, à quoi penses-tu donc ? ton verre reste plein, et tu ne commences pas.

— Je pense, mon ami, j'y ai pensé, tout est dit ; embrassez-moi, 7780 nous serons vengés, oui, nous le serons. C'est une scélératesse de ma part, si elle est indigne de moi, elle ne l'est pas de la petite coquine. Vous me demandez l'histoire d'une de mes nuits ?

— Oui, est-ce trop exiger ?

— Non, mais si, au lieu de l'histoire, je vous procurais la nuit ?

7785 — Cela vaudrait un peu mieux. » *(Jacques se met à siffler.)*

Aussitôt le chevalier tire deux clefs de sa poche, l'une petite et l'autre grande. « La petite, me dit-il, est le passe-partout de la rue, la grande est celle de l'antichambre[1] d'Agathe ; les voilà,

---

1. *Antichambre* : pièce de réception précédant la chambre, vestibule.

elles sont toutes deux à votre service. Voici ma marche [1] de tous
7790 les jours, depuis environ six mois, vous y conformerez [2] la vôtre.
Ses fenêtres sont sur le devant, comme vous savez. Je me promène
dans la rue tant que je les vois éclairées. Un pot de basilic mis
en dehors est le signal convenu ; alors je m'approche de la porte
d'entrée, je l'ouvre, j'entre, je la referme, je monte le plus douce-
7795 ment que je peux. Je tourne par le petit corridor qui est à droite ;
la première porte à gauche dans ce corridor est la sienne, comme
vous savez. J'ouvre cette porte avec cette grande clef, je passe
dans la petite garde-robe [3] qui est à droite, là je trouve une petite
bougie de nuit à la lueur de laquelle je me déshabille à mon aise.
7800 Agathe laisse la porte de sa chambre entrouverte, je passe et je
vais la trouver dans son lit. Comprenez-vous cela ?

– Fort bien.

– Comme nous sommes entourés, nous nous taisons.

– Et puis je crois que vous avez mieux à faire que de jaser.

7805 – En cas d'accident je puis sauter de son lit et me renfermer dans
la garde-robe ; cela n'est pourtant jamais arrivé. Notre usage ordinaire est de nous séparer sur les quatre heures du matin. Lorsque le
plaisir ou le repos nous mène plus loin, nous sortons du lit ensemble ; elle descend, moi je reste dans la garde-robe, je m'habille, je
7810 lis, je me repose, j'attends qu'il soit heure de paraître. Je descends,
je salue, j'embrasse comme si je ne faisais que d'arriver.

– Et cette nuit-ci, vous attend-on ?

– On m'attend toutes les nuits.

– Et vous me céderiez votre place ?

7815 – De tout mon cœur. Que vous préfériez la nuit au récit, je
n'en suis pas en peine [4] ; mais ce que je désirerais, c'est que…

– Achevez, il y a peu de chose que je ne me sente le courage
d'entreprendre pour vous obliger.

---

1. Marche : conduite, manège.
2. Conformerez : réglerez.
3. Garde-robe : petite pièce où l'on range les vêtements.
4. Je n'en suis pas en peine : cela ne m'attriste pas.

– C'est que vous restassiez entre ses bras jusqu'au jour, j'arri-
7820 verais, je vous surprendrais.

– Oh non, chevalier, cela serait trop méchant.

– Trop méchant ? Je ne le suis pas tant que vous pensez.
Auparavant je me déshabillerais dans la petite garde-robe.

– Allons, chevalier, vous avez le diable au corps. Et puis cela
7825 ne se peut ; si vous me donnez les clefs, vous ne les aurez plus.

– Ah ! mon ami, que tu es bête !

– Mais pas trop, ce me semble.

– Et pourquoi n'entrerions-nous pas tous les deux ensemble ?
Vous iriez trouver Agathe, moi je resterais dans la garde-robe
7830 jusqu'à ce que vous me fissiez un signal dont nous convien-
drions.

– Ma foi, cela est si plaisant, si fou, que peu s'en faut que je n'y
consente. Mais, chevalier, tout bien considéré, j'aimerais mieux
réserver cette facétie[1] pour quelqu'une des nuits suivantes.

7835 – Ah, j'entends, votre projet est de nous venger plus d'une
fois.

– Si vous l'agréez ?

– Tout à fait. »

JACQUES. – Votre chevalier bouleverse toutes mes idées. J'ima-
7840 ginais...

LE MAÎTRE. – Tu imaginais ?

JACQUES. – Non, monsieur, vous pouvez continuer.

LE MAÎTRE. – Nous bûmes, nous dîmes cent folies, et sur la nuit
qui s'approchait, et sur les nuits suivantes, et sur celle où Agathe
7845 se trouverait entre le chevalier et moi. Le chevalier était redevenu
d'une gaieté charmante, et le texte de notre conversation n'était
pas triste. Il me prescrivait des préceptes de conduite nocturne
qui n'étaient pas tous également faciles à suivre, mais après
une longue suite de nuits bien employées, je pouvais soutenir
7850 l'honneur du chevalier à ma première, quelque merveilleux qu'il

---

1. Facétie : farce.

se prétendît ; et ce furent des détails qui ne finissaient point sur les talents, perfections, commodités d'Agathe. Le chevalier ajoutait avec un art incroyable l'ivresse de la passion à celle du vin. Le moment de l'aventure ou de la vengeance nous paraissait
7855 arriver lentement ; cependant nous sortîmes de table. Le chevalier paya, c'est la première fois que cela lui arrivait. Nous montâmes dans notre voiture, nous étions ivres ; notre cocher et nos valets l'étaient encore plus que nous...

Lecteur, qui m'empêcherait de jeter ici le cocher, les chevaux,
7860 la voiture, les maîtres et les valets dans une fondrière ? Si la fondrière vous fait peur, qui m'empêcherait de les amener sains et saufs à la ville où j'accrocherais leur voiture à une autre, dans laquelle je renfermerais d'autres jeunes gens ivres ? Il y aurait des mots offensants de dits, une querelle, des épées tirées, une bagarre
7865 dans toutes les règles. Qui m'empêcherait, si vous n'aimez pas les bagarres, de substituer à ces jeunes gens Mlle Agathe, avec une de ses tantes ? Mais il n'y eut rien de tout cela. Le chevalier et le maître de Jacques arrivèrent à Paris. Celui-ci prit les vêtements du chevalier. Il est minuit, ils sont sous les fenêtres d'Agathe, la
7870 lumière s'éteint, le pot de basilic est à sa place. Ils font encore un tour d'un bout à l'autre de la rue, le chevalier recordant [1] à son ami sa leçon. Ils s'approchent de la porte, le chevalier l'ouvre, introduit le maître de Jacques, garde le passe-partout de la rue, lui donne la clef du corridor, referme la porte d'entrée, s'éloigne ;
7875 et après ce petit détail fait avec laconisme [2] le maître de Jacques reprit la parole et dit :

« Le local m'était connu. Je monte sur la pointe des pieds, j'ouvre la porte du corridor, je la referme, j'entre dans la garde-robe où je trouvai la petite lampe de nuit, je me déshabille ; la
7880 porte de la chambre était entrouverte, je passe, je vais à l'alcôve [3],

---

1. *Recordant* : faisant répéter.
2. *Laconisme* : brièveté.
3. *Alcôve* : enfoncement ménagé dans une chambre, où se trouve le lit (fermé par des rideaux).

où Agathe ne dormait pas. J'ouvre les rideaux et à l'instant je sens deux bras nus se jeter autour de moi et m'attirer ; je me laisse aller, je me couche, je suis accablé de caresses, je les rends. Me voilà le mortel le plus heureux qu'il y ait au monde ; je le suis encore lorsque… »

Lorsque le maître de Jacques s'aperçut que Jacques dormait ou faisait semblant de dormir : «Tu dors, lui dit-il, tu dors, maroufle, au moment le plus intéressant de mon histoire !… » et c'est à ce moment même que Jacques attendait son maître… «Te réveilleras-tu ?

– Je ne le crois pas.

– Et pourquoi ?

– C'est que si je me réveille, mon mal de gorge pourrait bien se réveiller aussi, et que je pense qu'il vaut mieux que nous reposions tous deux… »

Et voilà Jacques qui laisse tomber sa tête en devant.

«Tu vas te rompre le cou.

– Sûrement, si cela est écrit là-haut. N'êtes-vous pas bien entre les bras de Mlle Agathe ?

– Oui.

– Ne vous y trouvez-vous pas bien ?

– Fort bien.

– Restez-y.

– Que j'y reste, cela te plaît à dire.

– Du moins jusqu'à ce que je sache l'histoire de l'emplâtre de Desglands.

LE MAÎTRE. – Tu te venges, traître.

JACQUES. – Et quand cela serait, mon maître, après avoir coupé l'histoire de mes amours par mille questions, par autant de fantaisies [1], sans le moindre murmure de ma part, ne pourrais-je pas vous supplier d'interrompre la vôtre pour m'apprendre l'histoire de l'emplâtre de ce bon Desglands, à qui j'ai tant d'obligations, qui

_____

1. _Fantaisies_ : caprices.

m'a tiré de chez le chirurgien au moment où manquant d'argent
je ne savais plus que devenir, et chez qui j'ai fait connaissance avec
7915 Denise, Denise sans laquelle je ne vous aurais pas dit un mot de tout
le voyage ? Mon maître, mon cher maître, l'histoire de l'emplâtre
de Desglands ; vous serez si court qu'il vous plaira, et cependant
l'assoupissement qui me tient, et dont je ne suis pas le maître, se
dissipera et vous pourrez compter sur toute mon attention.

7920   LE MAÎTRE, *dit en haussant les épaules.* – Il y avait dans le voisinage
de Desglands une veuve charmante, qui avait plusieurs qualités
communes avec une célèbre courtisane du siècle passé [1] ; sage par
raison, libertine par tempérament, se désolant le lendemain de la
sottise de la veille. Elle a passé toute sa vie en allant du plaisir au
7925 remords et du remords au plaisir, sans que l'habitude du plaisir
ait étouffé le remords, sans que l'habitude du remords ait étouffé
le goût du plaisir. Je l'ai connue dans ses derniers instants ;
elle disait qu'enfin elle échappait à deux grands ennemis. Son
mari, indulgent pour le seul défaut qu'il eût à lui reprocher, la
7930 plaignit pendant qu'elle vécut et la regretta longtemps après sa
mort. Il prétendait qu'il eût été aussi ridicule à lui d'empêcher
sa femme d'aimer que de l'empêcher de boire. Il lui pardonnait
la multitude de ses conquêtes en faveur du choix délicat qu'elle
y mettait. Elle n'accepta jamais l'hommage d'un sot ou d'un
7935 méchant, ses faveurs furent toujours la récompense ou du talent
ou de la probité [2]. Dire d'un homme qu'il était ou qu'il avait été
son amant, c'était assurer qu'il était homme de mérite. Comme
elle connaissait sa légèreté, elle ne s'engageait point à être fidèle.
"Je n'ai fait, disait-elle, qu'un faux serment en ma vie, c'est le
7940 premier." Soit qu'on perdît le sentiment qu'on avait pris pour
elle, soit qu'elle perdît celui qu'on lui avait inspiré, on restait son

---

1. Il s'agirait d'Anne Lenclos (1616-1706), dite Ninon de Lenclos, célèbre
courtisane française réputée pour sa beauté, son esprit et son libertinage sur
tous les plans.
2. *Probité* : droiture morale.

ami. Jamais il n'y eut d'exemple plus frappant de la différence de la probité et des mœurs. On ne pouvait pas dire qu'elle eût des mœurs, et l'on avouait qu'il était difficile de trouver une plus
7945 honnête créature. Son curé la voyait rarement au pied des autels, mais en tout temps il trouvait sa bourse ouverte pour les pauvres. Elle disait plaisamment de la religion et des lois, que c'était une paire de béquilles qu'il ne fallait pas ôter à ceux qui avaient les jambes faibles. Les femmes, qui redoutaient son commerce[1] pour
7950 leurs maris, le désiraient pour leurs enfants.

JACQUES, *après avoir dit entre ses dents : "Tu me le paieras ce maudit portrait", ajouta.* – Vous avez été fou de cette femme-là ?

LE MAÎTRE. – Je le serais certainement devenu, si Desglands ne m'eût gagné de vitesse. Desglands en devint amoureux…

7955 JACQUES. – Monsieur, est-ce que l'histoire de son emplâtre et celle de ses amours sont si bien liées l'une à l'autre qu'on ne saurait les séparer ?

LE MAÎTRE. – On peut les séparer ; l'emplâtre est un incident, l'histoire est le récit de tout ce qui s'est passé pendant qu'ils
7960 s'aimaient.

JACQUES. – Et s'est-il passé beaucoup de choses ?

LE MAÎTRE. – Beaucoup.

JACQUES. – En ce cas, si vous donnez à chacune la même étendue qu'au portrait de l'héroïne, nous n'en sortirons pas d'ici à la
7965 Pentecôte, et c'est fait de vos amours et des miennes.

LE MAÎTRE. – Aussi, Jacques, pourquoi m'avez-vous dérouté ?… N'as-tu pas vu chez Desglands un petit enfant ?

JACQUES. – Méchant, têtu, insolent et valétudinaire[2] ? Oui, je l'ai vu.

7970 LE MAÎTRE. – C'est un fils naturel[3] de Desglands et de la belle veuve.

---

1. Commerce : fréquentation.
2. Valétudinaire : maladif.
3. Fils naturel : fils illégitime (né hors mariage).

JACQUES. – Cet enfant-là lui donnera bien du chagrin. C'est un enfant unique, bonne raison pour n'être qu'un vaurien; il sait qu'il sera riche, autre bonne raison pour n'être qu'un vaurien.

7975 LE MAÎTRE. – Et comme il est valétudinaire, on ne lui apprend rien; on ne le gêne, on ne le contredit sur rien, troisième bonne raison pour n'être qu'un vaurien.

JACQUES. – Une nuit le petit fou se mit à pousser des cris inhumains. Voilà toute la maison en alarmes, on accourt. Il veut 7980 que son papa se lève.

– Votre papa dort.

– N'importe, je veux qu'il se lève, je le veux, je le veux…

– Il est malade.

– N'importe, il faut qu'il se lève, je le veux, je le veux…

7985 On réveille Desglands, il jette sa robe de chambre sur ses épaules, il arrive.

"Eh bien, mon petit, me voilà, que veux-tu?

– Je veux qu'on les fasse venir.

– Qui?

7990 – Tous ceux qui sont dans le château…"

On les fait venir : maîtres, valets, étrangers, commensaux[1], Jeanne, Denise, moi avec mon genou malade, tous, excepté une vieille concierge impotente, à laquelle on avait accordé une retraite dans une chaumière à près d'un quart de lieue du château. 7995 Il veut qu'on l'aille chercher.

"Mais, mon enfant, il est minuit.

– Je le veux, je le veux.

– Vous savez qu'elle demeure bien loin.

– Je le veux, je le veux.

8000 – Qu'elle est âgée et qu'elle ne saurait marcher.

– Je le veux, je le veux…"

Il faut que la pauvre concierge vienne : on l'apporte, car pour venir elle aurait plutôt mangé le chemin[2]. Quand nous sommes

---

1. Commensaux : habitués de la maison.

2. Elle aurait plutôt mangé le chemin : elle aurait plutôt dû ramper.

tous rassemblés, il veut qu'on le lève et qu'on l'habille. Le voilà
8005 levé et habillé. Il veut que nous passions tous dans le grand salon
et qu'on le place au milieu dans le grand fauteuil de son papa.
Voilà qui est fait. Il veut que nous nous prenions tous par la main.
Voilà qui est fait. Il veut que nous dansions tous en rond, et nous
nous mettons tous à danser en rond. Mais c'est le reste qui est
8010 incroyable…

LE MAÎTRE. – J'espère que tu me feras grâce du reste.

JACQUES. – Non, non, monsieur, vous entendrez le reste. Il
croit qu'il m'aura fait impunément[1] un portrait de la mère, long
de quatre aunes…

8015 LE MAÎTRE. – Jacques, je vous gâte.

JACQUES. – Tant pis pour vous.

LE MAÎTRE. – Vous avez sur le cœur le long et ennuyeux portrait
de la veuve, mais vous m'avez, je crois, bien rendu cet ennui par
la longue et ennuyeuse histoire de la fantaisie de son enfant.

8020 JACQUES. – Si c'est votre avis, reprenez l'histoire du père ; mais
plus de portraits, mon maître ; je hais les portraits à la mort.

LE MAÎTRE. – Et pourquoi haïssez-vous les portraits ?

JACQUES. – C'est qu'ils ressemblent si peu, que si par hasard
on vient à rencontrer les originaux, on ne les reconnaît pas.
8025 Racontez-moi les faits, rendez-moi fidèlement les propos, et
je saurai bientôt à quel homme j'ai à faire. Un mot, un geste
m'en ont quelquefois plus appris que le bavardage de toute une
ville.

LE MAÎTRE. – Un jour Desglands…

8030 JACQUES. – Quand vous êtes absent, j'entre quelquefois dans
votre bibliothèque, je prends un livre, et c'est ordinairement un
livre d'histoire.

LE MAÎTRE. – Un jour Desglands…

JACQUES. – Je lis du pouce tous les portraits.

8035 LE MAÎTRE. – Un jour Desglands…

---

1. *Impunément* : sans être puni en retour.

JACQUES. – Pardon, mon maître, la machine était montée, et il fallait qu'elle allât jusqu'à la fin.

LE MAÎTRE. – Y est-elle ?

JACQUES. – Elle y est[1].

8040   LE MAÎTRE. – Un jour Desglands invita à dîner la belle veuve avec quelques gentilshommes d'alentour. Le règne de Desglands était sur son déclin, et parmi ses convives il y en avait un vers lequel son inconstance commençait à la pencher. Ils étaient à table, Desglands et son rival placés à côté l'un de l'autre et en face 8045   de la belle veuve. Desglands employait tout ce qu'il avait d'esprit pour animer la conversation, il adressait à la veuve les propos les plus galants, mais elle, distraite, n'entendait rien, et tenait ses yeux attachés sur son rival. Desglands avait un œuf frais à la main ; un mouvement convulsif[2] occasionné par la jalousie le saisit, il serre 8050   les poings, et voilà l'œuf chassé de sa coque et répandu sur le visage de son voisin. Celui-ci fit un geste de la main. Desglands lui prend le poignet, l'arrête, et lui dit à l'oreille : "Monsieur, je le[3] tiens pour reçu…" Il se fait un profond silence, la belle veuve se trouve mal. Le repas fut triste et court. Au sortir de table, elle fit 8055   appeler Desglands et son rival dans un appartement séparé ; tout ce qu'une femme peut faire décemment pour les réconcilier elle le fit, elle supplia, elle pleura, elle s'évanouit, mais tout de bon ; elle serrait les mains à Desglands, elle tournait ses yeux inondés de larmes sur l'autre. Elle disait à celui-ci : "Et vous m'aimez !…" 8060   à celui-là : "Et vous m'avez aimée…" à tous les deux : "Et vous voulez me perdre, et vous voulez me rendre la fable[4], l'objet de la haine et du mépris de toute la province ! Quel que soit celui des deux qui ôte la vie à son ennemi, je ne le reverrai jamais, il ne peut être ni mon ami, ni mon amant, je lui voue une haine 8065   qui ne finira qu'avec ma vie." Puis elle retombait en défaillance et

---

1. Fin de la livraison n° 12 de la *Correspondance littéraire* de février 1780.

2. *Convulsif* : brusque.

3. *Le* : le soufflet, la gifle.

4. *Fable* : ici, risée.

en défaillant elle disait : "Cruels ! tirez vos épées et enfoncez-les dans mon sein ; si en expirant je vous vois embrassés, j'expirerai sans regret." Desglands et son rival restaient immobiles ou la secouraient, et quelques pleurs s'échappaient de leurs yeux.
8070 Cependant il fallut se séparer. On remit la belle veuve chez elle plus morte que vive.

JACQUES. – Eh bien, monsieur, qu'avais-je besoin du portrait que vous m'avez fait de cette femme ? Ne saurais-je pas à présent tout ce que vous m'en avez dit ?

8075 LE MAÎTRE. – Le lendemain Desglands rendit visite à sa charmante infidèle ; il y trouva son rival. Qui fut bien étonné ? Ce fut l'un et l'autre de voir à Desglands la joue droite couverte d'un grand rond de taffetas noir. "Qu'est-ce que cela ? lui dit la veuve.

8080 DESGLANDS. – Ce n'est rien.

SON RIVAL. – Un peu de fluxion[1] ?

DESGLANDS. – Cela se passera…"

Après un instant de conversation Desglands sortit, et en sortant, il fit à son rival un signe qui fut très bien entendu[2]. Celui-ci
8085 descendit ; ils passèrent, l'un par un des côtés de la rue, l'autre par le côté opposé, ils se rencontrèrent derrière les jardins de la belle veuve, se battirent, et le rival de Desglands demeura étendu sur la place grièvement, mais non mortellement blessé. Tandis qu'on l'emporte chez lui, Desglands revient chez sa veuve, il s'as-
8090 sied, ils s'entretiennent encore de l'accident de la veille. Elle lui demande ce que signifie cette énorme et ridicule mouche qui lui couvre la joue. Il se lève, il se regarde au miroir. "En effet, lui dit-il, je la trouve un peu trop grande." Il prend les ciseaux de la dame, il détache son rond de taffetas, le rétrécit tout autour d'une ligne
8095 ou deux, le replace et dit à la veuve : "Comment me trouvez-vous à présent ?

---

1. *Fluxion* : gonflement inflammatoire de la joue.
2. *Entendu* : compris.

– Mais d'une ligne ou deux moins ridicule qu'auparavant.

– C'est toujours quelque chose."

Le rival de Desglands guérit. Second duel où la victoire resta à
8100 Desglands, ainsi cinq ou six fois de suite, et Desglands à chaque
combat rétrécissant son rond de taffetas d'une petite lisière [1] et
remettant le reste sur sa joue.

JACQUES. – Et quelle fut la fin de cette aventure ? Quand on
me porta au château de Desglands il me semble qu'il n'avait plus
8105 son rond noir.

LE MAÎTRE. – Non. La fin de cette aventure fut celle de la vie
de la belle veuve. Le long chagrin qu'elle en éprouva acheva de
ruiner sa santé faible et chancelante.

JACQUES. – Et Desglands ?

8110 LE MAÎTRE. – Un jour que nous nous promenions ensemble
il reçoit un billet, il l'ouvre et dit : "C'était un très brave homme
mais je ne saurais m'affliger de sa mort…" Et à l'instant il arrache
de sa joue le reste de son rond noir, presque réduit par ses fréquentes rognures à la grandeur d'une mouche ordinaire.

8115 Voilà l'histoire de Desglands. Jacques est-il satisfait et puis-je
espérer qu'il écoutera l'histoire de mes amours ou qu'il reprendra
l'histoire des siennes ?

JACQUES. – Ni l'un, ni l'autre.

LE MAÎTRE. – Et la raison ?

8120 JACQUES. – C'est qu'il fait chaud, que je suis las, que cet endroit
est charmant, que nous serons à l'ombre sous ces arbres, et qu'en
prenant le frais au bord de ce ruisseau nous nous reposerons.

LE MAÎTRE. – J'y consens ; mais ton rhume…

JACQUES. – Il est de chaleur, et les médecins disent que les
8125 contraires se guérissent par les contraires.

LE MAÎTRE. – Ce qui est vrai au moral comme au physique.
J'ai remarqué une chose assez singulière, c'est qu'il n'y a guère de

---

1. Lisière : bande.

maximes de morale dont on ne fît un aphorisme[1] de médecine, et réciproquement peu d'aphorismes de médecine dont on ne fît une maxime de morale.

8130

JACQUES. – Cela doit être.»

Ils descendent de cheval, ils s'étendent sur l'herbe. Jacques dit à son maître : «Veillez-vous? dormez-vous? Si vous veillez, je dors ; si vous dormez, je veille…» Son maître lui dit : «Dors, dors.

8135 – Je puis donc compter que vous veillerez? C'est que cette fois-ci nous y pourrions perdre deux chevaux.»

Le maître tira sa montre et sa tabatière ; Jacques se mit en devoir de dormir, mais à chaque instant il se réveillait en sursaut et frappait en l'air ses deux mains l'une contre l'autre. Son maître

8140 lui dit : «À qui diable en as-tu?

JACQUES. – J'en ai aux mouches et aux cousins[2]. Je voudrais bien qu'on me dît à quoi servent ces incommodes bêtes-là.

LE MAÎTRE. – Et parce que tu l'ignores, tu crois qu'elles ne servent à rien? La nature n'a rien fait d'inutile ou de superflu.

8145 JACQUES. – Je le crois, car puisqu'une chose est, il faut qu'elle soit.

LE MAÎTRE. – Quand tu as ou trop de sang ou du mauvais sang, que fais-tu? Tu appelles un chirurgien qui t'en ôte deux ou trois palettes[3]. Eh bien! Ces cousins, dont tu te plains, sont une

8150 nuée de petits chirurgiens ailés qui viennent avec leurs petites lancettes[4] te piquer et te tirer du sang goutte à goutte.

JACQUES. – Oui, mais à tort et à travers, sans savoir si j'en ai trop ou peu. Faites venir ici un étique[5], et vous verrez si les petits chirurgiens ailés ne le piqueront pas. Ils songent à eux, et tout

---

1. *Aphorisme* : adage (précepte, maxime).

2. *Cousins* : moustiques.

3. *Palettes* : «Petit[s] plat[s] dans [lesquels] on reçoit le sang de ceux à qui on ouvre la veine» (*Dictionnaire de l'Académie*, 1762).

4. *Lancettes* : «Instrument[s] de chirurgie, servant à ouvrir la veine» (*Dictionnaire de l'Académie*, 1762).

5. *Un étique* : un individu extrêmement maigre.

dans la nature songe à soi et ne songe qu'à soi. Que cela fasse du mal aux autres qu'importe, pourvu qu'on s'en trouve bien?...»

Ensuite il refrappait en l'air de ses deux mains, et il disait : «Au diable les petits chirurgiens ailés !

LE MAÎTRE. – Connais-tu la fable de Garo[1] ?

8160 JACQUES. – Oui.

LE MAÎTRE. – Comment la trouves-tu ?

JACQUES. – Mauvaise.

LE MAÎTRE. – C'est bientôt dit.

JACQUES. – Et bientôt prouvé. Si au lieu de glands le chêne 8165 avait porté des citrouilles, est-ce que cette bête de Garo se serait endormi sous un chêne ? Et s'il ne s'était pas endormi sous un chêne, qu'importait au salut de son nez qu'il en tombât des citrouilles ou des glands ? Faites lire cela à vos enfants.

LE MAÎTRE. – Un philosophe de ton nom[2] ne le veut pas.

8170 JACQUES. – C'est que chacun a son avis, et que Jean-Jacques n'est pas Jacques.

LE MAÎTRE. – Et tant pis pour Jacques.

JACQUES. – Qui sait cela avant que d'être arrivé au dernier mot de la dernière ligne de la page qu'on remplit dans le grand 8175 rouleau ?

LE MAÎTRE. – À quoi penses-tu ?

JACQUES. – Je pense que tandis que vous me parliez et que je vous répondais, vous me parliez sans le vouloir, et que je vous répondais sans le vouloir.

---

1. *Garo* : nom du villageois mis en scène dans la fable 4 intitulée «Le Gland et la Citrouille» du livre IX des *Fables* (1668, 1678 et 1694) de La Fontaine. Garo s'étonne que les chênes ne portent pas de citrouilles et que les tiges de celles-ci ne portent pas de glands, mais comprend que Dieu a bien fait les choses (providentialisme) lorsque, après s'être endormi sous un chêne, il lui tombe un gland sur le nez.

2. Seconde allusion (voir p. 294) au frère ennemi, à l'ami impossible de Diderot, Jean-Jacques Rousseau, qui, dans le livre II de son *Émile ou De l'éducation* (1762), écrit : «On fait apprendre les fables de La Fontaine à tous les enfants, et il n'y en a pas un seul qui les entende.»

8180   LE MAÎTRE. – Après ?

JACQUES. – Après ? Et que nous étions deux vraies machines vivantes et pensantes.

LE MAÎTRE. – Mais à présent que veux-tu ?

JACQUES. – Ma foi, c'est encore tout de même. Il n'y a dans les
8185   deux machines qu'un ressort de plus en jeu.

LE MAÎTRE. – Et ce ressort-là ?

JACQUES. – Je veux que le diable m'emporte si je conçois qu'il puisse jouer sans cause. Mon capitaine disait : "Posez une cause, un effet s'ensuit ; d'une cause faible, un faible effet ; d'une cause
8190   momentanée, un effet d'un moment ; d'une cause intermittente[1], un effet intermittent ; d'une cause contrariée, un effet ralenti ; d'une cause cessante, un effet nul."

LE MAÎTRE. – Mais il me semble que je sens au-dedans de moi-même que je suis libre, comme je sens que je pense.

8195   JACQUES. – Mon capitaine disait : "Oui, à présent que vous ne voulez rien ; mais veuillez vous précipiter[2] de votre cheval ?"

LE MAÎTRE. – Eh bien ! je me précipiterai.

JACQUES. – Gaiement, sans répugnance, sans effort, comme lorsqu'il vous plaît d'en descendre à la porte d'une auberge ?

8200   LE MAÎTRE. – Pas tout à fait, mais qu'importe, pourvu que je me précipite, et que je prouve que je suis libre ?

JACQUES. – Mon capitaine disait : "Quoi ! vous ne voyez pas que sans ma contradiction il ne vous serait jamais venu en fantaisie de vous rompre le cou ? C'est donc moi qui vous prends par le pied et
8205   qui vous jette hors de selle. Si votre chute prouve quelque chose, ce n'est donc pas que vous soyez libre, mais que vous êtes fou." Mon capitaine disait encore que la jouissance d'une liberté qui pourrait s'exercer sans motif serait le vrai caractère d'un maniaque.

LE MAÎTRE. – Cela est trop fort pour moi, mais en dépit de ton
8210   capitaine et de toi je croirai que je veux quand je veux.

---

1. *Intermittente* : irrégulière.
2. *Vous précipiter* : tomber, chuter.

JACQUES. – Mais si vous êtes et si vous avez toujours été le maître de vouloir, que ne voulez-vous à présent aimer une guenon, et que n'avez-vous cessé d'aimer Agathe toutes les fois que vous l'avez voulu ? Mon maître, on passe les trois quarts de
8215 sa vie à vouloir sans faire.

LE MAÎTRE. – Il est vrai.

JACQUES. – Et à faire sans vouloir.

LE MAÎTRE. – Et tu me démontreras celui-ci ?

JACQUES. – Si vous y consentez.

8220 LE MAÎTRE. – J'y consens.

JACQUES. – Cela se fera, et parlons d'autre chose... »

Après ces balivernes et quelques autres propos de la même importance, ils se turent et Jacques, relevant son énorme chapeau, parapluie dans le mauvais temps, parasol dans les temps chauds,
8225 couvre-chef en tout temps, le ténébreux sanctuaire sous lequel une des meilleures cervelles qui aient encore existé consultait le destin dans les grandes occasions... ; les ailes de ce chapeau relevées lui plaçaient le visage à peu près au milieu du corps ; rabattues, à peine voyait-il à dix pas devant lui, ce qui lui avait donné
8230 l'habitude de porter le nez au vent [1], et c'est alors qu'on pouvait dire de son chapeau :

> Os illi sublime dedit, cœlumque tueri
> Jussit, et erectos ad sidera tollere vultus [2].

Jacques, donc, relevant son énorme chapeau et promenant
8235 ses regards au loin, aperçut un laboureur qui rouait inutilement de coups un des deux chevaux qu'il avait attelés à sa charrue. Ce cheval, jeune et vigoureux, s'était couché sur le sillon, et le laboureur avait beau le secouer par la bride, le prier, le caresser,

---

1. *Le nez au vent* : la tête dressée (terme de chasse, appliqué à un chien).
2. « Il lui donna un visage tourné vers le haut, lui ordonna de regarder le ciel, et d'élever ses regards vers les étoiles » (Ovide, *Métamorphoses*, livre I, v. 85-86). Le vers 85 est estropié ; Ovide avait écrit : *Os homini sublime dedit*. La substitution du pronom *illi* permet de référer la citation au chapeau.

le menacer, jurer, frapper, l'animal restait immobile et refusait
8240 opiniâtrement[1] de se relever.

Jacques, après avoir rêvé quelque temps à cette scène, dit à
son maître, dont elle avait aussi fixé l'attention : « Savez-vous,
monsieur, ce qui se passe là ?

Le Maître. – Et que veux-tu qui se passe autre chose que ce
8245 que je vois ?

Jacques. – Vous ne devinez rien ?

Le Maître. – Non. Et toi, que devines-tu ?

Jacques. – Je devine que ce sot, orgueilleux, fainéant animal est
un habitant de la ville qui, fier de son premier état[2] de cheval de
8250 selle, méprise la charrue, et pour vous dire tout en un mot, que c'est
votre cheval, le symbole de Jacques que voilà et de tant d'autres
lâches coquins comme lui, qui ont quitté les campagnes pour venir
porter la livrée dans la capitale, et qui aimeraient mieux mendier
leur pain dans les rues, ou mourir de faim, que de retourner à
8255 l'agriculture, le plus utile et le plus honorable des métiers. »

Le maître se mit à rire, et Jacques, s'adressant au laboureur
qui ne l'entendait pas, disait : « Pauvre diable, touche[3], touche
tant que tu voudras : il a pris son pli, et tu useras plus d'une
mèche[4] à ton fouet, avant que d'inspirer à ce maraud-là un peu
8260 de véritable dignité et quelque goût pour le travail… » Le maître
continuait de rire. Jacques, moitié d'impatience, moitié de pitié,
se lève, s'avance vers le laboureur, et n'a pas fait deux cents pas,
que se retournant vers son maître, il se mit à crier : « Monsieur,
monsieur, arrivez, arrivez, c'est votre cheval, c'est votre cheval. »

8265 Ce l'était en effet. À peine l'animal eut-il reconnu Jacques et
son maître, qu'il se releva de lui-même, secoua sa crinière, hen-
nit, se cabra, et approcha tendrement son museau du mufle de
son camarade. Cependant Jacques indigné disait entre ses dents :

---

1. Opiniâtrement : obstinément.
2. État : métier.
3. Touche : frappe.
4. Mèche : ficelle.

«Gredin, vaurien, paresseux, à quoi tient-il que je ne te donne vingt coups de botte…» Son maître au contraire le baisait, lui passait une main sur le flanc, lui frappait doucement la croupe de l'autre, et pleurant presque de joie, s'écriait : «Mon cheval, mon pauvre cheval, je te retrouve donc!»

Le laboureur n'entendait rien à cela. «Je vois, messieurs, leur dit-il, que ce cheval vous a appartenu, mais je ne l'en possède pas moins légitimement, je l'ai acheté à la dernière foire. Si vous vouliez le reprendre pour les deux tiers de ce qu'il m'a coûté, vous me rendriez un grand service, car je n'en puis rien faire. Lorsqu'il faut le sortir de l'écurie, c'est le diable, lorsqu'il faut l'atteler, c'est pis encore. Lorsqu'il est arrivé sur le champ il se couche, et il se laisserait plutôt assommer que de donner un coup de collier[1] ou que de souffrir un sac sur son dos. Messieurs, auriez-vous la charité de me débarrasser de ce maudit animal-là ? Il est beau, mais il n'est bon à rien qu'à piaffer[2] sous un cavalier, et ce n'est pas là mon affaire…» On lui proposa un échange avec celui des deux autres qui lui conviendrait le mieux ; il y consentit, et nos deux voyageurs revinrent au petit pas à l'endroit où ils s'étaient reposés, et d'où ils virent avec satisfaction le cheval qu'ils avaient cédé au laboureur se prêter sans répugnance à son nouvel état.

JACQUES. – Eh bien, monsieur ?

LE MAÎTRE. – Eh bien, rien n'est plus sûr que tu es inspiré : est-ce de Dieu, est-ce du diable ? Je l'ignore. Jacques, mon cher ami, je crains que vous n'ayez le diable au corps.

JACQUES. – Et pourquoi le diable ?

LE MAÎTRE. – C'est que vous faites des prodiges et que votre doctrine est fort suspecte.

---

1. **Donner un coup de collier** : fournir un effort intense (et momentané).
2. **Piaffer** : «On ne le dit plus que des chevaux qui ont du feu et de la vivacité, qui s'emportent, qui veulent avancer quand on les retient, et qui font une espèce de danse par une continuelle agitation» (*Dictionnaire de Furetière*, 1671).

JACQUES. – Et qu'est-ce qu'il y a de commun entre la doctrine que l'on professe et les prodiges qu'on opère ?

8300 LE MAÎTRE. – Je vois que vous n'avez pas lu dom la Taste [1].

JACQUES. – Et ce dom la Taste que je n'ai pas lu, que dit-il ?

LE MAÎTRE. – Il dit que Dieu et le diable font également des miracles.

JACQUES. – Et comment distingue-t-il les miracles de Dieu des
8305 miracles du diable ?

LE MAÎTRE. – Par la doctrine. Si la doctrine est bonne, les miracles sont de Dieu ; si elle est mauvaise, les miracles sont du diable.

Ici, Jacques se mit à siffler, puis il ajouta :

– Et qui est-ce qui m'apprendra à moi, pauvre ignorant, si la
8310 doctrine du faiseur de miracles est bonne ou mauvaise ? Allons, monsieur, remontons sur nos bêtes. Que vous importe que ce soit de par Dieu ou de par Belzébuth [2] que votre cheval se soit retrouvé ? En ira-t-il moins bien ?

LE MAÎTRE. – Non. Cependant, Jacques, si vous étiez possédé...
8315 JACQUES. – Quel remède y aurait-il à cela ?

LE MAÎTRE. – Le remède, ce serait, en attendant l'exorcisme... ce serait de vous mettre à l'eau bénite pour toute boisson.

JACQUES. – Moi, monsieur, à l'eau ! Jacques à l'eau bénite ! J'aimerais mieux que mille légions de diables me restassent dans
8320 le corps que d'en boire une goutte bénite ou non bénite. Est-ce que vous ne vous êtes pas encore aperçu que j'étais hydrophobe [3] ?... »

Ah ! *hydrophobe* ! Jacques a dit *hydrophobe* ?... Non, lecteur, non ; je confesse que le mot n'est pas de lui ; mais avec cette sévérité de critique-là, je vous défie de lire une scène de comédie,
8325 de tragédie, un seul dialogue, quelque bien qu'il soit fait, sans surprendre le mot de l'auteur dans la bouche de son personnage.

---

1. *Louis Bernard de La Taste* (1682-1784) : évêque de Bethléem, auteur de *Lettres théologiques* (1733-1740) où il soutenait l'idée hétérodoxe que le diable lui aussi pouvait faire des miracles.
2. *Belzébuth* : le diable.
3. *Hydrophobe* : terrorisé par l'eau.

Jacques a dit : «Monsieur, est-ce que vous ne vous êtes pas encore aperçu qu'à la vue de l'eau, la rage me prend ?...» Eh bien, en disant autrement que lui j'ai été moins vrai, mais plus court.

8330   Ils remontèrent sur leurs chevaux, et Jacques dit à son maître : «Vous en étiez de vos amours au moment où après avoir été heureux deux fois, vous vous disposiez peut-être à l'être une troisième.

LE MAÎTRE. – Lorsque tout à coup la porte du corridor s'ouvre.
8335 Voilà la chambre pleine d'une foule de gens qui marchent tumultueusement, j'aperçois des lumières, j'entends des voix d'hommes et de femmes qui parlaient tous à la fois. Les rideaux[1] sont violemment tirés, et j'aperçois le père, la mère, les tantes, les cousins, les cousines et un commissaire qui leur disait gravement :
8340 "Messieurs, mesdames, point de bruit ; le délit est flagrant, monsieur est un galant homme : il n'y a qu'un moyen de réparer le mal, et monsieur aimera mieux s'y prêter de lui-même que de s'y faire contraindre par les lois..."

À chaque mot, il était interrompu par le père et par la mère
8345 qui m'accablaient de reproches, par les tantes et par les cousines qui adressaient les épithètes les moins ménagées[2] à Agathe, qui s'était enveloppé la tête dans les couvertures. J'étais stupéfait, et je ne savais que dire. Le commissaire, s'adressant à moi, me dit ironiquement : "Monsieur, vous êtes fort bien, il faut cependant
8350 que vous ayez pour agréable[3] de vous lever et de vous vêtir" ; ce que je fis, mais avec mes habits qu'on avait substitués à ceux du chevalier. On approcha une table ; le commissaire se mit à verbaliser. Cependant la mère se faisait tenir à quatre pour ne pas assommer sa fille, et le père lui disait : "Doucement, ma femme,
8355 doucement ; quand vous aurez assommé votre fille, il n'en sera ni plus ni moins. Tout s'arrangera pour le mieux..." Les autres

---

1. Du lit (ou de l'alcôve).
2. *Ménagées* : modérées.
3. *Que vous ayez pour agréable* : que vous vouliez bien.

personnages étaient dispersés sur des chaises dans les différentes attitudes de la douleur, de l'indignation et de la colère. Le père, gourmandant sa femme par intervalles, lui disait : "Voilà ce que c'est que de ne pas veiller à la conduite de sa fille…" La mère lui répondait : "Avec cet air si bon et si honnête, qui l'aurait cru de monsieur ?…" Les autres gardaient le silence. Le procès-verbal dressé, on m'en fit lecture, et comme il ne contenait que la vérité, je le signai et je descendis avec le commissaire qui me pria très obligeamment de monter dans une voiture qui était à la porte, d'où l'on me conduisit avec un assez nombreux cortège droit au For-l'Évêque.

JACQUES. – Au For-l'Évêque[1] ! en prison !

LE MAÎTRE. – En prison. Et puis voilà un procès abominable. Il ne s'agissait rien moins que d'épouser Mlle Agathe, les parents ne voulaient entendre à aucun accommodement. Dès le matin le chevalier m'apparut dans ma retraite. Il savait tout. Agathe était désolée, ses parents étaient enragés ; il avait essuyé les plus cruels reproches sur la perfide connaissance qu'il leur avait donnée, c'était lui qui était la première cause de leur malheur et du déshonneur de leur fille ; ces pauvres gens faisaient pitié. Il avait demandé à parler à Agathe en particulier, il ne l'avait pas obtenu sans peine. Agathe avait pensé lui arracher les yeux, et l'avait appelé des noms les plus odieux. Il s'y attendait, il avait laissé tomber ses fureurs, après quoi il avait tâché de l'amener à quelque chose de raisonnable, mais cette fille disait une chose à laquelle, ajoutait le chevalier, je ne sais point de réplique : "Mon père et ma mère m'ont surprise avec votre ami, faut-il leur apprendre que, en couchant avec lui, je croyais coucher avec vous ?…" Il lui répondait : "Mais en bonne foi, croyez-vous que mon ami puisse vous épouser ?… – Non, disait-elle, c'est vous, indigne, c'est vous, infâme, qui devriez être condamné."

---

1. *For-l'Évêque* : bâtiment (détruit en 1780) placé sous la juridiction de l'archevêché de Paris, où étaient enfermés les condamnés pour dettes.

"Mais, dis-je au chevalier, il ne tiendrait qu'à vous de me tirer d'affaire.

8390 – Comment cela ?

– Comment ? en déclarant la chose comme elle est.

– J'en ai menacé Agathe, mais, certes, je n'en ferai rien. Il est incertain que ce moyen nous servît utilement, et il est très certain qu'il nous couvrirait d'infamie [1]. Aussi c'est votre faute.

8395 – Ma faute ?

– Oui, votre faute. Si vous eussiez approuvé l'espièglerie que je vous proposais, Agathe aurait été surprise entre deux hommes et tout ceci aurait fini par une dérision [2]. Mais cela n'est pas, et il s'agit de se tirer de ce mauvais pas.

8400 – Mais, chevalier, pourriez-vous m'expliquer un petit incident ? C'est mon habit repris et le vôtre remis dans la garde-robe ; ma foi, j'y ai beau rêver, c'est un mystère qui me confond. Cela m'a rendu Agathe un peu suspecte ; il m'est venu dans la tête qu'elle avait reconnu [3] la supercherie et qu'il y avait entre elle et

8405 ses parents je ne sais quelle connivence [4].

– Peut-être vous aura-t-on vu monter ; ce qu'il y a de certain, c'est que vous fûtes à peine déshabillé qu'on me renvoya mon habit et qu'on me redemanda le vôtre.

– Cela s'éclaircira avec le temps."

8410 Comme nous étions en train, le chevalier et moi, de nous affliger, de nous consoler, de nous accuser, de nous injurier et de nous demander pardon, le commissaire entra ; le chevalier pâlit et sortit brusquement. Ce commissaire était un homme de bien comme il en est quelques-uns, qui relisant chez lui son procès-verbal, se

8415 rappela qu'autrefois il avait fait ses études avec un jeune homme qui portait mon nom ; il lui vint en pensée que je pourrais bien être le parent ou même le fils de son ancien camarade de collège,

---

1. *D'infamie* : de honte.
2. *Dérision* : situation comique.
3. *Elle avait reconnu* : elle avait découvert.
4. *Connivence* : complicité.

et le fait était vrai. Sa première question fut de me demander qui était l'homme qui s'était évadé quand il était entré.

8420 "Il ne s'est point évadé, lui dis-je, il est sorti ; c'est mon intime ami, le chevalier de Saint-Ouin.

– Votre ami ! Vous avez là un plaisant ami ! Savez-vous, monsieur, que c'est lui qui m'est venu avertir ? Il était accompagné du père et d'un autre parent.

8425 – Lui !

– Lui-même.

– Êtes-vous bien sûr de votre fait ?

– Très sûr ; mais comment l'avez-vous nommé ?

– Le chevalier de Saint-Ouin.

8430 – Oh ! le chevalier de Saint-Ouin, nous y voilà. Et savez-vous ce que c'est que votre ami, votre intime ami le chevalier de Saint-Ouin ? Un escroc, un homme noté par cent mauvais tours. La police ne laisse la liberté du pavé[1] à cette espèce d'hommes-là, qu'à cause des services qu'elle en tire quelquefois. Ils sont fripons

8435 et délateurs[2] des fripons ; et on les trouve apparemment plus utiles par le mal qu'ils préviennent ou qu'ils révèlent, que nuisibles par celui qu'ils font…"

Je racontai au commissaire ma triste aventure telle qu'elle s'était passée. Il ne la vit pas d'un œil beaucoup plus favorable,

8440 car tout ce qui pouvait m'absoudre ne pouvait ni s'alléguer[3] ni se démontrer au tribunal des lois. Cependant, il se chargea d'appeler le père et la mère, de serrer les pouces[4] à la fille, d'éclairer le magistrat, et de ne rien négliger de ce qui servirait à ma justification, me prévenant toutefois que, si ces gens étaient bien

8445 conseillés, l'autorité y pourrait très peu de chose.

---

1. *La liberté du pavé* : la liberté d'aller et venir.
2. *Délateurs* : dénonciateurs.
3. *S'alléguer* : se justifier.
4. *Serrer les pouces* : «Faire quelque violence à quelqu'un, afin de lui faire avouer ce qu'on veut savoir de lui» (*Dictionnaire de l'Académie*, 1762). Autrement dit, arracher des aveux sous la torture.

"Quoi ! monsieur le commissaire, je serais forcé d'épouser ?

– Épouser ! cela serait bien dur, aussi ne l'appréhendai-je pas[1] ; mais il y aura des dédommagements, et dans ce cas, ils sont considérables..." Mais, Jacques, je crois que tu as quelque chose à me dire.

JACQUES. – Oui, je voulais vous dire que vous fûtes en effet plus malheureux que moi qui payai et qui ne couchai pas. Au demeurant, j'aurais, je crois, entendu votre histoire tout courant[2], si Agathe avait été grosse.

LE MAÎTRE. – Ne te dépars pas encore de ta conjecture ; c'est que le commissaire m'apprit quelque temps après ma détention qu'elle était venue faire chez lui sa déclaration de grossesse !

JACQUES. – Et vous voilà père d'un enfant...

LE MAÎTRE. – Auquel je n'ai pas nui.

JACQUES. – Mais que vous n'avez pas fait.

LE MAÎTRE. – Ni la protection du magistrat, ni toutes les démarches du commissaire ne purent empêcher cette affaire de suivre le cours de la justice, mais comme la fille et ses parents étaient mal famés[3], je n'épousai pas entre les deux guichets[4]. On me condamna à une amende considérable, aux frais de gésine[5], et à pourvoir à la subsistance et à l'éducation d'un enfant provenu des faits et gestes de mon ami le chevalier de Saint-Ouin, dont il était le portrait en miniature. Ce fut un gros garçon, dont Mlle Agathe accoucha très heureusement entre le septième et le huitième mois[6], et auquel on donna une bonne nourrice dont j'ai payé les mois jusqu'à ce jour.

JACQUES. – Quel âge peut avoir monsieur votre fils ?

---

1. *Aussi ne l'appréhendai-je pas* : aussi ne le craignai-je pas.
2. *Tout courant* : dans son ensemble.
3. *Mal famés* : de mauvaise réputation.
4. *Guichets* : portes de prison.
5. *Gésine* : accouchement.
6. Elle était donc déjà enceinte de Saint-Ouin lorsqu'elle a couché avec le maître.

Le Maître. – Il aura bientôt dix ans. Je l'ai laissé tout ce temps à la campagne où le maître d'école lui a appris à lire, à écrire et à compter. Ce n'est pas loin de l'endroit où nous allons, et je profite de la circonstance pour payer à ces gens ce qui leur est dû, le retirer et le mettre en métier[1]."»

Jacques et son maître couchèrent encore une fois en route. Ils étaient trop voisins du terme[2] de leur voyage, pour que Jacques reprît l'histoire de ses amours ; d'ailleurs il s'en manquait beaucoup que son mal de gorge fût passé. Le lendemain ils arrivè-rent... – Où ? – D'honneur je n'en sais rien. – Et qu'avaient-ils à faire où ils allaient ? – Tout ce qu'il vous plaira. Est-ce que le maître de Jacques disait ses affaires à tout le monde ? Quoi qu'il en soit, elles n'exigeaient pas au-delà d'une quinzaine de séjour. Se terminèrent-elles bien, se terminèrent-elles mal ? C'est ce que j'ignore encore. Le mal de gorge de Jacques se dissipa par deux remèdes qui lui étaient antipathiques, la diète et le repos.

Un matin le maître dit à son valet : «Jacques, bride et selle les chevaux et remplis ta gourde, il faut aller où tu sais» ; ce qui fut aussitôt fait que dit. Les voilà s'acheminant vers l'endroit où l'on nourrissait depuis dix ans, aux dépens du maître de Jacques, l'enfant du chevalier de Saint-Ouin. À quelque distance du gîte qu'ils venaient de quitter, le maître s'adressa à Jacques dans les mots suivants : «Jacques, que dis-tu de mes amours ?

Jacques. – Qu'il y a d'étranges choses écrites là-haut. Voilà un enfant de fait, Dieu sait comment. Qui sait le rôle que ce petit bâtard fera dans le monde ? Qui sait s'il n'est pas né pour le bonheur ou le bouleversement d'un empire ?

Le Maître. – Je te réponds que non. J'en ferai un bon tour-neur[3] ou un bon horloger. Il se mariera ; il aura des enfants

---

1. *En métier* : en apprentissage. Fin de la livraison n° 13 de la *Correspondance littéraire* de mars 1780.
2. *Voisins du terme* : proches de la fin.
3. Tourneur sur bois.

qui tourneront à perpétuité des bâtons[1] de chaise dans ce monde.

JACQUES. – Oui, si cela est écrit là-haut. Mais pourquoi ne sortirait-il pas un Cromwell[2] de la boutique d'un tourneur ? Celui qui fit couper la tête à son roi, n'était-il pas sorti de la boutique d'un brasseur[3], et ne dit-on pas aujourd'hui ?…

LE MAÎTRE. – Laissons cela. Tu te portes bien, tu sais mes amours ; en conscience tu ne peux te dispenser de reprendre l'histoire des tiennes.

JACQUES. – Tout s'y oppose. Premièrement, le peu de chemin qui nous reste à faire ; secondement, l'oubli de l'endroit où j'en étais. Troisièmement, un diable de pressentiment que j'ai là que cette histoire ne doit pas finir ; que ce récit nous portera malheur, et que je ne l'aurai pas sitôt repris qu'il sera interrompu par une catastrophe[4] heureuse ou malheureuse.

LE MAÎTRE. – Si elle est heureuse, tant mieux.

JACQUES. – D'accord ; mais j'ai là qu'elle sera malheureuse.

LE MAÎTRE. – Malheureuse, soit ; mais que tu parles ou que tu te taises, arrivera-t-elle moins ?

JACQUES. – Qui sait cela ?

LE MAÎTRE. – Tu es né trop tard de deux ou trois siècles.

JACQUES. – Non, monsieur, je suis né à temps comme tout le monde.

LE MAÎTRE. – Tu aurais été un grand augure[5].

JACQUES. – Je ne sais pas bien précisément ce que c'est qu'un augure, ni ne me soucie de le savoir.

LE MAÎTRE. – C'est un des chapitres importants de ton traité de la divination.

----

1. *Bâtons* : montants.
2. *Olivier Cromwell* (1599-1658) : général et chef d'État anglais et premier régicide de l'Europe moderne – il fit exécuter le roi Charles Ier en 1649.
3. *Brasseur* : fabricant de bière.
4. *Catastrophe* : fin, dénouement (terme de poétique).
5. *Augure* : devin (dans l'Antiquité).

8530 JACQUES. – Il est vrai; mais il y a si longtemps qu'il est écrit que je ne m'en rappelle pas un mot. Monsieur, tenez, voilà qui en sait plus que tous les augures, oies fatidiques et poulets sacrés de la république[1]; c'est la gourde. Interrogeons la gourde...»

Jacques prit sa gourde et la consulta longuement. Son maître
8535 tira sa montre et sa tabatière, vit l'heure qu'il était, prit sa prise de tabac, et Jacques dit : «Il me semble à présent que je vois le destin moins noir. Dites-moi où j'en étais.

LE MAÎTRE. – Au château de Desglands, ton genou un peu remis, et Denise chargée par sa mère de te soigner.

8540 JACQUES. – Denise fut obéissante. La blessure de mon genou était presque refermée, j'avais même pu danser en rond la nuit de l'enfant, cependant j'y souffrais par intervalles des douleurs inouïes. Il vint en tête au chirurgien du château qui en savait un peu plus long que son confrère, que ces souffrances dont le
8545 retour était si opiniâtre ne pouvaient avoir pour cause que le séjour d'un corps étranger qui était resté dans les chairs après l'extraction de la balle. En conséquence il arriva dans ma chambre de grand matin, il fit approcher une table de mon lit, et lorsque mes rideaux furent ouverts je vis cette table couverte
8550 d'instruments tranchants, Denise assise à mon chevet, et pleurant à chaudes larmes, sa mère debout, les bras croisés et assez triste, le chirurgien dépouillé de sa casaque[2], les manches de sa veste retroussées, et sa main droite armée d'un bistouri.

LE MAÎTRE. – Tu m'effraies.

8555 JACQUES. – Je le fus aussi. "L'ami, me dit le chirurgien, êtes-vous las de souffrir?

– Fort las.

---

1. Les techniques divinatoires sont nombreuses depuis l'Antiquité (examen des viscères d'animaux, astrologie, géomancie, cartomancie, etc.). Les Romains étaient très superstitieux, donc attentifs à l'appétit des poulets sacrés et au comportement des oies «fatidiques» (du latin *fatidicus*, «qui prédit le destin») qui vivaient en liberté sur le Capitole.
2. *Casaque* : manteau.

– Voulez-vous que cela finisse et conserver votre jambe ?

– Certainement.

8560 – Mettez-la donc hors du lit, et que j'y travaille à mon aise."

J'offre ma jambe. Le chirurgien met le manche du bistouri entre ses dents, passe ma jambe sous son bras gauche, l'y fixe fortement, reprend son bistouri, en introduit la pointe dans l'ouverture de ma blessure, et me fait une incision large et profonde. Je
8565 ne sourcillai pas, mais Jeanne détourna la tête, et Denise poussa un cri aigu et se trouva mal.»

Ici, Jacques fit halte à son récit et donna une nouvelle atteinte à sa gourde. Les atteintes étaient d'autant plus fréquentes que les distances étaient courtes, ou comme disent les géomètres, en
8570 raison inverse des distances. Il était si précis dans ses mesures, que, pleine en partant, elle était toujours exactement vide en arrivant. Messieurs des ponts et chaussées en auraient fait un excellent odomètre[1], et chaque atteinte avait communément sa raison suffisante[2]. Celle-ci était pour faire revenir Denise de son
8575 évanouissement et se remettre de la douleur de l'incision que le chirurgien lui avait faite au genou. Denise revenue et lui réconforté, il continua.

JACQUES. – Cette énorme incision mit à découvert le fond de la blessure, d'où le chirurgien tira avec ses pinces une très
8580 petite pièce de drap de ma culotte qui y était restée, et dont le séjour causait mes douleurs et empêchait l'entière cicatrisation de mon mal. Depuis cette opération mon état alla de mieux en mieux, grâce aux soins de Denise ; plus de douleurs, plus de fièvre, de l'appétit, du sommeil, des forces. Denise me pansait
8585 avec exactitude et avec une délicatesse infinie. Il fallait voir la circonspection et la légèreté de main avec lesquelles elle levait mon appareil[3], la crainte qu'elle avait de me faire la moindre

---

1. Odomètre : «Instrument qui sert à mesurer [mécaniquement] le chemin qu'on a fait, soit à pied, soit en voiture» (*Dictionnaire de l'Académie*, 1762).
2. Raison suffisante : cause justificative.
3. Appareil : voir note 3, p. 76.

douleur, la manière dont elle baignait ma plaie. J'étais assis sur le bord de mon lit, elle avait un genou en terre, ma jambe était posée sur sa cuisse, que je pressais quelquefois un peu, j'avais une main sur son épaule et je la regardais faire avec un attendrissement que je crois qu'elle partageait. Lorsque son pansement était achevé, je lui prenais les deux mains, je la remerciais, je ne savais que lui dire, je ne savais comment je lui témoignerais ma reconnaissance; elle était debout, les yeux baissés, et m'écoutait sans mot dire. Il ne passait pas au château un seul porteballe, que je ne lui achetasse quelque chose; une fois c'était un fichu, une autre fois c'étaient quelques aunes d'indienne[1] ou de mousseline, une croix d'or, des bas de coton, une bague, un collier de grenat[2]. Quand ma petite emplette était faite, mon embarras était de l'offrir, le sien de l'accepter. D'abord je lui montrais la chose; si elle la trouvait bien, je lui disais : «Denise, c'est pour vous que je l'ai achetée...» Si elle l'acceptait, ma main tremblait en la lui présentant, et la sienne en la recevant. Un jour, ne sachant plus que lui donner, j'achetai des jarretières; elles étaient de soie, chamarrées[3] de blanc, de rouge et de bleu, avec une devise. Le matin, avant qu'elle arrivât, je les mis sur le dossier de la chaise qui était à côté de mon lit. Aussitôt que Denise les aperçut, elle dit : «Oh! les jolies jarretières!

– C'est pour mon amoureuse, lui répondis-je.

– Vous avez donc une amoureuse, monsieur Jacques?

– Assurément; est-ce que je ne vous l'ai pas encore dit?

– Non. Elle est bien aimable, sans doute?

– Très aimable.

– Et vous l'aimez bien?

– De tout mon cœur.

– Et elle vous aime de même?

---

1. **Indienne** : étoffe de coton.
2. **Grenat** : pierre rouge sombre.
3. **Chamarrées** : rehaussées, ornées, colorées.

– Je n'en sais rien. Ces jarretières sont pour elle, et elle m'a promis une faveur qui me rendra fou, je crois, si elle me l'accorde.

– Et quelle est cette faveur ?

– C'est que de ces deux jarretières-là j'en attacherais une de mes mains...»

Denise rougit, se méprit à mon discours, crut que les jarretières étaient pour une autre, devint triste, fit maladresse sur maladresse, cherchait tout ce qu'il fallait pour mon pansement, l'avait sous ses yeux et ne le trouvait pas ; renversa le vin qu'elle avait fait chauffer, s'approcha de mon lit pour me panser, prit ma jambe d'une main tremblante, délia mes bandes tout de travers, et quand il fallut étuver ma blessure, elle avait oublié tout ce qui était nécessaire ; elle l'alla chercher, me pansa, et en pansant je vis qu'elle pleurait.

«Denise, je crois que vous pleurez ; qu'avez-vous ?

– Je n'ai rien.

– Est-ce qu'on vous a fait de la peine ?

– Oui.

– Et qui est le méchant qui vous a fait de la peine ?

– C'est vous.

– Moi ?

– Oui.

– Et comment est-ce que cela m'est arrivé ?...»

Au lieu de me répondre, elle tourna ses yeux sur les jarretières.

«Eh ! quoi, lui dis-je, c'est cela qui vous a fait pleurer ?

– Oui.

– Eh ! Denise, ne pleurez plus, c'est pour vous que je les ai achetées.

– Monsieur Jacques, dites-vous bien vrai ?

– Très vrai, si vrai, que les voilà.» Au même temps je les lui présentai toutes deux, mais j'en retins une. À l'instant il s'échappa un souris à travers ses larmes. Je la pris par le bras, je l'approchai de mon lit, je pris un de ses pieds que je mis sur le bord, je relevai ses jupons jusqu'à son genou où elle les tenait serrés avec ses deux mains ; je baisai sa jambe, j'y attachai la jarretière que j'avais retenue, et à peine était-elle attachée, que Jeanne sa mère entra.

LE MAÎTRE. – Voilà une fâcheuse visite.

JACQUES. – Peut-être qu'oui, peut-être que non.

Au lieu de s'apercevoir de notre trouble, elle ne vit que la jarretière que sa fille avait entre ses mains. «Voilà une jolie jarretière, dit-elle : mais où est l'autre ?

– À ma jambe, lui répondit Denise. Il m'a dit qu'il les avait achetées pour son amoureuse, et j'ai juré que c'était pour moi. N'est-il pas vrai, maman, que puisque j'en ai mis une, il faut que je garde l'autre ?

– Ah ! monsieur Jacques, Denise a raison, une jarretière ne va pas sans l'autre, et vous ne voudriez pas lui reprendre celle qu'elle a.

– Pourquoi non ?

– C'est que Denise ne le voudrait pas, ni moi non plus.

– Mais arrangeons-nous, je lui attacherai l'autre en votre présence.

– Non, non, cela ne se peut pas.

– Qu'elle me les rende donc toutes deux.

– Cela ne se peut pas non plus[1].»

Mais Jacques et son maître sont à l'entrée du village où ils allaient voir l'enfant et les nourriciers de l'enfant du chevalier de Saint-Ouin. Jacques se tut. Son maître lui dit : «Descendons et faisons une pause.

– Pourquoi ?

– Parce que, selon toute apparence, tu touches à la conclusion de tes amours.

– Pas tout à fait.

– Quand on est arrivé au genou, il y a peu de chemin à faire.

---

1. Fin de la livraison nº 14 de la *Correspondance littéraire* d'avril 1780.

– Mon maître, Denise avait la cuisse plus longue qu'une
8685 autre.

– Descendons toujours.»

Ils descendent de cheval, Jacques le premier et se présentant
avec célérité à la botte de son maître, qui n'eut pas plus tôt posé
le pied sur l'étrier, que les courroies se détachent et que mon
8690 cavalier, renversé en arrière, allait s'étendre rudement par terre, si
son valet ne l'eût reçu entre ses bras.

LE MAÎTRE. – Eh bien, Jacques, voilà comme tu me soignes!
Que s'en est-il fallu que je me sois enfoncé un côté[1], cassé le bras,
fendu la tête, peut-être tué?

8695 JACQUES. – Le grand malheur!

LE MAÎTRE. – Que dis-tu, maroufle? Attends, attends, je vais
t'apprendre à parler…

Et le maître, après avoir fait faire au cordon de son fouet deux
tours sur son poignet, de poursuivre Jacques, et Jacques de tour-
8700 ner autour du cheval en éclatant de rire et son maître de jurer, de
sacrer, d'écumer de rage, et de tourner aussi autour du cheval en
vomissant contre Jacques un torrent d'invectives, et cette course
de durer jusqu'à ce que tous deux, traversés de sueur et épui-
sés de fatigue, s'arrêtèrent l'un d'un côté du cheval, l'autre de
8705 l'autre, Jacques haletant et continuant de rire, son maître haletant
et lui lançant des regards de fureur. Ils commençaient à reprendre
haleine, lorsque Jacques dit à son maître: «Monsieur mon maître
en conviendra-t-il à présent?

LE MAÎTRE. – Et de quoi veux-tu que je convienne, chien,
8710 coquin, infâme, sinon que tu es le plus méchant de tous les valets
et que je suis le plus malheureux de tous les maîtres?

JACQUES. – N'est-il pas évidemment démontré que nous agis-
sons la plupart du temps sans vouloir? Là mettez la main sur
la conscience: de tout ce que vous avez dit ou fait depuis une
8715 demi-heure, en avez-vous rien voulu? N'avez-vous pas été ma

---

1. *Un côté* : une côte.

marionnette, et n'auriez-vous pas continué d'être mon polichinelle pendant un mois, si je me l'étais proposé ?

LE MAÎTRE. – Quoi ! c'était un jeu ?

JACQUES. – Un jeu.

LE MAÎTRE. – Et tu t'attendais à la rupture des courroies ?

JACQUES. – Je l'avais préparée.

LE MAÎTRE. – Et ta réponse impertinente était préméditée ?

JACQUES. – Préméditée.

LE MAÎTRE. – Et c'était le fil d'archal[1] que tu attachais au-dessus de ma tête pour me démener[2] à ta fantaisie ?

JACQUES. – À merveille.

LE MAÎTRE. – Tu es un dangereux vaurien.

JACQUES. – Dites, grâce à mon capitaine qui se fit un jour un pareil passe-temps à mes dépens, que je suis un subtil raisonneur.

LE MAÎTRE. – Si pourtant je m'étais blessé ?

JACQUES. – Il était écrit là-haut et dans ma prévoyance que cela n'arriverait pas.

LE MAÎTRE. – Allons, asseyons-nous ; nous avons besoin de repos.»

Ils s'asseyent, Jacques disant : «Peste soit du sot !

LE MAÎTRE. – C'est de toi que tu parles apparemment.

JACQUES. – Oui, de moi, qui n'ai pas réservé un coup de plus dans la gourde.

LE MAÎTRE. – Ne regrette rien, je l'aurais bu, car je meurs de soif.

JACQUES. – Peste soit encore du sot de n'en avoir pas réservé deux !»

Le maître le suppliant, pour tromper leur lassitude et leur soif, de continuer son récit, Jacques s'y refusant, son maître boudant,

---

1. Fil d'archal : fil quasiment invisible de laiton (du grec *oreikhalkos*, «laiton»).

2. Me démener : remuer.

Jacques le laissant bouder; enfin Jacques, après avoir protesté contre le malheur qu'il en arriverait, reprenant l'histoire de ses amours, dit :

«Un jour de fête que le seigneur du château était à la chasse...»
8750 Après ces mots il s'arrêta tout court et dit : «Je ne saurais, il m'est impossible d'avancer, il me semble que j'aie derechef la main du destin à la gorge, et que je me la sente serrer; pour Dieu, monsieur, permettez que je me taise.

– Eh bien, tais-toi, et va demander à la première chaumière
8755 que voilà la demeure du nourricier[1].»

C'était à la porte plus bas, ils y vont, chacun d'eux tenant son cheval par la bride. À l'instant la porte du nourricier s'ouvre, un homme se montre, le maître de Jacques pousse un cri et porte la main à son épée, l'homme en question en fait autant. Les chevaux
8760 s'effraient du cliquetis des armes, celui de Jacques casse sa bride et s'échappe, et dans le même instant le cavalier contre lequel son maître se bat est étendu mort sur la place. Les paysans du village accourent. Le maître de Jacques se remet prestement[2] en selle et s'éloigne à toutes jambes. On s'empare de Jacques, on lui lie les
8765 mains sur le dos, et on le conduit devant le juge du lieu qui l'envoie en prison. L'homme tué était le chevalier de Saint-Ouin, que le hasard avait conduit précisément ce jour-là avec Agathe chez la nourrice de leur enfant. Agathe s'arrache les cheveux sur le cadavre de son amant. Le maître de Jacques est déjà si loin qu'on l'a
8770 perdu de vue. Jacques, en allant de la maison du juge à la prison, disait : «Il fallait que cela fût, cela était écrit là-haut...»

Et moi, je m'arrête, parce que je vous ai dit de ces deux personnages tout ce que j'en sais. – Et les amours de Jacques? Jacques a dit cent fois qu'il était écrit là-haut qu'il n'en finirait pas l'histoire,
8775 et je vois que Jacques avait raison. Je vois, lecteur, que cela vous fâche; eh bien, reprenez son récit où il l'a laissé et continuez-le à

---

1. *Nourricier* : époux de la nourrice.
2. *Prestement* : au plus vite.

votre fantaisie, ou bien faites une visite à Mlle Agathe, sachez le nom du village où Jacques est emprisonné, voyez Jacques, questionnez-le, il ne se fera pas tirer l'oreille pour vous satisfaire, cela le désennuiera. D'après des mémoires[1] que j'ai de bonnes raisons de tenir pour suspects, je pourrais peut-être suppléer[2] ce qui manque ici, mais à quoi bon ? On ne peut s'intéresser qu'à ce qu'on croit vrai. Cependant comme il y aurait de la témérité à prononcer sans un mûr examen sur les entretiens de Jacques le Fataliste et de son maître, ouvrage le plus important qui ait paru depuis le *Pantagruel*[3] de maître François Rabelais, et la vie et les aventures du *Compère Mathieu*[4], je relirai ces mémoires avec toute la contention d'esprit[5] et toute l'impartialité dont je suis capable, et sous huitaine je vous en dirai mon jugement définitif, sauf à me rétracter[6] lorsqu'un plus intelligent que moi me démontrera que je me suis trompé.

L'éditeur ajoute : la huitaine est passée. J'ai lu les mémoires en question. Des trois paragraphes que j'y trouve de plus que dans le manuscrit dont je suis possesseur, le premier et le dernier me paraissent originaux, et celui du milieu évidemment interpolé[7].

8780
8785
8790
8795

---

1. *Mémoires* : «Écrit fait, soit pour faire ressouvenir de quelque chose, soit pour donner des instructions sur quelque affaire» (*Dictionnaire de l'Académie*, 1762).

2. *Suppléer* : remplacer.

3. *Pantagruel* : premier roman (1552) de Rabelais (voir note 2, p. 293) mettant en scène Pantagruel, un géant incarnant l'humanisme chrétien, et son double inversé nommé Panurge, personnage pétri de culture populaire, harcelé de désirs sexuels, toujours assoiffé, impie et d'une virtuosité verbale stupéfiante.

4. *Compère Mathieu ou les Bigarrures de l'esprit humain* (1766-1773) : roman picaresque, libertin et antireligieux d'Henri Joseph Dulaurens (1719-1797), moine défroqué tolérant et libre penseur (voltairien), traqué par la censure, les créanciers et l'Inquisition qui le jeta près de trente ans dans le cachot d'une forteresse, où il mourut.

5. *Contention d'esprit* : concentration.

6. *Rétracter* : dédire.

7. *Interpolé* : introduit dans le texte par erreur.

Voici le premier qui suppose une seconde lacune dans l'entretien de Jacques et de son maître.

Un jour de fête que le seigneur du château était à la chasse et que le reste de ses commensaux étaient allés à la messe de la paroisse qui en était éloignée d'un bon quart de lieue, Jacques était levé, Denise était assise à côté de lui. Ils gardaient le silence, ils avaient l'air de se bouder, et ils se boudaient en effet. Jacques avait tout mis en œuvre pour résoudre Denise à le rendre heureux, et Denise avait tenu ferme. Après ce long silence, Jacques, pleurant à chaudes larmes, lui dit d'un ton dur et amer : «C'est que vous ne m'aimez pas…» Denise dépitée se lève, le prend par le bras, le conduit brusquement vers le bord du lit, s'y assied, et lui dit : «Eh bien, monsieur Jacques, je ne vous aime donc pas ? Eh bien, monsieur Jacques, faites de la malheureuse Denise tout ce qu'il vous plaira…» Et en disant ces mots, la voilà fondant en pleurs et suffoquée par ses sanglots.

Dites-moi, lecteur, ce que vous eussiez fait à la place de Jacques ? Rien. Eh bien, c'est ce qu'il fit. Il reconduisit Denise sur sa chaise, se jeta à ses pieds, essuya les pleurs qui coulaient de ses yeux, lui baisa les mains, la consola, la rassura, crut qu'il en était tendrement aimé, et s'en remit à sa tendresse sur le moment qu'il lui plairait de récompenser la sienne. Ce procédé toucha sensiblement[1] Denise.

On objectera peut-être que Jacques, aux pieds de Denise, ne pouvait guère lui essuyer les yeux… à moins que la chaise ne fût fort basse ; le manuscrit ne le dit pas, mais cela est à supposer.

Voici le second paragraphe, copié de la vie de *Tristram Shandy*[2], à moins que l'entretien de Jacques le Fataliste et de son

---

1. *Sensiblement* : visiblement, énormément.
2. *Life and Opinions of Tristram Shandy, Gentleman* (1760-1767) : roman satirique et autobiographie parodique de l'écrivain anglais Laurence Sterne (1713-1768), où le héros-narrateur (Tristram) s'amuse ironiquement à rompre l'unité romanesque du récit au profit d'histoires croisées, de person-

maître ne soit antérieur à cet ouvrage et que le ministre [1] Sterne
ne soit le plagiaire [2], ce que je ne crois pas, mais par une estime
toute particulière de M. Sterne que je distingue de la plupart des
littérateurs [3] de sa nation dont l'usage assez fréquent est de nous
voler et de nous dire des injures.

Une autre fois, c'était le matin, Denise était venue panser
Jacques. Tout dormait encore dans le château. Denise s'approcha
en tremblant ; arrivée à la porte de Jacques, elle s'arrêta, incer-
taine si elle entrerait ou non ; elle entra en tremblant, elle demeura
assez longtemps à côté du lit de Jacques sans oser ouvrir les
rideaux. Elle les entrouvrit doucement, elle dit bonjour à Jacques
en tremblant. Jacques lui dit qu'il n'avait pas fermé l'œil, qu'il
avait souffert et qu'il souffrait encore d'une démangeaison cruelle
à son genou. Denise s'offrit à le soulager. Elle prit une petite pièce
de flanelle, Jacques mit sa jambe hors du lit, et Denise se mit à
frotter avec sa flanelle au-dessous de la blessure, d'abord avec un
doigt, puis avec deux, avec trois, avec quatre, avec toute la main.
Jacques la regardait faire, et s'enivrait d'amour. Puis Denise se
mit à frotter avec sa flanelle sur la blessure même dont la cica-
trice était encore rouge, d'abord avec un doigt, ensuite avec deux,
avec trois, avec quatre, avec toute la main. Mais ce n'était pas
assez d'avoir éteint la démangeaison au-dessous du genou, sur
le genou, il fallait encore l'éteindre au-dessus où elle ne se faisait
sentir que plus vivement. Denise posa sa flanelle au-dessus du
genou, et se mit à frotter là assez fermement, d'abord avec un
doigt, avec deux, avec trois, avec quatre, avec toute la main. La
passion de Jacques, qui n'avait cessé de la regarder, s'accrut à un

---

nages qui jasent de tout et de rien. Diderot doit à ce grand texte fondateur de
la modernité romanesque une part importante de la structure de *Jacques le
Fataliste*. Voir aussi présentation, p. 6, et dossier, p. 367.

1. Ministre : pasteur (anglican).

2. Le plagiaire : l'imitateur, le copieur.

3. Littérateurs : écrivains.

tel point que n'y pouvant plus résister, il se précipita sur la main de Denise… et la baisa [1].

Mais ce qui ne laisse aucun doute sur le plagiat, c'est ce qui suit. Le plagiaire ajoute : «Si vous n'êtes pas satisfait de ce que je vous révèle des amours de Jacques, lecteur, faites mieux, j'y consens. De quelque manière que vous vous y preniez, je suis sûr que vous finirez comme moi. – Tu te trompes, insigne calomniateur, je ne finirai point comme toi. Denise fut sage. – Et qui est-ce qui vous dit le contraire ? Jacques se précipita sur sa main et la baisa, sa main. C'est vous qui avez l'esprit corrompu, et qui entendez ce qu'on ne vous dit pas. – Eh bien, il ne baisa donc que sa main ? – Certainement. Jacques avait trop de sens pour abuser de celle dont il voulait faire sa femme, et se préparer une méfiance qui aurait pu empoisonner le reste de sa vie. – Mais il est dit, dans le paragraphe qui précède, que Jacques avait mis tout en œuvre pour déterminer Denise à le rendre heureux. – C'est qu'apparemment il n'en voulait pas encore faire sa femme.

Le troisième paragraphe nous montre Jacques, notre pauvre Fataliste, les fers aux pieds et aux mains, étendu sur la paille au fond d'un cachot obscur, se rappelant tout ce qu'il avait retenu des principes de la philosophie de son capitaine, et n'étant pas éloigné de croire qu'il regretterait peut-être un jour cette demeure humide, infecte, ténébreuse, où il était nourri de pain noir et d'eau, et où il avait ses pieds et ses mains à défendre contre les attaques des souris et des rats. On nous apprend qu'au milieu de ses méditations les portes de sa prison et de son cachot sont enfoncées, qu'il est mis en liberté avec une douzaine de brigands, et qu'il se trouve enrôlé dans la troupe de Mandrin [2]. Cependant la maréchaussée qui suivait son maître à la piste, l'avait atteint, saisi

---

1. Ce paragraphe est effectivement un démarquage d'un passage du chapitre XXII, livre VIII de *Tristram Shandy* : Tristram y raconte l'effet que produisit sur lui les massages d'une jeune paysanne (voir dossier, p. 369).
2. **Louis Mandrin** (1724-1755) : contrebandier et célèbre chef d'une troupe de trois cents voleurs de grand chemin («les Mandrins») pillant les …/…

■ « Jacques la regardait faire, et s'enivrait d'amour » (p. 359). Éd. Gueffier/
Knapen.

8880 et constitué [1] dans une autre prison. Il en était sorti par les bons
offices [2] du commissaire qui l'avait si bien servi dans sa première
aventure, et il vivait retiré depuis deux ou trois mois dans le château de Desglands, lorsque le hasard lui rendit un serviteur presque aussi essentiel à son bonheur que sa montre et sa tabatière.
8885 Il ne prenait pas une prise de tabac, il ne regardait pas une fois
l'heure qu'il était, qu'il ne dît en soupirant : «Qu'est devenu mon
pauvre Jacques?...» Une nuit le château de Desglands est attaqué
par les Mandrins. Jacques reconnaît la demeure de son bienfaiteur
et de sa maîtresse, il intercède et garantit le château du pillage [3]. On
8890 lit ensuite le détail pathétique [4] de l'entrevue inopinée de Jacques,
de son maître, de Desglands, de Denise et de Jeanne.

«C'est toi, mon ami ?

– C'est vous, mon cher maître ?

– Comment t'es-tu trouvé parmi ces gens-là ?

8895 – Et vous, comment se fait-il que je vous rencontre ici...

– C'est vous, Denise ?

– C'est vous, monsieur Jacques ? Combien vous m'avez fait
pleurer!...»

Cependant Desglands criait : «Qu'on apporte des verres et du
8900 vin! vite, vite. C'est lui qui nous a sauvé la vie à tous...»

Quelques jours après le vieux concierge du château décéda ;
Jacques obtient sa place et épouse Denise, avec laquelle il s'occupe à susciter des disciples à Zénon [5] et à Spinoza, aimé de

---

.../... campagnes et attaquant les villes ; arrêté le 11 mai 1755, il fut condamné
au supplice de la roue.
1. Constitué : placé, jeté.
2. Bons offices : démarches (faites en sa faveur).
3. Il intercède et garantit le château du pillage : il intervient (auprès de
Mandrin) et obtient que le château ne soit pas saccagé (et ses habitants tués).
4. Détail pathétique : compte rendu émouvant.
5. Zénon de Citium (335-264 av. J.-C.) : philosophe grec fondateur du stoï-
cisme (du nom de l'école fondée vers 300 en un lieu dénommé *stoikos*, de
stoa, «portique [du Pécile]», lieu où enseignait Zénon).

■ « Jacques la regardait faire, et s'enivrait d'amour » (p. 359). Éd. Bertin.

Desglands, chéri de son maître et adoré de sa femme, car c'est
ainsi qu'il était écrit là-haut.

On a voulu me persuader que son maître et Desglands étaient
devenus amoureux de sa femme. Je ne sais ce qui en est ; mais je
suis sûr qu'il se disait le soir à lui-même : «S'il est écrit là-haut que
tu seras cocu, Jacques, tu auras beau faire, tu le seras ; s'il est écrit
au contraire que tu ne le seras pas, ils auront beau faire, tu ne le
seras pas ; dors donc, mon ami.» Et qu'il s'endormait[1].

---

1. Fin de la livraison n° 15 de la *Correspondance littéraire* de juin 1780.

DOSSIER

Lettre à Sophie Volland

Louise Henriette Volland (1717-1784), surnommée « Sophie » (du grec *sophia*, « sagesse, science ») pour sa sagesse, fut la grande amie et l'amante de Diderot.

Il rencontra cette femme cultivée et dénuée de préjugés en 1755 et lui écrivit plus de cinq cents lettres pendant près de vingt ans ; de cette immense correspondance ne restent que cent quatre-vingt-sept missives. On y trouve une foule d'anecdotes, des comptes rendus de conversations, une peinture de la vie que Diderot mena à Grandval, chez le baron d'Holbach (voir chronologie, p. 31), des détails sur sa santé, sur sa vie quotidienne, sur son monde intime, etc.

La lettre qui suit, très connue, souligne l'intérêt de Diderot pour la façon dont le sens se construit et circule dans une conversation. Tout le travail d'écriture de l'auteur part de ce constat : les sens sont libres.

[...] C'est une chose singulière que la conversation, surtout lorsque la compagnie est un peu nombreuse. Voyez les circuits que nous avons faits. Les rêves d'un malade en délire ne sont pas plus hétéroclites. Cependant, comme il n'y a rien de décousu ni dans la tête d'un homme qui rêve, ni dans celle d'un fou, tout tient aussi dans la conversation ; mais il serait quelquefois bien difficile de retrouver les chaînons imperceptibles qui ont attiré tant d'idées disparates. Un homme jette un mot qu'il détache de ce qui a précédé et suivi dans sa tête ; un autre en fait autant ; et puis attrape qui pourra. Une seule qualité physique peut conduire l'esprit qui s'en occupe à une infinité de choses diverses. Prenons une couleur, le jaune, le souci est jaune, la bile est jaune, la paille est jaune ; à combien d'autres fils ce fil jaune ne répond-il pas ? La folie, le rêve, le décousu de la conversation consistent à passer de l'un à l'autre par l'entremise d'une qualité commune.

Le fou ne s'aperçoit pas qu'il en change. Il tient un brin de paille jaune et luisante à la main, et il crie qu'il a saisi un rayon de soleil.

Combien d'hommes qui ressemblent à ce fou sans s'en douter ; et moi-même peut-être dans ce moment. [...]

Lettre du 20 octobre 1760.

Vie et opinions de Tristram Shandy

C'est en 1760 que Laurence Sterne (1713-1768) publie les deux premiers livres de *Life and Opinions of Tristram Shandy, Gentleman* (*Vie et opinions de Tristram Shandy*), avec un succès immédiat. L'année qui suit paraissent les livres III à VI. En 1762, Diderot lit avidement l'ensemble : « Je me suis enfourné depuis quelques jours dans la lecture du plus sage, du plus fou, du plus gai de tous les livres », écrit-il à Sophie Volland le 26 septembre de cette année-là.

Le dédale intellectuel, l'inextricable fouillis d'idées déployées dans ce roman déconcertant plaisent à Diderot qui y retrouve ses propres réflexions sur les associations d'idées et les circonvolutions de la pensée (voir la lettre à Sophie Volland du 20 octobre 1760) ; il y goûte aussi l'ironie de l'auteur et sa communication complice avec le lecteur.

En 1765, la lecture du livre VII et surtout du livre VIII fait naître dans l'esprit de Diderot le projet de *Jacques le Fataliste*. Il empruntera à son homologue anglais principalement deux épisodes qu'il situera l'un à l'ouverture (la blessure au genou de Jacques – *Tristram Shandy*, livre VIII, chapitre XIX), l'autre à la clôture de son propre roman (le massage par une jeune femme aimée – *Tristram Shandy*, livre VIII, chapitre XXII).

Dans les chapitres XIX à XXII du livre VIII de *Tristram Shandy*, l'auteur-narrateur (Tristram) se fait d'abord raconter l'« histoire du roi de Bohême et de ses sept châteaux » par son oncle Toby (un ancien officier) et par son serviteur Trim (un ancien caporal) ; puis ce dernier explique comment il devint amoureux d'une jeune et belle nonne qui lui soignait son genou.

La blessure de Trim au genou

[…] Le caporal s'étant incliné avec la plus sincère des convictions poursuivit :

« Le roi de Bohême, donc, la reine et leur cour, un beau soir d'été, sortirent par hasard pour une promenade.

– Fort bien, s'écria mon oncle Toby, l'expression "par hasard" est juste ici car le roi de Bohême et la reine pouvaient partir en promenade ou y renoncer ; ce sont là choses contingentes[1] qui arrivent ou non selon la chance.

– N'en déplaise à votre Honneur, dit Trim, le roi William[2] pensait que tout est prédestiné dans notre existence, il disait souvent à ses soldats que "chaque balle a son billet".

– Un grand homme ! dit mon oncle Toby.

– Je suis convaincu, pour ma part, poursuivit Trim, qu'à la bataille de Landen la balle qui me brisa le genou me fut adressée tout exprès pour m'ôter du service de Sa Majesté et me placer à celui de votre Honneur afin que j'y sois mieux soigné dans mes vieux jours.

– Rien ne démentira cette explication, Trim, dit mon oncle. »

Maître et soldat avaient un cœur également sensible à des flots soudain d'émotions ; un bref silence s'établit.

« D'ailleurs, sans cette simple balle, reprit le caporal sur un ton plus joyeux, n'en déplaise à votre Honneur, je n'eusse jamais été amoureux. » […]

Livre III, chap. XIX, trad. S. Soupel,
GF-Flammarion, 1982.

---

1. *Contingentes* : incertaines.
2. *Le roi William* : Guillaume III (1650-1702), roi d'Angleterre, d'Écosse et d'Irlande (1689-1702).

Comment Trim devint amoureux d'une jeune et belle nonne qui lui soignait son genou

[…] « Il régnait dans la maison la quiétude et le silence de minuit, pas un canard, pas un caneton dans la cour. La belle Béguine[1] entra.

Ma blessure était alors en voie de guérison : à l'inflammation, disparue depuis quelques jours, avait succédé au-dessus et au-dessous du genou une démangeaison si insupportable que je n'avais pu fermer l'œil de la nuit.

– Faites voir, me dit-elle, en s'agenouillant sur le sol parallèlement à ma jambe et en posant la main sous ma blessure ; il n'y faut qu'une petite friction. Couvrant ma jambe du drap, elle se mit à frictionner sous le genou d'un index que guidait la bande de flanelle qui maintenait mon pansement ; cinq ou six minutes plus tard, je perçus le frôlement du médius[2], qui bientôt se joignit à l'autre ; cette friction circulaire se poursuivit un bon moment ; l'idée me vint alors que je devais tomber amoureux. » […]

Livre VIII, chapitre XXII, *ibid.*

Histoire de la vie de Jacques

Reconstituer la vie de Jacques est une entreprise difficile, tant Diderot s'est amusé à disperser les indices qui permettent d'en retracer les grandes lignes. Dès lors, s'efforcer de reconstruire l'existence du héros éponyme permet d'apprécier l'art de Diderot dans la déconstruction du tissu romanesque traditionnel.

1. *Béguine* : religieuse de Belgique et des Pays-Bas soumise à la vie communautaire (de couvent) sans avoir prononcé de vœux.
2. *Médius* : troisième doigt de la main, situé au milieu (majeur).

Épisodes de la vie de Jacques		Récits	
		du narrateur (biographie)	de Jacques (autobiographie)
Enfant	Pendant douze ans, enfance chez ses grands-parents (« des brocanteurs ») ; éducation rigide du grand-père Jason (bâillon) ; lectures familiales de l'Ancien Testament.		Histoire du grand-père Jason (p. 168).
Adolescent	L'adolescence de Jacques (et de ses frères et sœurs) dans un petit village ; son père, ami d'un « charron », maître Bigre, dont Jacques est le filleul ; les veillées (écraignes) au cours desquelles il entend la « fable de la Gaine et du Coutelet » ; ses amis (Bigre le fils) et ses aventures de jeune homme. Son frère Jean (sa vie).		Histoire de Justine et Bigre (p. 266) ; histoire du frère Jean (p. 84).
Jeune adulte	Son initiation sexuelle vers dix-huit ou dix-neuf ans, amoureux déçu puis amant d'une «petite couturière», Justine, dans une «soupente». Débuts des amours de Jacques. À vingt-deux ans, Jacques est un jeune homme de peine, coupant pour Suzanne «deux ou trois bourrées», menant avec Marguerite le «grain à moudre au moulin» ; Jacques devient le plus débauché des garçons du village; scène du vicaire perché dans la grange de Suzon. Le cabaretier; les chevaux; la dispute avec son père et la colère de ce dernier. L'enrôlement dans l'armée sur un coup de tête.		Histoire d'amour avec dame Suzanne (p. 279) ; histoire d'amour avec dame Marguerite (p. 280) ; histoire de Suzon et du vicaire (p. 285).
Adulte	La bataille de Fontenoy (11 mai 1745). La blessure au genou, qui guérit peu à peu ; soin chez des paysans, entouré de chirurgiens ; la nuit d'amour des hôtes de Jacques ; un chirurgien le sauve de l'amputation («Jacques boite depuis vingt ans», donc dialogue-voyage en 1765, même si *Le Bourru bienfaisant*, p. 152, date de 1771).		Histoire d'amour avec Denise (p. 225).

(suite)	Épisodes de la vie de Jacques	Récits	
		du narrateur (biographie)	de Jacques (autobiographie)
Adulte	Hébergement chez le chirurgien. La cruche cassée. L'agression des brigands. Jacques est recueilli par Desglands au château de Miremont. Rencontre de Denise ; la promesse de mariage ; le fils de Desglands. Jacques devient le valet de Desglands. La carrière de valet chez différents maîtres. « C'est lui [Desglands] qui me donna au commandeur de La Boulaye » (p. 227)		
	« [...] Qui me donna à son frère aîné le capitaine [...] » (p. 227). La relation amicale et les voyages avec ce capitaine, qu'il admire, et qui lui a fourni sa « culture » fataliste (« je m'étais fait à sa langue », p. 49) inspirée de Spinoza et appliquée à toute situation (brigands). « Le capitaine [...] me donna à son frère le plus jeune [...] M. Pascal [...] qui me donna au comte de Tourville [...] qui me donna à la marquise du Belloy [...] qui me donna à un de ses cousins [...] qui me donna à un M. Hérissant [...] qui me fit entrer chez Mlle Isselin que vous entreteniez, et qui me plaça chez vous [...] » (p. 227).		Histoire du capitaine (p. 107).
	Long compagnonnage avec le maître ; « pendant dix ans vivre de pair à compagnon » (p. 229) ; donc Jacques est le valet du maître depuis 1755 (année de naissance du fils) mais service actif dans l'armée jusqu'à la prise « du Port-Mahon » datant de 1756.	Histoire du voyage de Jacques et de son maître (p. 37).	
	Séparation et retrouvailles. Le duel qui tourne mal, le procès, la prison, l'évasion, le brigandage avec Mandrin et sa troupe ; les retrouvailles avec Denise et le retour définitif au château de Desglands ; le mariage de Jacques et Denise.	Les trois épilogues possibles (p. 348).	

Narrations, niveaux de narration et narrateurs

Le *Tristram Shandy* de Sterne foisonne d'histoires croisées. Il en est de même du texte de Diderot, qui entremêle une bonne trentaine de narrations d'ampleur différente (de quelques mots à plusieurs dizaines de pages), plus ou moins souvent interrompues. Le tableau ci-dessous les mentionne par ordre d'apparition.

On constate qu'il y a cinq narrateurs distincts, que Jacques est celui qui pérore le plus, et que les sauts d'un niveau de narration à l'autre sont fréquents.

	Niveaux de narration et narrateurs			
	N1 [1]	N2 [2]	N3 [3]	N4 [4]
Histoire du voyage des deux héros		Narrateur		
Histoire des amours avec Denise				Jacques
Histoire du poète de Pondichéry	Narrateur			
Histoire de frère Jean et frère Ange			Jacques	
Histoire d'Ésope	Narrateur			
Histoire du capitaine de Jacques			Jacques	
Histoires [5] du sieur Gousse	Narrateur			
Histoire des capitaines duellistes	Narrateur			
Histoire de Le Pelletier			Jacques	
Histoire de la mort de Socrate			Maître	

---

1. Le dialogue lecteur-narrateur.
2. Le récit du voyage des deux héros.
3. Le dialogue entre les deux héros (et avec d'autres personnages).
4. Le récit que se font les deux héros de leurs amours.

(suite)	Niveaux de narration et narrateurs			
	N1	N2	N3	N4
Histoire de l'anneau brisé			Maître	
Histoire du chien du meunier			Hôtesse	
Histoire de Mme de La Pommeraye			Hôtesse	
Amorce de l'histoire de l'Hôtesse			Hôtesse	
Histoire/fable de la gaine et du coutelet			Jacques	
Histoire du bâillon			Jacques	
Histoire de l'épigramme du poète français			Maître	
Histoire du camarade du capitaine			Jacques	
Histoire de M. de Guerchy			Jacques	
Histoire de la belle veuve de Desglands			Maître	
Histoire de l'emplâtre de Desglands			Maître	
Histoire du fils naturel de Desglands			Jacques	
Histoire de Richard et de l'abbé Hudson			Des Arcis	
Histoire du carrosse renversé de Hudson			Jacques	
Histoire du mari mécréant			Jacques	
Histoire des amours avec Justine			Jacques	
Histoire du bon mot de milord Chatham	Narrateur			
Histoire des amours avec dame Suzanne			Jacques	
Histoire des amours avec dame Marguerite			Jacques	
Histoire de l'enfant de la lingère			Jacques	
Histoire du vicaire perché			Jacques	
Histoire des amours avec Agathe				Maître
Histoire des orphelins du limonadier	Narrateur			
Histoire de la fable de Garo			Jacques, Maître	
Histoire des trois épilogues au choix	Narrateur			

Commentaire d'une gravure
de *Jacques le Fataliste*

Presque dès ses premières éditions, *Jacques le Fataliste* est agrémenté de gravures. Ainsi, l'édition de 1797 par l'imprimeur parisien Gueffier, en trois volumes *in-octavo*, comporte une gravure dite « de frontispice », en tête de chaque tome. La gravure qui orne la première page du premier volume est reproduite p. 121 de notre édition ; elle représente Jacques se jetant dans les bras du bourreau. Stéphane Lojkine, spécialiste de la littérature du XVIIIe siècle et des relations entre texte et image, en offre un commentaire :

Les gravures étaient fabriquées sur des presses d'imprimerie différentes des presses typographiques, où le reste du livre était imprimé. Elles étaient le plus souvent vendues séparément du livre, à charge pour l'acheteur de les relier. C'est pourquoi, au-dessus et en dessous de la gravure, figurent un certain nombre d'indications qui permettent de les placer correctement lors de la reliure et d'identifier la scène représentée. Ici l'indication de la page 173 renvoie à la scène de la rencontre entre Jacques et son bienfaiteur-bourreau. Mais le relieur a préféré utiliser cette gravure comme frontispice pour l'ensemble du premier volume plutôt que de l'insérer en face de l'épisode qu'elle illustre. Rien ne dit cependant que dans un autre exemplaire de la même édition, un autre relieur n'aura pas procédé autrement...

L'illustration d'une scène de roman obéit à toute une série de règles et de conventions, liée à la longue tradition iconographique de la peinture d'histoire telle qu'elle s'est constituée peu à peu à partir de la Renaissance, sous l'influence notamment de la scène et des décors de théâtre. [...]

Ici, à gauche, l'homme bien habillé et entouré de ses chiens est le bourreau, vers qui Jacques descendu de son cheval se précipite. À l'arrière-plan, sur la droite, le maître observe cette scène de reconnaissance parodique. L'alignement des arbres suggère le prolongement d'une route. La scène se déroule donc sur une route, à la croisée des chemins : cela correspond au roman, et à son insistance sur la route ; mais cela renvoie également au lieu neutre de la scène théâtrale classique.

Au premier plan, sur la gauche, les racines d'un arbre établissent une ligne d'ombre qui délimite la scène proprement dite (qu'on appellera *espace restreint*[1]) et posent une séparation entre notre œil de lecteur et l'espace de la représentation. Le bas de la gravure, sous la racine, sert donc de transition entre notre espace à nous et l'espace de la scène. Il marque l'écart entre le monde réel et le monde de l'illusion scénique. Le cheval de Jacques, au premier plan à droite, et l'ombre qu'il projette sur le sol contribuent également à établir cette séparation. Spectateur neutre de la scène, le cheval constitue un *embrayeur visuel*[2].

Jacques est placé au centre de la gravure. Par sa position, il coupe l'espace de la scène en deux, verticalement : il fait ainsi *écran*[3] entre le regard amusé du maître et le retrait gêné du bourreau. Le regard du maître, depuis le fond de la scène, métaphorise notre regard de spectateur. Nous partageons avec lui le « savoir du maître », qui annule

---

1. *Espace restreint* : « l'espace restreint est, dans une image représentant une scène, l'espace de la scène proprement dite, le lieu de l'action, qui contient les éléments symboliques dont la scène est porteuse. Lieu du symbolique, l'espace restreint s'oppose à l'espace vague, qui est le lieu du réel » (S. Lojkine, *La Scène de roman, méthode d'analyse*, Armand Colin, coll. « U », 2002, p. 245-246).

2. *Embrayeur visuel* : « un embrayeur visuel est en principe un personnage placé au premier plan, de biais ou carrément de dos, et qui assiste à la scène. L'embrayeur visuel sert de relais entre le spectateur (spectateur du tableau, spectateur au théâtre, lecteur) et la scène proprement dite. [...] L'embrayeur visuel matérialise l'écran de la représentation : nous ne regardons pas directement la scène ; nous la regardons à travers un obstacle qu'il nous aide à franchir » (*ibid.*).

3. *Écran* : « l'écran est l'élément central du dispositif scénique, dont il règle à la fois l'ordonnance matérielle (la répartition des personnages dans l'espace) et le jeu symbolique (l'interdit que la scène transgresse, la subversion qu'elle opère, le scandale qu'elle produit) » (*ibid.*).

tout le pathétique de la scène pour Jacques. Ce savoir du maître peut se résumer ainsi : il n'est pas de reconnaissance possible envers un bourreau.

La délimitation d'un espace restreint, l'installation d'un embrayeur visuel, l'écran constituent les bases du dispositif de la scène classique. Cependant, à ce dispositif classique vient se superposer un nouveau principe de composition, pour lequel l'enjeu, le sujet, n'est plus visible : il ne s'agit plus d'accéder, derrière l'écran, à ce qui devrait être interdit au regard ; il ne s'agit plus, pour Jacques, de reconnaître dans le passant inconnu son sauveur. La scène de reconnaissance classique est parodiée dès lors que le sauveur est un bourreau.

L'horreur qui est en jeu (ici le travail du bourreau, l'horreur de la mort que recouvre sa conduite bienfaisante envers Jacques) n'est aucunement représentée, à peine suggérée par le mouvement de retrait du personnage, vers la gauche, et par l'expression gênée de son visage. La scène recouvre autre chose, qui n'est pas d'ordre scénique. Il ne s'agit pas même du spectacle des exécutions : ce serait encore un écran. Quelque chose d'invisible est en jeu : c'est l'horreur intime, l'horreur en chambre d'une vie de bourreau. La gravure représente l'intrusion dans cette horreur intime. Jacques pénètre dans le cercle que les chiens forment autour du bourreau : le mouvement de reconnaissance est traité comme une agression, une intrusion.

Table des illustrations

Les classiques et les contemporains
dans la même collection

Les anthologies dans la même collection

Création maquette intérieure :
Sarbacane Design.

Composition : In Folio.

GF Flammarion

07/10/132705-X-2007 – Impr. MAURY Imprimeur, 45330 Malesherbes.
N° d'édition LO1EHRN000131N001. – Novembre 2007. – Printed in France.